食物アレルギー診療ガイドライン 2021

Japanese Guidelines for Food Allergy 2021　電子書籍付き

監修　海老澤 元宏／伊藤 浩明／藤澤 隆夫

作成　一般社団法人日本小児アレルギー学会食物アレルギー委員会

協和企画

『食物アレルギー診療ガイドライン 2021』作成にあたって

　『食物アレルギー診療ガイドライン 2016』が発刊されてから 5 年が経過し、Minds に準拠してガイドラインを改訂した。『食物アレルギー診療ガイドライン』は 2005 年に日本小児アレルギー学会食物アレルギー委員会の総説をまとめたことに始まり、2012 年（発刊は 2011 年）、2016 年と成熟度を徐々に高めてきた。一方、2005 年に厚生労働科学研究の研究班から出された『食物アレルギーの診療の手引き 2005』は、小児科だけではなく、内科・皮膚科・耳鼻咽喉科の先生方を作成委員として作成され、2012 年以降のガイドラインに多くを取り込んで融合を深めてきた。今回もその方針を堅持し、『食物アレルギーの診療の手引き 2020』に加えて新たに厚生労働科学研究の研究班から出された『食物経口負荷試験の手引き 2020』とも調和を図っている。

　今回の改訂の特徴として、①成人の食物アレルギーを専門とする各科の先生方に加わっていただき、小児～成人までの幅広い領域をカバーしたこと、②ガイドラインの構成を EBM、総論、各論、社会生活支援の大きく 4 部構成にしたこと、③Minds 準拠として患者団体、関連団体の外部委員に加わっていただき、作成過程を明確にして経口免疫療法と食物経口負荷試験に関して 4 つのクリニカルクエスチョン（CQ）を設定してシステマティックレビュー（SR）に基づいて推奨を作成したことが挙げられる。

　食物経口負荷試験が保険収載されてから 15 年、『食物アレルギー診療ガイドライン 2012』が発刊されて 10 年、さらに、国民皆保険制度のおかげでわが国の食物アレルギー診療のレベルは世界で最も進んでいる。その環境下で世界で最高峰の食物アレルギーの診療が行われていると患者さんも医療関係者も当たり前のように思っていることから、残念なことに海外では当たり前でないことに関してはわが国から海外への情報発信が十分に行われていない。今回、CQ3 と CQ4 の推奨に関して SR チームの担当の先生方と『Allergology International』に論文化できた意義は、日本で行われている食物アレルギー診療の世界に向けた情報発信として大きなことであった。今後はガイドラインの英文化に加えて、多くの先生方に国際的な情報発信をしていただきたいと思う。

　次の改訂は、ガイドライン改訂の周期として 5 年後の 2026 年になると想定しているが、現在、食物アレルギーの積極的な治療としてオマリズマブをはじめとした生物学的製剤を用いた臨床研究が米国で進められ、異なる製剤で日本でも計画中である。米国では、経口免疫療法との組み合わせの検討が計画されている。小児期のアナフィラキシーの原因のほとんどが食物アレルギーであるが、新しい製剤の開発によりアナフィラキシーの自己管理も大きく変わる可能性がある。これら 2 つのインパクトあることが次の改訂に大きな影響を与えるであろう。

今回のガイドラインの作成にあたり、前回、執筆協力者の数名が食物アレルギー委員会の委員に昇格したことに伴い、執筆協力者に新たに有能な若手に加わっていただいた。『小児気管支喘息治療・管理ガイドライン2020』のCQを担当したSRチームに今回のCQも担当していただいた。第1章にこのガイドラインの作成のメンバーを統括委員会（理事）、作成委員会（食物アレルギー委員会委員と外部委員）、執筆協力者（12名の若手）、SRチーム（20名の若手）ごとに掲載してあるが、このメンバーの誰一人として欠けても2021年版の発刊は不可能であった。皆様、特に若手の活躍に感謝したい。現在の委員の約半数が次の改訂までに定年を迎えることを考えると次の改訂に向けて世代交代・次世代育成も大きな課題である。

　最後に、パブリックコメントに意見を寄せていただいた方、外部評価委員の皆様、協和企画の皆様（特に担当された小栗さん）、事務局で食物アレルギー委員会を担当された山本さんに深謝します。

2021年11月

　　　　　　　　　　　　　一般社団法人日本小児アレルギー学会
　　　　　　　　　　　　　食物アレルギー委員会委員長　　海老澤元宏（作成委員長）
　　　　　　　　　　　　　　　　　　　副委員長　　伊藤　浩明（作成副委員長）
　　　　　　　　　　　　　　　　　　　理事長　　　藤澤　隆夫（統括委員長）

一般社団法人日本小児アレルギー学会
食物アレルギー診療ガイドライン 2021

統括委員会（五十音順）

統括委員長	藤澤　隆夫	国立病院機構三重病院
統括委員	足立　雄一	富山大学学術研究部医学系小児科学講座
	荒川　浩一	社会福祉法人希望の家附属北関東アレルギー研究所
	飯野　　晃	なすのがはらクリニック
	池田　政憲	岡山大学大学院医歯薬学総合研究科小児医科学
	今井　孝成	昭和大学医学部小児科学講座
	海老澤元宏	国立病院機構相模原病院臨床研究センター
	大嶋　勇成	福井大学医学系部門医学領域小児科学
	大矢　幸弘	国立成育医療研究センター・アレルギーセンター
	勝沼　俊雄	東京慈恵会医科大学附属第三病院小児科
	亀田　　誠	大阪はびきの医療センター小児科
	楠　　　隆	龍谷大学農学部食品栄養学科小児保健栄養学研究室
	是松　聖悟	埼玉医科大学総合医療センター小児科
	下条　直樹	千葉大学予防医学センター
	手塚純一郎	福岡市立こども病院アレルギー・呼吸器科
	南部　光彦	なんぶ小児科アレルギー科
	西小森隆太	久留米大学医学部小児科
	長谷川俊史	山口大学大学院医学系研究科医学専攻小児科学講座
	三浦　克志	宮城県立こども病院アレルギー科
	森川　みき	森川小児科アレルギー科クリニック
	吉原　重美	獨協医科大学医学部小児科学

作成委員会（五十音順）

委員長	海老澤元宏	国立病院機構相模原病院臨床研究センター
副委員長	伊藤　浩明	あいち小児保健医療総合センター
委員	井上祐三朗	千葉県こども病院アレルギー・膠原病科
	今井　孝成	昭和大学医学部小児科学講座
	大嶋　勇成	福井大学医学系部門医学領域小児科学
	大矢　幸弘	国立成育医療研究センター・アレルギーセンター
	岡藤　郁夫	神戸市立医療センター中央市民病院小児科
	金子　英雄	岐阜県総合医療センター小児療育内科
	近藤　康人	藤田医科大学ばんたね病院小児科

	佐藤　さくら	国立病院機構相模原病院臨床研究センター アレルギー性疾患研究部
	長尾　みづほ	国立病院機構三重病院臨床研究部
	二村　昌樹	国立病院機構名古屋医療センター小児科
	山田　佳之	東海大学医学部総合診療学系小児科学
	吉原　重美	獨協医科大学医学部小児科学
外部委員	猪又　直子	昭和大学医学部皮膚科学講座／日本アレルギー学会（皮膚科）
	大久保　公裕	日本医科大学大学院医学研究科頭頸部・感覚器科学分野／ 日本アレルギー学会（耳鼻科）
	園部　まり子	NPO法人アレルギーを考える母の会／患者会
	原　純也	武蔵野赤十字病院栄養課／管理栄養士：日本栄養士会
	平場　一美	杢保小児科医院／一般医
	福冨　友馬	国立病院機構相模原病院臨床研究センター臨床研究推進部／ 日本アレルギー学会（内科）
外部評価委員	穐山　浩	星薬科大学薬学部薬品分析化学研究室
	宇理須　厚雄	うりすクリニック
	小川　雄二	桜花学園大学／名古屋短期大学保育科／ 名古屋短期大学付属幼稚園
	林　典子	十文字学園女子大学人間生活学部健康栄養学科

執筆協力者（五十音順）

	川本　典生	岐阜大学大学院医学系研究科小児科学
	杉浦　至郎	あいち小児保健医療総合センター免疫・アレルギーセンター アレルギー科
	髙岡　有理	大阪はびきの医療センター小児科
	永倉　顕一	国立病院機構相模原病院小児科
	中島　陽一	藤田医科大学医学部小児科学
	西本　創	さいたま市民医療センター小児科
	福家　辰樹	国立成育医療研究センター・ アレルギーセンター総合アレルギー科
	堀野　智史	宮城県立こども病院アレルギー科
	八木　久子	群馬大学大学院医学系研究科小児科学分野
	安冨　素子	福井大学医学系部門医学領域小児科学
	柳田　紀之	国立病院機構相模原病院小児科・ 臨床研究センター疫学統計研究室
	山本　貴和子	国立成育医療研究センター・ アレルギーセンター総合アレルギー科

システマティックレビュー（SR）チーム（◎：各CQのリーダー）

SRリーダー	山本 貴和子	国立成育医療研究センター・アレルギーセンター総合アレルギー科
CQ1◎	北沢 博	東北医科薬科大学医学部小児科
CQ1	山出 晶子	千葉県こども病院アレルギー・膠原病科
CQ2◎	川本 典生	岐阜大学大学院医学系研究科小児科学
CQ2	鈴木 修一	国立病院機構下志津病院小児科・アレルギー科
CQ2	佐藤 幸一郎	国立病院機構高崎総合医療センター小児科
CQ2	三浦 太郎	東京医科大学八王子医療センター小児科
CQ2	中村 俊紀	なかむらこどもクリニック
CQ2	房安 直子	国立病院機構相模原病院臨床研究センターアレルギー性疾患研究部
CQ3◎	村井 宏生	福井大学医学系部門医学領域小児科学
CQ3	杉本 真弓	徳島大学病院小児科
CQ3	高岡 有理	大阪はびきの医療センター小児科
CQ3	高橋 亨平	国立病院機構相模原病院小児科
CQ3	和田 拓也	富山市立富山市民病院小児科
CQ3	苟原 誠	つるぎ町立半田病院小児科
CQ4◎	前田 麻由	昭和大学医学部小児科学講座
CQ4	桑原 優	愛媛大学大学院医学系研究科地域救急医療学講座
CQ4	田中 裕也	兵庫県立こども病院アレルギー科
CQ4	平口 雪子	大阪府済生会中津病院小児科、免疫・アレルギーセンター
CQ4	錦戸 知喜	大阪母子医療センター呼吸器・アレルギー科
SR担当委員	二村 昌樹	国立病院機構名古屋医療センター小児科
アドバイザー	岡藤 郁夫	神戸市立医療センター中央市民病院小児科
アドバイザー	山田 佳之	東海大学医学部総合診療学系小児科学

「食物アレルギー診療ガイドライン 2021」の利益相反

　日本小児アレルギー学会が策定した「利益相反（COI）指針」に基づき、本学会は「利益相反委員会」を設置し、指針の運用に関する細則を定め、学会員の利益相反（conflict of interest, COI）の状況を公正に管理している。

　このたび、「食物アレルギー診療ガイドライン 2021」を作成するにあたり、ガイドライン統括委員、作成委員および執筆協力者、システマティックレビューチームはアレルギー疾患の診断・治療に関係する企業・組織または団体との経済的関係に基づき、利益相反の状況について自己申告を行った。以下にその申告項目と申告された該当の企業・団体名を報告する。

　日本小児アレルギー学会は、産業界などからの資金で実施される臨床研究の公正性、透明性を保ちつつ、今後も、アレルギー学の進歩、普及、啓発を図り、もってわが国の学術、教育、アレルギー疾患の管理・予防に寄与していく所存である。

2021 年 11 月

　　　　　　　　　　　　　　　　　　　　　　　　　　　　一般社団法人日本小児アレルギー学会

申告項目：以下の項目についてガイドライン統括委員、作成委員および執筆協力者、システマティックレビューチームが、アレルギー疾患の診断・治療に関係する企業・組織または団体から何らかの報酬を得たかを申告した。申告は有か無の回答で、有の場合は、該当の企業・団体名を明記した。なお、1、2、3 の項目については申告者の配偶者、1 親等内の親族、または収入・財産を共有する者の申告も含む。対象期間は過去 3 年度〔2018 年度（1 月 1 日〜12 月 31 日）〜2020 年度（1 月 1 日〜12 月 31 日）〕以内とした。
1. 役員報酬額、2. 株式の利益、3. 特許使用料、4. 講演料、5. 原稿料、6. 研究費・助成金など、7. 奨学（奨励）寄付など、8. 企業などが提供する寄付講座、9. 旅費、贈答品などの受領

該当企業・団体：報酬を得ていると申告された企業・団体は次の通り（五十音順）。
アステラス製薬株式会社、エームサービス株式会社、株式会社 Fam's、キッコーマン株式会社、杏林製薬株式会社、グラクソ・スミスクライン株式会社、大鵬薬品工業株式会社、田辺三菱製薬株式会社、帝國製薬株式会社、鳥居薬品株式会社、ノバルティス ファーマ株式会社、ピアス株式会社、久光製薬株式会社、ファイザー株式会社、物産フードサイエンス株式会社、マイラン EPD 合同会社、マルホ株式会社、株式会社ヤクルト本社、DBV Technologies、MSD 株式会社、Regeneron Pharmaceuticals Inc

Japanese Guidelines for Food Allergy 2021

目次

第1章　JGFA2021の作成方法・CQ ... 2
1．JGFA2021の目的 ... 2
2．基本姿勢 ... 2
3．JGFA作成のプロセス ... 3
4．利用者 ... 3
5．作成委員会構成 ... 3
6．本書の構成 ... 3
7．作成方針 ... 7
8．クリニカルクエスチョン（CQ）の一覧 ... 7
9．システマティックレビュー（SR）の方法 ... 8
　　1）エビデンスの収集 ... 8
　　2）スクリーニング ... 8
　　3）情報抽出と個々の評価 ... 8
　　4）エビデンス総体の評価 ... 8
　　5）SRレポートの作成 ... 9
10．エビデンスレベルと推奨グレードの設定方法 ... 9
11．Clinical Question（CQ）と推奨、推奨度・エビデンスレベル一覧 ... 10

第2章　定義・分類 ... 16
1．定義と分類 ... 16
　　1）食物の関与 ... 16
　　2）抗原特異的な免疫学的機序 ... 17
　　3）症状誘発の時間経過 ... 17
2．IgE依存性食物アレルギーの臨床的病型分類 ... 18
　　1）食物アレルギーの関与する乳児アトピー性皮膚炎 ... 18
　　2）即時型症状 ... 18

   3）食物依存性運動誘発アナフィラキシー
    （food-dependent exercise-induced anaphylaxis, FDEIA） 19
   4）口腔アレルギー症候群（oral allergy syndrome, OAS） 19
   5）遅発型 IgE 依存性食物アレルギー 19
  3．発症（感作）の機序からみた特殊病態 19
  4．消化管アレルギー（gastrointestinal allergies） 19
  5．食物アレルギーの症状 19
   1）皮膚症状 20
   2）粘膜症状 20
   3）呼吸器症状 21
   4）消化器症状 22
   5）神経症状 22
   6）循環器症状 22
  6．アナフィラキシーの定義 22
  7．他のアレルギー疾患と食物アレルギーの関連 22
   1）蕁麻疹 22
   2）アトピー性皮膚炎 23
   3）アナフィラキシー 23
   4）喘息 23
  8．鑑別すべき疾患（抗原特異的な免疫学的機序によらない反応） 23

第3章　食物アレルゲン　26

  1．アレルゲンの構造とエピトープ 26
  2．交差抗原性と臨床的交差反応性 28
  3．植物性食物アレルゲンタンパク質スーパーファミリー 28
   1）プロラミン 30
   2）クーピン（Cupins） 31
   3）Bet v 1 ホモログ 33
   4）プロフィリン 33
   5）その他 34
  4．動物性食物アレルゲンタンパク質スーパーファミリー 34
   1）トロポミオシン 35
   2）パルブアルブミン 36
   3）カゼイン 37
   4）その他 37

5．糖鎖抗原・低分子抗原 ･･ 37
　　1）糖鎖抗原（cross-reactive carbohydrate determinant, CCD） ････････････････ 37
　　2）低分子化合物 ･･･ 37

第4章　免疫学の知識 ･･ 40
1．経口免疫寛容 ･･･ 40
2．食物アレルゲンによる感作 ･･･ 41
　　1）胎内感作 ･･･ 41
　　2）経皮感作 ･･･ 42
　　3）経消化管感作 ･･･ 42
　　4）経気道感作 ･･･ 42
3．IgE依存性食物アレルギーの機序 ･･ 42
4．食物アレルギーの抑制・寛解の機序 ･･･ 43
　　1）自然耐性獲得 ･･･ 43
　　2）アレルゲン免疫療法の作用機序 ･･ 44
5．非IgE依存性食物アレルギーの機序 ･･ 44

第5章　疫学 ･･･ 48
1．わが国の食物アレルギー有症率 ･･･ 48
2．世界の食物アレルギー有症率 ･･･ 49
3．即時型食物アレルギー全国疫学調査からみたわが国の即時型食物アレルギー
　　の実態 ･･･ 49
　　1）調査方法 ･･･ 49
　　2）年齢別発症頻度 ･･･ 50
　　3）原因食物割合 ･･･ 50
　　4）年齢別原因食品 ･･･ 50
　　5）症状出現頻度 ･･･ 50
4．アレルギーマーチに関して ･･･ 50
　　1）アレルギーマーチ ･･･ 50
　　2）喘息 ･･･ 53
　　3）アレルギー性鼻炎 ･･･ 54
　　4）アトピー性皮膚炎 ･･･ 55

第6章　リスク因子と予防 ･･ 58
1．小児の食物アレルギーの予防に必要なこと ･･･････････････････････････････････････ 58

2．小児の食物アレルギーの発症リスク因子 59
　　　1）家族歴 59
　　　2）遺伝的要因 60
　　　3）皮膚バリア機能の低下 60
　　　4）アトピー性皮膚炎（湿疹）... 60
　　　5）環境中の食物アレルゲン 62
　　　6）日光照射（出生季節）・ビタミンD 64
　　　7）微生物曝露（腸内微生物叢、帝王切開、ペットなど）............ 64
　　3．小児の食物アレルギーの一次予防 64
　　　1）妊娠中や授乳中の母親の食物除去 65
　　　2）母乳栄養、混合栄養、低アレルゲン化ミルク 65
　　　3）離乳食の開始時期 66
　　　4）鶏卵・ピーナッツなどアレルギーになりやすい食物の早期摂取 ... 66
　　　5）乳児期早期からの保湿剤塗布 67
　　　6）プロバイオティクス、プレバイオティクス、シンバイオティクス ... 67
　　　7）ビタミンD 68
　　4．小児の食物アレルギーの二次予防 68
　　　1）経口耐性誘導 68
　　　2）湿疹に対する積極的な抗炎症治療と寛解維持 68

第7章　即時型症状の重症度判定と対症療法 74
　　1．誘発症状と重症度判定 74
　　　1）臨床所見による重症度分類 74
　　　2）各臓器症状の重症度判定 74
　　2．アナフィラキシーの診断基準 76
　　　1）アナフィラキシーの定義 76
　　　2）アナフィラキシーの診断基準 76
　　3．アナフィラキシーの初期治療 78
　　　1）アナフィラキシーへの対応 78
　　　2）アドレナリンの薬理作用・副作用 80
　　4．アナフィラキシーの追加治療 81
　　　1）ヒスタミンH_1受容体拮抗薬 81
　　　2）副腎皮質ステロイド（ステロイド薬）....................................... 81
　　　3）酸素投与・β_2刺激薬吸入 82
　　　4）アナフィラキシー後の対応 82

5．アドレナリン自己注射薬の処方 ··· 83
　　1）処方が勧められる食物アレルギー患者 ································· 83
　　2）処方に関する注意点 ··· 83
　6．医療機関外での治療・アクションプラン ····································· 84
　　1）日常の訓練、役割分担 ·· 84
　　2）緊急性の判断と対応 ··· 84
　　3）エピペン®の使い方 ·· 85
　　4）救急要請のポイント ··· 85

第8章　診断と検査 ·· 88
　1．食物アレルギーの診断手順 ·· 88
　　1）食物アレルギーの関与する乳児アトピー性皮膚炎 ···················· 88
　　2）即時型症状 ·· 89
　2．病歴の把握 ··· 89
　　1）乳児期 ·· 91
　　2）幼児期以降 ·· 91
　　3）学童期以降 ·· 92
　3．免疫学的検査の概要 ·· 92
　4．特異的IgE抗体検査 ··· 92
　　1）測定方法 ··· 92
　　2）測定方法による違い ··· 93
　　3）検査結果の評価方法 ··· 93
　　4）アレルゲンコンポーネント特異的IgE抗体 ····························· 95
　5．皮膚プリックテスト ·· 95
　　1）皮膚テストの選択 ·· 95
　　2）方法 ·· 96
　　3）診断的意義 ·· 97
　6．好塩基球活性化試験（basophil activation test, BAT） ······················· 98
　　1）検査法 ·· 98
　　2）検査の有用性 ·· 98
　7．特異的IgG（IgG_4）抗体検査 ··· 98
　8．その他の食物アレルギー関連疾患の診断 ···································· 98

第9章　食物経口負荷試験（OFC） ································ 100
　1．食物経口負荷試験の定義 ·· 100

- 2．食物経口負荷試験の適用 ……………………………………………………………… 100
- 3．食物経口負荷試験の目的 ……………………………………………………………… 100
  - 1）食物アレルギーの確定診断（原因アレルゲンの同定） ………………………… 100
  - 2）安全摂取可能量の決定と耐性獲得の確認 ………………………………………… 101
- 4．食物経口負荷試験の有用性 …………………………………………………………… 102
- 5．食物経口負荷試験前のリスク評価 …………………………………………………… 102
  - 1）食物摂取に関連した病歴 …………………………………………………………… 102
  - 2）食物の種類 …………………………………………………………………………… 103
  - 3）免疫学的検査 ………………………………………………………………………… 104
  - 4）基礎疾患、合併症 …………………………………………………………………… 104
- 6．食物経口負荷試験を行う準備 ………………………………………………………… 104
  - 1）安全対策および体制の整備 ………………………………………………………… 104
  - 2）基礎疾患のコントロール …………………………………………………………… 106
  - 3）負荷試験食の準備 …………………………………………………………………… 107
  - 4）説明と同意 …………………………………………………………………………… 107
  - 5）食物経口負荷試験の結果に影響する薬剤 ………………………………………… 107
- 7．食物経口負荷試験の方法 ……………………………………………………………… 107
  - 1）盲検法の有無 ………………………………………………………………………… 107
  - 2）食品の選択 …………………………………………………………………………… 108
  - 3）総負荷量 ……………………………………………………………………………… 109
  - 4）総負荷量の選択 ……………………………………………………………………… 109
  - 5）摂取間隔と分割方法 ………………………………………………………………… 111
  - 6）観察時間 ……………………………………………………………………………… 113
- 8．症状誘発時の対応 ……………………………………………………………………… 113
  - 1）重症度に基づいた症状に対する治療 ……………………………………………… 113
  - 2）経過観察の必要性 …………………………………………………………………… 113
- 9．食物経口負荷試験の結果判定 ………………………………………………………… 113
  - 1）陽性の判断 …………………………………………………………………………… 114
  - 2）判定保留の判断 ……………………………………………………………………… 114
  - 3）陰性例の判断 ………………………………………………………………………… 114
- 10．食物経口負荷試験後の患者指導 ……………………………………………………… 114
  - 1）陽性の場合 …………………………………………………………………………… 114
  - 2）陰性・判定保留の場合 ……………………………………………………………… 115
  - 3）除去解除の判断 ……………………………………………………………………… 115

11．食物経口負荷試験を行うための社会的環境の整備 ································ 115
　　1）実施施設の認定と保険診療 ·· 115
　　2）病診連携 ·· 116

第10章　食物アレルギー患者の管理 ································ 120

1．管理の原則 ·· 120
　1）正しい診断に基づいた除去 ·· 120
　2）症状を誘発しない範囲のアレルゲン摂取 ··· 120
　3）安全の確保 ·· 121
　4）必要な栄養摂取 ·· 121
　5）QOLの向上 ·· 121
　6）誘発症状への対応 ·· 122
2．安全の確保 ·· 122
　1）誤食防止対策 ·· 122
　2）誤食以外による症状誘発回避 ··· 123
3．必要な栄養摂取 ·· 123
　1）身体的成長による評価 ··· 123
　2）食事量による評価 ·· 123
　3）異常所見の確認 ·· 124
　4）栄養食事指導 ·· 124
4．患者・家族のQOL維持 ·· 124
5．食べることを目指した食事指導 ··· 125
　1）摂取可能量評価後の食事指導 ··· 126
　2）食物経口負荷試験後の食事指導 ··· 126
　3）食事指導の最終目標 ·· 128
6．合併するアレルギー疾患の管理 ··· 128
　1）喘息 ··· 128
　2）アトピー性皮膚炎 ·· 128
　3）アレルギー性鼻炎・結膜炎など ··· 129
7．食物アレルゲンを含む薬剤・ワクチン ··· 129
　1）鶏卵由来 ·· 129
　2）牛乳由来 ·· 129
　3）その他 ··· 129

第 11 章　経口免疫療法 134
  1．経口免疫療法の方法 134
    1）経口免疫療法とは 134
    2）方法の概要 134
  2．用語の定義 135
    1）脱感作 135
    2）持続的無反応 135
    3）耐性獲得 136
  3．対象と実施の条件 136
    1）対象 136
    2）医師と施設に求められる条件 136
  4．治療効果と副反応 136
    1）治療効果について 136
    2）副反応について 137
    3）本ガイドラインでの推奨 137
  5．機序 138
    1）液性免疫応答 138
    2）マスト細胞・好塩基球の反応抑制 138
    3）制御性リンパ球 138
  6．経口免疫療法の現状と問題点 138
    1）経口免疫療法自体の問題点 139
    2）診療上の問題点 139
  7．今後の展望 139
    1）目標量の減量 139
    2）製剤化 139
    3）抗体製剤 140
    4）経皮免疫療法 140

第 12-1 章　鶏卵アレルギー 144
  1．発症年齢・臨床型分類 144
  2．予後 144
    1）耐性化率 144
    2）耐性化に関わる因子 145
  3．アレルゲンコンポーネント 146
    1）構成するタンパク質 146

2）交差抗原性を示す食物	146
4．診断	147
1）診断手順	147
2）特異的IgE抗体検査とプロバビリティカーブ	147
5．食事指導	147
1）必要最小限の除去	147
2）低アレルゲン化の方法	147
3）除去で不足する栄養素	148
4）微量を含む食品	149
5）交差反応性を認める食品	149
6）注意が必要な機会	149

第12-2章　牛乳アレルギー　151

1．発症年齢・臨床型分類	151
2．予後	151
1）耐性化率	151
2）耐性化に関わる因子	152
3．コンポーネント	153
1）構成するタンパク質	153
2）交差抗原性を示す食物	153
4．診断	154
1）診断手順	154
2）特異的IgE抗体検査とプロバビリティカーブ	154
5．食事指導	155
1）必要最小限の除去	155
2）低アレルゲン化の方法	155
3）除去で不足する栄養素	155
4）アレルギー表示	155
5）交差反応性を認める食品	156
6）注意が必要な機会	156

第12-3章　小麦アレルギー　158

1．発症年齢・臨床型分類	158
2．予後	158
1）耐性化率	158

2）耐性化に関わる因子 159
　3．コンポーネント 159
　　　1）構成するタンパク質 159
　　　2）交差抗原性を示す食品など 160
　4．診断 161
　　　1）診断手順 161
　　　2）特異的IgE抗体検査とプロバビリティカーブ 161
　5．食事指導 161
　　　1）必要最小限の除去 161
　　　2）低アレルゲン化の方法 162
　　　3）除去で不足する栄養素 162
　　　4）微量を含む食品 162
　　　5）交差反応性を認める食品について 162
　　　6）注意が必要な機会 162

第12-4章　ピーナッツアレルギー 165
　1．発症年齢・臨床型分類 165
　2．予後 165
　3．コンポーネント 165
　4．診断 166
　5．食事指導 167

第12-5章　木の実類アレルギー 169
　1．発症年齢・臨床型分類 169
　2．予後 169
　3．コンポーネント 169
　4．診断 170
　5．食事指導 171

第12-6章　大豆アレルギー 173
　1．発症年齢・臨床型分類 173
　2．予後 173
　3．コンポーネント 173
　4．診断 174
　5．食事指導 174

第12-7章　ゴマアレルギー　176
1．発症年齢・臨床型分類　176
2．予後　176
3．コンポーネント　176
4．診断　176
5．食事指導　177

第12-8章　ソバアレルギー　178
1．発症年齢・臨床型分類　178
2．予後　178
3．コンポーネント　178
4．診断　178
5．食事指導　179

第12-9章　甲殻類・軟体類・貝類アレルギー　180
1．発症年齢・臨床型分類　180
2．予後　180
3．コンポーネント　180
4．診断　182
5．食事指導　182

第12-10章　魚類アレルギー　184
1．発症年齢・臨床型分類　184
2．予後　184
3．コンポーネント　185
4．診断　186
5．食事指導　186

第12-11章　魚卵アレルギー　188
1．発症年齢・臨床型分類　188
2．予後　188
3．コンポーネント　188
4．診断　188
5．食事指導　189

第12-12章　果物・野菜アレルギー　190
1．発症年齢・臨床型分類　190
2．予後　190
3．コンポーネント　191
4．診断　192
5．食事指導　193

第13章　食物依存性運動誘発アナフィラキシー　194
1．定義　194
2．疫学　194
3．発症機序　194
　1）運動の役割　195
　2）非ステロイド性抗炎症薬の影響　195
4．臨床像　196
5．頻度の高い原因食物　196
　1）小麦　196
　2）甲殻類　197
　3）果物　197
6．診断　197
　1）問診　197
　2）検査　197
　3）誘発試験　198
7．鑑別診断　199
8．治療　200
9．予後　200
10．患者に対する生活指導　200

第14-1章　花粉-食物アレルギー症候群（PFAS）　204
1．定義と概念　204
2．発症機序　204
3．わが国の疫学　205
4．臨床像　206
5．診断　206
6．治療と患者指導　206
　1）症状再発予防　206

2）症状出現時の対応 207
　　　3）治療 207
　7．予後 208

第14-2章　ラテックス-フルーツ症候群 209
　1．定義 209
　2．疫学 209
　3．発症機序 209
　4．臨床像 210
　5．診断 210
　6．治療・患者指導 210

第14-3章　動物飼育に関連した食物アレルギー 212
　1．pork-cat 症候群 212
　　　1）概念 212
　　　2）臨床的特徴 212
　　　3）疫学 212
　　　4）発症機序 213
　　　5）診断 213
　　　6）治療・患者指導 214
　　　7）予後 214
　2．bird-egg 症候群 214
　　　1）定義と概念 214
　　　2）臨床的特徴 214
　　　3）疫学 214
　　　4）発症機序 214
　　　5）診断 215
　　　6）治療・患者指導 215
　　　7）予後 215

第14-4章　動物の刺咬傷による食物アレルギー 217
　1．α-Gal による獣肉アレルギー 217
　　　1）定義と概念 217
　　　2）臨床的特徴 217
　　　3）疫学 218

　　　　4）獣肉アレルギーの遅発型発症の理由 218
　　　　5）診断 218
　　　　6）治療と指導 218
　　　　7）予後 219
　　2．ポリガンマグルタミン酸による納豆アレルギー 219
　　　　1）概念 219
　　　　2）臨床的特徴 219
　　　　3）疫学 219
　　　　4）発症機序 220
　　　　5）診断 220
　　　　6）治療・患者指導 220

第15章　その他の食物関連アレルギー 222
　　1．エリスリトール 222
　　　　1）概念 222
　　　　2）診断 222
　　　　3）生活指導 223
　　2．コチニール色素 223
　　　　1）概念 223
　　　　2）診断 223
　　　　3）生活指導 224
　　3．アニサキス 224
　　　　1）概念 224
　　　　2）診断 224
　　　　3）生活指導 225
　　4．経口ダニアナフィラキシー（パンケーキ症候群） 225
　　　　1）概念 225
　　　　2）診断 225
　　　　3）生活指導 226

第16章　消化管アレルギーとその関連疾患 228
　　1．消化管アレルギー 229
　　2．新生児・乳児食物蛋白誘発胃腸症 229
　　　　1）定義と概念 229
　　　　2）疫学 229

3）分類 ... 229
　　4）臨床像 ... 230
　　5）診断 ... 232
　　6）検査 ... 232
　　7）治療 ... 233
　　8）予後 ... 233
　3．好酸球性消化管疾患（eosinophilic gastrointestinal disorders, EGIDs） ... 233
　　1）定義と概念 ... 233
　　2）分類 ... 233
　　3）疫学 ... 234
　　4）病態 ... 234
　　5）臨床像 ... 235
　　6）診断 ... 235
　　7）検査所見 ... 235
　　8）治療 ... 238
　　9）予後 ... 238
　4．celiac病（グルテン過敏性腸症） ... 238
　　1）定義と概念 ... 238
　　2）疫学 ... 239
　　3）臨床症状 ... 239
　　4）診断 ... 239
　　5）治療と予後 ... 239

第17章　アレルギー表示 ... 244
　1．アレルギー表示 ... 244
　　1）食品表示法 ... 244
　　2）食物アレルギーに関連する食品表示の経緯 ... 244
　　3）表示対象 ... 245
　　4）表示対象外 ... 245
　　5）外食などにおけるアレルゲン情報提供について ... 246
　2．表示方法 ... 246
　　1）表示の実際 ... 246
　　2）表示があっても摂取可能な食品 ... 248
　　3）諸外国における食品表示規制の状況 ... 248

第18章　患者の社会生活支援 ... 250
1．基本となる社会制度 ... 250
1）アレルギー疾患対策基本法 ... 250
2）アレルギー疾患対策の推進に関する基本的な指針 ... 251
3）保育所保育指針、学校安全推進計画 ... 251
4）放課後児童クラブ運営指針 ... 252
5）幼保連携型認定こども園教育・保育要領 ... 252
6）学校のアレルギー疾患に対する取り組みガイドライン ... 252
7）保育所におけるアレルギー対応ガイドライン ... 253
2．生活管理指導表 ... 253
1）学校生活管理指導表（アレルギー疾患用）の記載 ... 254
2）保育所におけるアレルギー疾患生活管理指導表の記載 ... 257
3）緊急時の対応 ... 257
4）職員に向けた研修活動 ... 259
3．給食提供の実際 ... 259
4．外食・宿泊 ... 260
5．海外旅行 ... 261
6．食物アレルギー児の心理社会的問題 ... 262

第19章　災害への備え ... 264
1．災害への備え ... 264
1）日常診療での患者のための備え ... 264
2）自助（家庭の備え） ... 265
3）共助（周囲と共同した備え） ... 265
4）公助（公的な備え） ... 265
5）災害時に有益な資料 ... 266

巻末資料 ... 267

索引 ... 278

図表一覧

表 1-1	作成スケジュール	4
表 1-2	統括委員会	4
表 1-3	作成委員会	5
表 1-4	執筆協力者	6
表 1-5	システマティックレビュー（SR）チーム	6
表 1-6	推奨の強さ（GRADE システム／Minds 2020）	9
表 1-7	エビデンス総体の質（GRADE ／Minds 2020）	9
表 1-8	Clinical Question における推奨基準	9
図 2-1	食物による不利益な反応のタイプ	17
表 2-1	IgE 依存性食物アレルギーの臨床型分類	18
表 2-2	食物以外の抗原感作による食物アレルギー	20
表 2-3	食物以外のアレルゲンに由来する食物関連アレルギー	20
表 2-4	新生児・乳児食物蛋白誘発胃腸症の臨床型分類	21
表 2-5	食物アレルギーの症状	21
表 2-6	食物アレルギーと鑑別すべき疾患や病態	24
図 3-1	タンパク質の消化・熱処理による変化	27
表 3-1	アレルゲン情報を入手するためのウェブサイト	27
表 3-2	種子類の生物学的分類	29
表 3-3	植物性食物アレルゲンタンパク質ファミリーの特徴	30
表 3-4	種子類の主なアレルゲン	31
図 3-2	プロラミンの三次構造	32
図 3-3	クーピンの三次構造	32
図 3-4	Bet v 1 ホモログ（PR-10）の三次構造	33
図 3-5	プロフィリンの三次構造	34
表 3-5	動物性食物アレルゲンタンパク質ファミリーの特徴	35
図 3-6	トロポミオシンの三次構造	35
図 3-7	パルブアルブミンの三次構造	36
図 3-8	cross-reactive carbohydrate determinant（CCD）の構造	38
図 4-1	経口免疫寛容の機序	41
図 4-2	IgE 依存性食物アレルギーの機序	43
図 5-1	年齢分布	51
図 5-2	原因食物の割合	51
表 5-1	新規発症の原因食物	52

図 5-3	新規発症と誤食発症の割合	52
表 5-2	誤食発症の原因食物	53
図 5-4	臓器別の症状出現頻度	53
表 5-3	食物アレルギーとアレルギーマーチ	54
図 6-1	小児の食物アレルギーのリスク因子と予防法	59
表 6-1	小児における食物アレルギーの主なリスク因子（家族歴・遺伝子）	60
表 6-2	小児における食物アレルギーの主なリスク因子（皮膚のバリア機能関連）	62
表 6-3	小児における食物アレルギーの主なリスク因子（環境因子）	63
表 6-4	食物アレルギーの発症予防のまとめ	65
表 7-1	即時型症状の臨床所見と重症度分類	75
図 7-1	アナフィラキシーの診断基準	77
図 7-2	アナフィラキシーの初期治療	79
表 7-2	アドレナリンの薬理学的作用、副作用	81
表 7-3	小児適用のある鎮静作用の少ない第 2 世代ヒスタミン H_1 受容体拮抗薬	82
図 7-3	アドレナリン自己注射薬の処方が勧められる食物アレルギー患者	83
図 7-4	一般向けエピペン® の適応	85
図 8-1a	食物アレルギー診断のフローチャート（食物アレルギーの関与する乳児アトピー性皮膚炎）	90
図 8-1b	食物アレルギー診断のフローチャート（即時型症状）	91
表 8-1	幼児期以降の病歴把握のポイント	92
図 8-2	血中抗原特異的 IgE 抗体測定の原理	93
図 8-3	プロバビリティーカーブの読み方	94
図 8-4	ROC 曲線の読み方	95
表 8-2	保険収載されている食物アレルゲンコンポーネント特異的 IgE 抗体検査	96
図 8-5	皮膚プリックテストの方法	97
表 9-1	食物経口負荷試験の目的	101
表 9-2	重篤な症状を誘発しやすい要因	103
表 9-3	食物経口負荷試験を実施する医療機関の分類と役割	105
図 9-1	実施する医療機関の選択（完全除去例の場合）	105
表 9-4	外来・入院負荷試験の適用	106
表 9-5	食物経口負荷試験の結果に影響する薬剤	107
表 9-6	総負荷量の例	110
図 9-2	総負荷量の選択（鶏卵）	111
図 9-3	総負荷量の選択（牛乳）	111
図 9-4	総負荷量の選択（小麦）	112

図 9-5	摂取間隔および分割方法	112
表 9-7	小児食物アレルギー負荷検査の施設基準	115
表 9-8	算定基準	115
表 10-1	管理の原則	121
表 10-2	原則として除去不要の食品	121
図 10-1	管理栄養士との連携	122
表 10-3	代替食品の栄養素の目安	125
図 10-2	小児期の耐性獲得を目指す食物アレルギーの診断・管理のフローチャート	126
表 10-4	食物アレルギー患者が注意を要する医薬品	130
図 11-1	経口免疫療法の概要	135
表 11-1	経口免疫療法に関する用語の定義	135
表 11-2	経口免疫療法実施施設および医師に求められる条件	137
表 11-3	経口免疫療法の問題点	139
表 12-1	鶏卵アレルギーの自然歴（主なもの）	145
表 12-2	主な鶏卵（卵白）アレルゲン	146
表 12-3	プロバビリティカーブ報告のまとめ：鶏卵	148
表 12-4	牛乳アレルギーの自然歴（主なもの）	152
表 12-5	主な牛乳アレルゲン	153
表 12-6	プロバビリティカーブ報告のまとめ：牛乳	154
表 12-7	ミルクアレルゲン除去食品	156
表 12-8	小麦アレルギーの自然歴（主なもの）	159
表 12-9	主な小麦アレルゲン	160
表 12-10	プロバビリティカーブ報告のまとめ：小麦	161
表 12-11	ピーナッツアレルギーの自然歴	166
表 12-12	ピーナッツアレルギーに対する特異的 IgE 抗体検査の診断精度	167
表 12-13	大豆アレルギーの自然歴	174
表 12-14	ソバアレルギーの診断有用性	179
表 12-15	甲殻類・軟体類・貝類の主なアレルゲン	181
表 12-16	魚類の主なアレルゲン	185
表 12-17	果物・野菜の生物学的分類と主なアレルゲン	191
表 13-1	症状惹起に関与する運動以外の要因	195
図 13-1	原因食物と発症時の運動	196
図 13-2	誘発試験法	198
図 13-3	原因食物診断のフローチャート	199

表 13-2	生活指導	200
表 14-1	花粉－食物アレルギー症候群に関与する花粉と植物性食品	205
図 14-1	prick-to-prick test	207
図 14-2	キチナーゼⅠ型とヘベインのドメイン構造	210
表 14-2	ラテックスと交差反応性を示しやすい食物	210
表 14-3	獣肉アレルギーの鑑別	213
表 14-4	鶏卵アレルギーの鑑別	215
表 16-1	新生児・乳児食物蛋白誘発胃腸症の分類と特徴	230
図 16-1	新生児・乳児食物蛋白誘発胃腸症の診療アルゴリズムとクリニカルクエスチョン	231
図 16-2	好酸球性消化管疾患の分類	234
図 16-3	好酸球性消化管疾患の診療の流れ	236
表 16-2	好酸球性食道炎の診断	237
表 16-3	好酸球性胃腸炎の診断	237
表 17-1	表示の対象	245
表 17-2	アレルギー表示の実際（個別表示と一括表示の例）	247
表 17-3	代替表記と拡大表記	247
表 18-1	「アレルギー疾患対策の推進に関する基本的な指針」の概要	251
図 18-1	学校・幼稚園、保育所などにおける生活管理指導表の活用の流れ	254
図 18-2	学校生活管理指導表（アレルギー疾患用）［表面］	256
図 18-3	保育所におけるアレルギー疾患生活管理指導表［表面］	258
表 18-2	海外旅行時に必要となる準備のポイント	261
表 19-1	災害時に食物アレルギー患者に起こり得る問題点	264
表 19-2	災害時の必要物のリスト	265
巻末資料 7-1	アナフィラキシースコアリングあいち	267
巻末資料 7-2	食物アレルギー緊急時対応マニュアル（東京都）	268
巻末資料 18-1	英文による医療情報提供書の例	276
巻末資料 18-2	海外旅行時に活用できるサポートブックの例	276
巻末資料 19-1	災害時のこどものアレルギー疾患対応ポスター	277

略語一覧

略語	英語表記	日本語表記
AIT	allergen immunotherapy	アレルゲン免疫療法
ALST	allergen-specific lymphocyte stimulation test	アレルゲン特異的リンパ球刺激試験
BAT	basophil activation test	好塩基球活性化試験
BFC	blind food challenge	ブラインド法
BHR	bronchoalveolar hyperresponsiveness	気道過敏性
CCD	cross-reactive carbohydrate determinant	糖鎖抗原
CLEIA	chemiluminescence-enzyme immunoassay	
DBPCFC	double-blind placebo-controlled food challenge	二重盲検プラセボ対照食物負荷試験
EC	eosinophilic colitis	好酸球性大腸炎
EDN	eosinophil-derived neurotoxin	
EG	eosinophilic gastritis	好酸球性胃炎
EGE	eosinophilic gastroenteritis	好酸球性胃腸炎
EGIDs	eosinophilic gastrointestinal disorders	好酸球性消化管疾患
FDEIA	food-dependent exercise-induced anaphylaxis	食物依存性運動誘発アナフィラキシー
FPE	food-protein induced enteropathy	食物蛋白誘発腸症
FPIAP	food-protein induced allergic proctocolitis	食物蛋白誘発アレルギー性結腸直腸炎
FPIES	food-protein induced enterocolitis syndrome	食物蛋白誘発胃腸炎
GRP	gibberellin-regulated protein	ジベレリン制御タンパク
LFS	latex-fruit syndrome	ラテックス-フルーツ症候群
LTP	lipid transfer protein	脂質輸送タンパク質
NPV	negative predictive value	陰性的中率
OAS	oral allergy syndrome	口腔アレルギー症候群
OFC	open food challenge	オープン法
OFC	oral food challenge	食物経口負荷試験
OIT	oral immunotherapy	経口免疫療法
PFAS	pollen-food allergy syndrome	花粉-食物アレルギー症候群
PGA	poly-γ-glutamic acid	ポリガンマグルタミン酸
PR	pathogenesis-related protein	病因関連タンパク質
pTreg	peripherally derived Treg	Foxp3$^+$ 制御性 T 細胞
PPI	proton pump inhibitor	プロトンポンプ阻害薬
PPV	positive predictive value	陽性的中率
PAL	precautionary allergen labelling	可能性表示
ROC	receiver operating characteristic	
TNF-α	tumor necrosis factor-α	腫瘍壊死因子
Treg	regulatory T cell	制御性 T 細胞
SCIT	subcutaneous immunotherapy	皮下免疫療法
SLIT	sublingual immunotherapy	舌下免疫療法
SPT	skin prick test	皮膚プリックテスト
SU	sustained unresponsiveness	持続的無反応
TSLP	thymic stromal lymphopoietin	
TGF-β	transforming growth factor-β	形質転換増殖因子
WDEIA	wheat-dependent exercise-induced anaphylaxis	小麦依存性運動誘発アナフィラキシー

電子書籍のご案内

　本書では、パソコン、スマートフォン、タブレットなどのモバイル端末で閲覧ができる電子書籍をご用意しています。
　フリーワード検索や、参考文献のリンク付与など、より臨床現場で活用いただける仕様となっています。

【閲覧方法】
　パソコン、スマートフォン、タブレットなどのモバイル端末のいずれかを用いて、巻末の奥付ページに収載したURLからアクセスして閲覧ください。

【ご注意】
＊電子書籍の閲覧期限は、次の改訂版が発刊されるまでといたします。
＊電子書籍の著作権は一般社団法人日本小児アレルギー学会に、出版権は株式会社協和企画に帰属します。許可を得ない第三者への配布、他人へのコピー譲渡、共有することはすべて著作権法および規約違反です。不正利用に対しては必要な対応をいたします。

第1章 JGFA2021の作成方法・CQ

　一般社団法人日本小児アレルギー学会は『食物アレルギー診療ガイドライン2016』(JPGFA2016：Japanese Pediatric Guideline for Food Allergy 2016) を改訂し『食物アレルギー診療ガイドライン2021』(JGFA2021：Japanese Guidelines for Food Allergy 2021) を公開した。JGFA2021は成人も対象として作成しているので略称はPediatricの"P"を除いてJGFA2021とすることとした。JPGFA2016《2018年改訂版》は一部の記載変更にとどまっているので今回の改訂は2016年以来実質5年ぶりとなる。JGFA2021ではJPGFA2016を基に公益財団法人日本医療機能評価機構のEBM普及推進事業 (Minds) の『Minds診療ガイドライン作成マニュアル2020』に沿って外部委員を含む作成委員会において作成した。

1. JGFA2021の目的

　小児だけでなく成人を含む食物アレルギーの予防・診断・管理に関して以下のアウトカムを改善することを目的とする。

- 診断精度
- 自然寛解率
- 誤食による症状（特にアナフィラキシー）誘発頻度
- 生活の質
- 発症および重症化

2. 基本姿勢

　作成委員会でスコープを固めてそれに沿って作業を進めた。
　対象患者は、

- 食物アレルギーを有する小児（15歳未満）
- 食物アレルギーを有する成人

とし、対象とする疾患は、

- 新生児・乳児消化管アレルギー（新生児・乳児食物蛋白誘発胃腸症）
- 食物アレルギーの関与する乳児アトピー性皮膚炎
- 即時型症状
- 食物依存性運動誘発アナフィラキシー
- 口腔アレルギー症候群
- その他（成人領域で認められている比較的稀な疾患）

とした。

3. JGFA作成のプロセス

　日本小児アレルギー学会が2005年、2011年、2016年に公表した『食物アレルギー診療ガイドライン』の改訂サイクルの一貫として行うものである。『食物アレルギー診療ガイドライン』は2005年に日本小児アレルギー学会食物アレルギー委員会（以下、委員会）の総説をまとめたことに始まり、2012（発刊は2011年）、2016と成熟度を徐々に高めてきた。

　JGFA2021の作成は表1-1に示すスケジュールに沿って行われた。2018年2月および4月に開催した委員会においてMindsに準拠すること、組織の陣容、スコープの内容、clinical question（CQ）とすべき領域に関して意見交換し方向性を決定した。その後、日本アレルギー学会、日本栄養士会、日本外来小児科学会に外部委員の推薦を依頼し、患者団体からも外部委員に入っていただいた。2018年10月には外部委員を含めて第1回の作成委員会を開催しスコープの内容を確定した。2019年2月の第2回作成委員会で4個のCQ（経口免疫療法と食物経口負荷試験に関するCQを鶏卵と牛乳に関して2個ずつ）の内容を検討し4月の委員会で確定した。2019年後半から2020年第1四半期にかけてsystematic review（SR）チームにより4個のCQに関して検討を加えた。2019年11月の委員会においてガイドラインの構成・章立てを決定した。2020年4月に予定していた第3回の作成委員会は新型コロナウイルス感染症パンデミックによりWeb開催として推奨を決定した。2020年5月、9月、10月に合計6回の作成委員会をWebで開催し、図表・要旨、内容を確定後、各章の担当者が執筆を開始した。2021年4月3日拡大委員会をWebで開催し、原稿、校正刷りの確認後、校正作業を経て統括委員会での承認と4人の外部評価委員による評価、パブリックコメントを経て発刊となった。

4. 利用者

　食物アレルギーの診療に関わるすべての医師・医療従事者

5. 作成委員会構成

　JGFA2021では診療ガイドライン担当組織構成（三層構造）を取り入れ、日本小児アレルギー学会全体で責任を持って作成する方針で、学会理事が統括委員会（表1-2）を形成し、委員長は理事長が就任した。ガイドライン作成委員会（表1-3）は委員14人に外部委員6人を加えて20人の構成とし、執筆協力者（表1-4）12人の協力のもとでガイドラインの作成に当たった。SRチーム（表1-5）は臨床・研究の第一線で活躍する23人から構成されエビデンスの解析を担当した。

6. 本書の構成

　本書の構成は第1部「EBM」（第1章）、第2部「総論」（第2～11章）、第3部（第12～16章）、第4部（第17～19章）の4部構成とした。作成手順をMindsに準拠したことによ

■ 表 1-1　作成スケジュール

スケジュール	2018				2019				
	1st	2nd	3rd	4th	1st	2nd	3rd	4th	1st
委員の任期									
委員会開催	2月17日	4月20日		10月19日	2月16日	4月19日		11月1日	
	横浜	福岡		岡山	東京	金沢		幕張	
拡大委員会				○	○				
JGFA 準備	方向性	方向性	組織	スコープ	CQ			章立て	
JGFA SR 作業期間								SR	
JGFA 執筆・推敲									

■ 表 1-2　統括委員会

	氏名	所属
統括委員長	藤澤　隆夫	国立病院機構三重病院
統括委員	足立　雄一	富山大学学術研究部医学系小児科学講座
	荒川　浩一	社会福祉法人希望の家附属北関東アレルギー研究所
	飯野　　晃	なすのがはらクリニック
	池田　政憲	岡山大学大学院医歯薬学総合研究科小児医学
	今井　孝成	昭和大学医学部小児科学講座
	海老澤元宏	国立病院機構相模原病院臨床研究センター
	大嶋　勇成	福井大学医学系部門医学領域小児科学
	大矢　幸弘	国立成育医療研究センター・アレルギーセンター
	勝沼　俊雄	東京慈恵会医科大学附属第三病院小児科
	亀田　　誠	大阪はびきの医療センター小児科
	楠　　　隆	龍谷大学農学部食品栄養学科小児保健栄養学研究室
	是松　聖悟	埼玉医科大学総合医療センター小児科
	下条　直樹	千葉大学予防医学センター
	手塚純一郎	福岡市立こども病院アレルギー・呼吸器科
	南部　光彦	なんぶ小児科アレルギー科
	西小森隆太	久留米大学医学部小児科
	長谷川俊史	山口大学大学院医学系研究科医学専攻小児科学講座
	三浦　克志	宮城県立こども病院アレルギー科
	森川　みき	森川小児科アレルギー科クリニック
	吉原　重美	獨協医科大学医学部小児科学

り JPGFA2016 から大きく変更した点は、第 9 章「食物経口負荷試験（OFC）」（CQ3、CQ4）と第 11 章「経口免疫療法」（CQ1、CQ2）において小児期に最も多い鶏卵アレルギーと牛乳アレルギーを対象として CQ を設けて論文を検索し、SR チームがエビデンスレベルの評価を行い、作成委員会で推奨を決定したことである。その結果はこの章の後半で詳述してい

第1章 JGFA 2021の作成方法・CQ

	2020			2021			
	2nd	3rd	4th	1st	2nd	3rd	4th
	4月10日	5月28、29日	9月3、4日	10月21、22日		4月3日		11月13日
	Web	Web	Web	Web		Web		
	○	○	○	○		○		
	推奨							
		図表	内容	内容	執筆	校正	パブリックコメントなど	JGFA 2021発刊

■ 表1-3 **作成委員会**

	氏名	所属
委員長	海老澤元宏	国立病院機構相模原病院臨床研究センター
副委員長	伊藤　浩明	あいち小児保健医療総合センター
委員	井上祐三朗	千葉県こども病院アレルギー・膠原病科
	今井　孝成	昭和大学医学部小児科学講座
	大嶋　勇成	福井大学医学系部門医学領域小児科学
	大矢　幸弘	国立成育医療研究センター・アレルギーセンター
	岡藤　郁夫	神戸市立医療センター中央市民病院小児科
	金子　英雄	岐阜県総合医療センター小児療育内科
	近藤　康人	藤田医科大学ばんたね病院小児科
	佐藤さくら	国立病院機構相模原病院臨床研究センターアレルギー性疾患研究部
	長尾みづほ	国立病院機構三重病院臨床研究部
	二村　昌樹	国立病院機構名古屋医療センター小児科
	山田　佳之	東海大学医学部総合診療学系小児科学
	吉原　重美	獨協医科大学医学部小児科学
外部委員	猪又　直子	昭和大学医学部皮膚科学講座/日本アレルギー学会(皮膚科)
	大久保公裕	日本医科大学大学院医学研究科頭頸部・感覚器科学分野/日本アレルギー学会(耳鼻科)
	園部まり子	NPO法人アレルギーを考える母の会/患者会
	原　　純也	武蔵野赤十字病院栄養課/管理栄養士：日本栄養士会
	平場　一美	杢保小児科医院/一般医
	福冨　友馬	国立病院機構相模原病院臨床研究センター臨床研究推進部/日本アレルギー学会(内科)
外部評価委員	穐山　　浩	星薬科大学薬学部薬品分析化学研究室
	宇理須厚雄	うりすクリニック
	小川　雄二	桜花学園大学/名古屋短期大学保育科/名古屋短期大学付属幼稚園
	林　　典子	十文字学園女子大学人間生活学部健康栄養学科

るので参照していただきたい。該当する2つの章においても推奨に基づいた記載がなされている。

　もう一つの大きな変更点は成人領域の食物アレルギーに関する章として、第14章「食物以

■ 表 1-4 執筆協力者

	氏名	所属
執筆協力者	中島　陽一	藤田医科大学医学部小児科学
	西本　創	さいたま市民医療センター小児科
	福家　辰樹	国立成育医療研究センター・アレルギーセンター総合アレルギー科
	柳田　紀之	国立病院機構相模原病院小児科・臨床研究センター疫学統計研究室
	川本　典生	岐阜大学大学院医学系研究科小児科学
	杉浦　至郎	あいち小児保健医療総合センター免疫・アレルギーセンターアレルギー科
	髙岡　有理	大阪はびきの医療センター小児科
	永倉　顕一	国立病院機構相模原病院小児科
	堀野　智史	宮城県立こども病院アレルギー科
	八木　久子	群馬大学大学院医学系研究科小児科学分野
	安冨　素子	福井大学医学系部門医学領域小児科学
	山本貴和子	国立成育医療研究センター・アレルギーセンター総合アレルギー科

■ 表 1-5 システマティックレビュー（SR）チーム

担当	氏名	所属
SRリーダー	山本貴和子	国立成育医療研究センター・アレルギーセンター総合アレルギー科
CQ1◎	北沢　博	東北医科薬科大学医学部小児科
CQ1	山出　晶子	千葉県こども病院アレルギー・膠原病科
CQ2◎	川本　典生	岐阜大学大学院医学系研究科小児科学
CQ2	鈴木　修一	国立病院機構下志津病院小児科・アレルギー科
CQ2	佐藤幸一郎	国立病院機構高崎総合医療センター小児科
CQ2	三浦　太郎	東京医科大学八王子医療センター小児科
CQ2	中村　俊紀	なかむらこどもクリニック
CQ2	房安　直子	国立病院機構相模原病院臨床研究センターアレルギー性疾患研究部
CQ3◎	村井　宏生	福井大学医学系部門医学領域小児科学
CQ3	杉本　真弓	徳島大学病院小児科
CQ3	髙岡　有理	大阪はびきの医療センター小児科
CQ3	高橋　亨平	国立病院機構相模原病院小児科
CQ3	和田　拓也	富山市立富山市民病院小児科
CQ3	苟原　誠	つるぎ町立半田病院小児科
CQ4◎	前田　麻由	昭和大学医学部小児科学講座
CQ4	桑原　優	愛媛大学大学院医学系研究科地域救急医療学講座
CQ4	田中　裕也	兵庫県立こども病院アレルギー科
CQ4	平口　雪子	大阪府済生会中津病院小児科、免疫・アレルギーセンター
CQ4	錦戸　知喜	大阪母子医療センター呼吸器・アレルギー科
SR担当委員	二村　昌樹	国立病院機構名古屋医療センター小児科
アドバイザー	岡藤　郁夫	神戸市立医療センター中央市民病院小児科
アドバイザー	山田　佳之	東海大学医学部総合診療学系小児科学

◎：各CQのリーダー

外の抗原感作による食物アレルギー」、第 15 章「その他の食物関連アレルギー」を設けて成人食物アレルギーの専門家が執筆を担当したことである。

7. 作成方針

　厚生労働科学研究班などによる『食物アレルギーの診療の手引き』も 2005 年から 3 年ごとに改訂されており、JPGFA2012 から両者の融合が図られている。2021 年 3 月に公開された『食物アレルギーの診療の手引き 2020』、『食物経口負荷試験の手引き 2020』の作成作業と並行して JGFA2021 の作成作業は進められてきたため、2017 年に改訂されている『食物アレルギーの栄養食事指導の手引き 2017』も含めてこれらの内容と齟齬がないように作成が進められてきていることも大きな特徴である。

参考文献
- 海老澤元宏，伊藤浩明，藤澤隆夫，監修．日本小児アレルギー学会食物アレルギー委員会．食物アレルギー診療ガイドライン 2016．協和企画，東京，2016．
- Minds 診療ガイドライン作成マニュアル編集委員会．Minds 診療ガイドライン作成マニュアル 2020　ver.3.0．
- 日本医療研究開発機構（AMED）．研究開発代表者：海老澤元宏．食物アレルギーの診療の手引き 2020．2020．
- 厚生労働科学研究班．研究代表者：海老澤元宏．食物経口負荷試験の手引き 2020．2020．
- 厚生労働科学研究班．研究代表者：海老澤元宏．食物アレルギーの栄養食事指導の手引き 2017．2017．

8. クリニカルクエスチョン（CQ）の一覧

　ガイドライン作成委員会にて検討し、JGFA2021 では経口免疫療法（oral immunotherapy, OIT）と食物経口負荷試験（oral food challenge, OFC）の有用性に関する以下の 4 個とした。OIT に関しての CQ1、CQ2 に関しては鶏卵と牛乳の Cochrane Database of Systematic Reviews（以下、コクランレビュー）以降のエビデンスの評価の追加を主たる目的とした。2006 年に OFC（入院）が保険適用となり、2008 年に外来にも広がった現在の診療体制において、OFC に基づいた管理が常識になっている日本から海外に向けて OFC に基づく管理のエビデンスを情報発信できないかと考えて CQ3、CQ4 を設定した。

CQ1：IgE 依存性鶏卵アレルギー患者において、経口免疫療法は完全除去の継続と比較して有用か？
CQ2：IgE 依存性牛乳アレルギー患者において、経口免疫療法は完全除去の継続と比較して有用か？
CQ3：日本の IgE 依存性鶏卵アレルギー患者もしくはその疑いのある者において、食物経口負荷試験は完全除去回避に有用か？
CQ4：日本の IgE 依存性牛乳アレルギー患者もしくはその疑いのある者において、食物経口負荷試験は完全除去回避に有用か？

9. システマティックレビュー（SR）の方法

SR は「Minds 診療ガイドライン作成マニュアル」に沿って『小児気管支喘息治療・管理ガイドライン 2020』および『幼児・成人好酸球性消化管疾患診療ガイドライン』と同様の手法にて実施した[1〜4]。詳しい実施方法は以下の通りである。

1）エビデンスの収集

CQ1 と CQ2 ではその回答を導くために、コクランレビューに収載されている既存の SR を参照した。

参照した論文の検索日以降に報告された無作為化比較対照試験（randomized controlled trial, RCT）も抽出するため、同じ検索式を用いて、MEDLINE、Embase、CENTRAL のデータベースから 2019 年 10 月 2 日までの掲載論文を検索した。また医学中央雑誌についても掲載論文の検索を行った。

CQ3 と CQ4 ではその回答を導くための参照すべき既存の SR は存在しなかった。そこで、IgE 依存性鶏卵あるいは牛乳アレルギーで OFC を行っている症例が含まれているわが国からの報告文献をすべて網羅的に抽出した。文献検索については医学図書館の文献検索専門家（東京慈恵会医科大学学術情報センター・阿部信一氏）に依頼し PubMed と医学中央雑誌を用いて、2000 年 1 月 1 日から 2019 年 10 月 11 日までの掲載論文の検索を行った。

2）スクリーニング

データベースから収集された論文から、目的に合致するものを SR チームの複数のメンバーがそれぞれ独立して抽出し、結果を照合した。結果が一致しなかったときは別のメンバーを加えて協議した。CQ1 と CQ2 では、抽出された論文にコクランレビューの SR に採用されている RCT を加えた。CQ3 と CQ4 では、総説や学会抄録を除いた観察研究の報告も含めた。なお、本 SR で対象とした論文は、英語または日本語による記載のものとした。

3）情報抽出と個々の評価

得られた論文から、対象者、研究デザイン、介入（実施）内容、比較対照、評価項目、結果を含めた情報を抽出した。また、CQ1 と CQ2 では、わが国における食物アレルギー診療への適応を前提としたバイアスリスクをそれぞれの論文ごとに評価した。

4）エビデンス総体の評価

対象となった論文は、内容を質的に統合する定性的 SR によって評価した。CQ1 と CQ2 ではエビデンス総体も評価するとともに、コクランレビュー以降に報告された RCT が存在し、評価指標が統合可能な場合には、メタ解析による定量的な SR も行うこととした。

5）SR レポートの作成

SR にて得られた結果は、SR 報告書にまとめてガイドライン作成委員会に提出した。

参考文献

1) 小島原典子，中山健夫，森實敏夫，他．Minds 診療ガイドライン作成マニュアル Ver.2.0（http://minds4.jcqhc.or.jp/minds/guideline/manual.html）
2) 二村昌樹，岡藤郁夫，山本貴和子，他．診療ガイドラインにおけるシステマティックレビューの方法．日小ア誌．2017；31：89-95．
3) 足立雄一，滝沢琢己，二村昌樹，他．小児気管支喘息治療・管理ガイドライン 2020．協和企画，東京，2020．
4) 厚生労働省好酸球性消化管疾患研究班．幼児・成人好酸球性消化管疾患診療ガイドライン 2020（https://www.ncchd.go.jp/hospital/sickness/allergy/EGIDs_guideline.pdf）

10．エビデンスレベルと推奨グレードの設定方法

各 SR 作成チームが、CQ に対する推奨の強さを決定するための評価項目として、各 CQ に対して収集し得たすべての研究報告をアウトカムごとに評価し、エビデンス総体あるいは構造化抄録のまとめを作成した。評価に際して、研究報告の一貫性、利益と害の大きさ、わが国の食物アレルギー診療への適用について考慮した。それを、アウトカム横断的に統合し、全体会議における承認を経てエビデンス総体の総括として最終決定した（表 1-6、表 1-7）。

推奨の強さは、GRADE システムに従い、エビデンス総体の総括を参考にして、外部委員を含めたガイドライン作成委員会の無記名投票により、次のように推奨が決定された（表 1-8）。

■ 表 1-6　推奨の強さ（GRADE システム /Minds 2020）

推奨の強さ	
行う(行わない)ことを強く推奨する	行う(行わない)ことを弱く推奨する(提案する)
1	2

■ 表 1-7　エビデンス総体の質（GRADE/Minds 2020）

エビデンスの質			
効果の推定値に強く確信がある	効果の推定値に中程度の確信がある	効果の推定値に対する確信は限定的である	効果の推定値がほとんど確信できない
A(強)	B(中)	C(弱)	D(とても弱い)

■ 表 1-8　Clinical Question における推奨基準

- 1つの推奨または提案の選択肢に8割を超える投票があった場合は、その選択肢の推奨または提案を採用する。
- 1つの推奨または提案の選択肢に6割を超える投票があり、かつその介入や方針に強く反対する推奨が2割を下回った場合は、その選択肢の推奨または提案を採用する。
- 同一の介入や方針への推奨および提案で合わせて7割を超え、かつ強く反対する推奨が2割を下回った場合は、その介入や方針を提案する。
- 上記のいずれにも当てはまらない場合は、再度協議の上で推奨度を決定する。

投票前に医療費を含めた保険診療上の実行可能性、患者への利益と害などについてガイドライン作成委員会で意見交換した。

11. Clinical Question（CQ）と推奨、推奨度・エビデンスレベル一覧

		推奨度	エビデンスレベル
CQ1	IgE依存性鶏卵アレルギー患者において、経口免疫療法は完全除去の継続と比較して有用か？		
	完全除去の継続と比較して、経口免疫療法は有用であり提案される。ただし経口免疫療法に精通した医師が実施し、安全性に十分配慮する必要がある。	2	D
CQ2	IgE依存性牛乳アレルギー患者において、経口免疫療法は完全除去の継続と比較して有用か？		
	完全除去の継続と比較して、経口免疫療法は有用であり提案される。ただし経口免疫療法に精通した医師が実施し、安全性に十分配慮する必要がある。	2	B
CQ3	日本のIgE依存性鶏卵アレルギー患者もしくはその疑いのある者において、食物経口負荷試験は完全除去回避に有用か？		
	完全除去回避目的に食物経口負荷試験を実施することが推奨される。ただし食物経口負荷試験は、安全性に十分配慮して実施する必要がある。	1	D
CQ4	日本のIgE依存性牛乳アレルギー患者もしくはその疑いのある者において、食物経口負荷試験は完全除去回避に有用か？		
	完全除去回避目的に食物経口負荷試験を実施することが推奨される。ただし食物経口負荷試験は、安全性に十分配慮して実施する必要がある。	1	D

第1章 JGFA 2021の作成方法・CQ

CQ 1 IgE依存性鶏卵アレルギー患者において、経口免疫療法は完全除去の継続と比較して有用か？

推奨 完全除去の継続と比較して、経口免疫療法は有用であり提案される。ただし経口免疫療法に精通した医師が実施し、安全性に十分配慮する必要がある。

推奨度	エビデンスレベル	投票結果	
2	D (非常に弱い)	1. 経口免疫療法を推奨 2. 経口免疫療法を提案 3. 完全除去継続を提案 4. 完全除去継続を推奨	(2/19) (17/19) (0/19) (0/19)

解説

鶏卵アレルギー患者に対し経口免疫療法の有用性を検討したRCTを対象に12研究の系統的レビューを行った。経口免疫療法のプロトコールはまだ統一したものはなく、介入期間や経口免疫療法の実施方法が研究ごとにさまざまであった。また各アウトカムについてもエビデンスの非常に弱いものが多く存在した。

経口免疫療法の有効性を評価するアウトカム〔鶏卵の摂取可能量を増量できた人数、持続的無反応（sustained unresponsiveness, SU）の得られた人数、full dose摂取可能な患者数、免疫学的指標の変化、QOL〕に関しては経口免疫療法群が対照群に比して有意に有効性が示された。対照群と比較して経口免疫療法群は介入後に鶏卵の脱感作が得られた頻度が有意に高く、SUを得られた頻度も高かった。それに加え、介入前後の比較では卵抗原に対する特異的IgE抗体価の低下、特異的IgG_4抗体価の上昇、皮膚プリックテストの膨疹径の軽快傾向がみられた。QOLの検討は1研究のみであったが、経口免疫療法群でQOL改善傾向がみられた。

安全性については、重篤な有害事象の発生については解析し得る明確な記載がなく評価できなかった。経口免疫療法群で有意に有害事象の頻度が高く、アドレナリン筋肉注射の使用頻度も有意に高く、経口免疫療法の安全性については注意が必要であることが示された。経口免疫療法実施には、有害事象の起こるリスクを十分評価した上で検討をする必要がある。

よって、経口免疫療法は鶏卵アレルギー患者にとって有効な治療法であることが示されたが、経口免疫療法を行う方法のばらつきにより、本メタ解析の結果は慎重に評価する必要があり、安全性や実施方法についての検討は今後も十分に行う必要がある。現時点では日常診療として推奨できるレベルにまでは至っていないものの、専門家のもとで安全性に注意して鶏卵の経口免疫療法を実施することは有効であると考えられた。

参考文献

1) Romantsik O, Tosca MA, Zappettini S, et al. Oral and sublingual immunotherapy for egg allergy. Cochrane Database Syst Rev. 2018；4：CD010638.
2) 北沢　博, 山出晶子, 山本貴和子, 他. 食物アレルギー委員会報告：CQ1　IgE依存性鶏卵アレルギー患者において, 経口免疫療法は完全除去の継続と比較して有用か？　日小ア誌. 2021；35：273-303.

| CQ 2 | IgE依存性牛乳アレルギー患者において、経口免疫療法は完全除去の継続と比較して有用か？ |

推奨　完全除去の継続と比較して、経口免疫療法は有用であり提案される。ただし経口免疫療法に精通した医師が実施し、安全性に十分配慮する必要がある。

推奨度	エビデンスレベル	投票結果	
2	B (中)	1. 経口免疫療法を推奨 2. 経口免疫療法を提案 3. 完全除去継続を提案 4. 完全除去継続を推奨	(2/19) (17/19) (0/19) (0/19)

解説

　牛乳アレルギー患者に対し経口免疫療法の有用性を検討したRCTを対象に8研究の系統的レビューを行った。経口免疫療法のプロトコールは統一されたものはなく、介入期間や経口免疫療法の実施方法が研究ごとにさまざまであった。

　経口免疫療法の有効性を評価するアウトカム（牛乳の摂取可能量を増量できた人数、full dose摂取可能な患者数）に関しては経口免疫療法群が対照群に比して有意に有効性が示された。検討の中に抗ヒスタミン薬を併用した研究とオマリズマブを併用した研究があったため、併用薬のない研究のみで検討した場合にもいずれのアウトカムにおいても牛乳の経口免疫療法の有用性が示された。また、一定の自然寛解が得られると考えられる3歳以下を対象とした研究のみを抽出して検討を行ったが、同様に経口免疫療法の有効性が示された。また、持続的無反応（sustained unresponsiveness, SU）について評価している研究は存在しなかった。免疫学的変化については、牛乳特異的なIgG_4の上昇など一定の変化を認めたが、評価方法にばらつきも多く、メタ解析ができなかった。

　安全性については、重篤な有害事象の発生については解析し得る明確な記載がなく評価できなかった。有害事象については経口免疫療法群が対照群と比較して有意に頻度が高く、アドレナリン筋肉注射についても経口免疫療法群で有意に頻度が高かったことから、安全性については注意が必要であることが示された。経口免疫療法実施には、有害事象の起こるリスクを十分評価した上で検討をする必要がある。

　以上より、経口免疫療法は牛乳アレルギー患者にとって有効な治療法であることが示されたが、経口免疫療法を行う方法のばらつきにより、本メタ解析の結果は慎重に評価する必要があり、安全性や実施方法についての検討は今後も十分に行う必要がある。現時点では日常診療として推奨できるレベルにまでは至っていないものの、専門家のもとで安全性に注意して牛乳の経口免疫療法を実施することは有効であると考えられた。

参考文献

1) Yeung JP, Kloda LA, McDevitt J, et al. Oral immunotherapy for milk allergy. Cochrane Database Syst Rev. 2012；11：CD009542.
2) 川本典生, 房安直子, 佐藤幸一郎, 他. 食物アレルギー委員会報告：CQ2　IgE依存性牛乳アレルギー患者において, 経口免疫療法は完全除去の継続と比較して有用か？　日小ア誌. 2021；35：304-18.

第1章 JGFA 2021の作成方法・CQ

CQ 3
日本の IgE 依存性鶏卵アレルギー患者もしくはその疑いのある者において、食物経口負荷試験は完全除去回避に有用か？

推奨
完全除去回避目的に食物経口負荷試験を実施することが推奨される。ただし食物経口負荷試験は、安全性に十分配慮して実施する必要がある。

推奨度	エビデンスレベル	投票結果	
1	D（非常に弱い）	1. 食物経口負荷試験を実施することを推奨	（14／19）
		2. 食物経口負荷試験を実施することを提案	（5／19）
		3. 食物経口負荷試験を実施しないことを提案	（0／19）
		4. 食物経口負荷試験を実施しないことを推奨	（0／19）

解説

　日本において、IgE 依存性鶏卵アレルギー患者もしくはその疑いのある者に対して鶏卵経口負荷試験を実施していた文献は 58 文献存在した。これらはすべて対照群のない症例集積あるいは症例報告であった。対象患者の重症度や負荷試験での負荷量・負荷食品はさまざまであったが、鶏卵経口負荷試験の陰性率は各文献で 0〜100％までさまざまであった（54 文献）。鶏卵経口負荷試験の陰性率は 62.7％（3,354 例／5,367 例）であった。鶏卵経口負荷試験陽性患者の中で、微量でも摂取できるようになった患者の割合は 71％（556 例／771 例）であった。また、鶏卵経口負荷試験陽性例を含めて鶏卵経口負荷試験を実施することにより完全除去を回避できた割合は、72％（3,910 例／5,367 例）であった。一部の鶏卵経口負荷試験陽性患者も含めると、鶏卵経口負荷試験を行うことによって、多くの患者が完全除去を回避できた。したがって完全除去回避目的に IgE 依存性鶏卵アレルギー患者もしくはその疑いのある者に対して鶏卵経口負荷試験を実施することは、有用であると考えられた。

　鶏卵経口負荷試験による有害事象が記載された文献は 38 文献存在し、何らかの有害事象が鶏卵経口負荷試験を実施した対象者の 27.4％（1,102 例／4,182 例）に認められた。その中で重篤な有害事象が報告された症例の頻度は 0.048％（2 例／4,182 例）であり、いずれも入院期間の延長であった。誘発症状に対する治療について記載のあった 14 文献において、鶏卵経口負荷試験の 1.5％（33 例／2,191 例）においてアドレナリンが使用されており、中には輸液が施行されていた例も存在した。今回の報告には含まれていないが、食物経口負荷試験では呼吸困難や血圧低下などを来す可能性、さらには死亡を来す可能性もあるため、実施の際には安全性に十分注意する必要がある。

　鶏卵経口負荷試験による QOL 改善に関しては症例集積が 2 文献、免疫学的変化に関する報告は症例集積と症例報告が 1 文献ずつ存在した。鶏卵経口負荷試験によって、その後の解除が進んだかどうかについては評価できなかった。

　以上から、IgE 依存性鶏卵アレルギー患者もしくはその疑いのある者に対して、鶏卵経口負荷試験は完全除去を回避する目的で実施することは有用であると考えられる。しかし有害事象も高い確率で出現するため、安全性にも十分に配慮して実施すべきである。

参考文献
1) Murai H, Irahara M, Sugimoto M, et al. Is oral food challenge useful to avoid complete elimination in Japanese patients diagnosed with or suspected of having IgE-dependent hen's egg allergy? A systematic review. Allergol Int. 2021 Oct 15：S1323-8930(21)00125-8. doi：10.1016/j.alit.2021.09.005. Epub ahead of print.

CQ 4	日本の IgE 依存性牛乳アレルギー患者もしくはその疑いのある者において、食物経口負荷試験は完全除去回避に有用か？
推奨	完全除去回避目的に食物経口負荷試験を実施することが推奨される。ただし食物経口負荷試験は、安全性に十分配慮して実施する必要がある。

推奨度	エビデンスレベル	投票結果	
1	D（非常に弱い）	1. 食物経口負荷試験を実施することを推奨	（14/19）
		2. 食物経口負荷試験を実施することを提案	（5/19）
		3. 食物経口負荷試験を実施しないことを提案	（0/19）
		4. 食物経口負荷試験を実施しないことを推奨	（0/19）

解説　日本において、IgE 依存性牛乳アレルギー患者もしくはその疑いのある者において、牛乳経口負荷試験を実施した報告のある文献は、40 文献存在した。採用となった文献は、ほとんどが対照群のない症例集積・症例報告であった。対象となっている患者の重症度や負荷量・負荷食品はさまざまであったが、牛乳経口負荷試験の陰性率は 48%（407 例/856 例）であった。牛乳経口負荷試験陽性例を含めて牛乳経口負荷試験を実施することにより完全除去を回避できた患者の割合は 66%（565 例/856 例）であった。牛乳経口負荷試験を実施することによって、多くの患者が完全除去を回避できた。したがって、完全除去回避目的に IgE 依存性牛乳アレルギー患者もしくはその疑いのある者に対して牛乳経口負荷試験を実施することは、有用であると考えられた。

　牛乳経口負荷試験による有害事象の報告のある文献は 31 文献存在し、重篤な有害事象に当てはまる事例の報告は存在しなかった。しかし、牛乳経口負荷試験を実施した対象者の 51%（893 例/1,768 例）に何らかの有害事象が認められた。

　以上の文献には今回の重篤な有害事象の定義に合致する例は報告されていなかったが、誘発症状に対する治療内容を報告した 19 文献によると牛乳経口負荷試験を実施した対象者の 4.5%（57 例/1,252 例）がアドレナリン筋肉注射を要しており、中には輸液を施行された例、重篤なアナフィラキシー例があったことが報告されていた。今回採用された文献の対象患者の重症度は軽症から重症まで幅広く、選択バイアスは少なかった。今回の報告には含まれていないが、食物経口負荷試験では呼吸困難や血圧低下などを来す可能性、さらには死亡を来す可能性もあるため、実施の際には安全性に十分注意する必要がある。

　牛乳経口負荷試験による QOL を直接評価した文献は存在せず、免疫学的変化に関しても 3 文献のみであり結果は一貫していないことから、牛乳経口負荷試験によって、その後の解除が進んだかどうかについては評価できなかった。

　以上から、IgE 依存性牛乳アレルギー患者もしくはその疑いのある者に対して、牛乳経口負荷試験は完全除去を回避する目的で実施することは有用であると考えられる。しかし、有害事象も高い確率で出現するため、安全性にも十分に配慮して実施すべきである。

参考文献
1) Maeda M, Kuwabara Y, Tanaka Y, et al. Is oral food challenge test useful for avoiding complete elimination of cow's milk in Japanese patients with or suspected of having IgE-dependent cow's milk allergy? Allergol Int. 2021 Sep 27；S1323-8930(21)00105-2. doi：10.1016/j.alit.2021.09.001. Online ahead of print.

第2章　定義・分類

Japanese Guidelines for Food Allergy 2021

[要 旨]

1. 食物アレルギーとは、「食物によって引き起こされる抗原特異的な免疫学的機序を介して生体にとって不利益な症状が惹起される現象」と定義する。

2. 食物アレルギーに関与するアレルゲンは食物以外の場合もあり、その侵入経路もさまざまである。

3. 食物アレルギーは、免疫学的機序によって大きくIgE依存性と非IgE依存性に分けられる。また、アレルゲン曝露から症状誘発の時間経過によって、即時型反応と非即時型反応に分けられる。IgE依存性反応の多くは即時型反応を呈するが、両者は必ずしも一致しない。

4. 食物アレルギーによって、皮膚、粘膜、呼吸器、消化器、神経、循環器などのさまざまな臓器に症状が誘発される。

5. アナフィラキシーとは、「アレルゲン等の侵入により、複数臓器に全身性にアレルギー症状が惹起され、生命に危機を与え得る過敏反応」と定義する。アナフィラキシーに血圧低下や意識障害を伴う場合を、アナフィラキシーショックという。

1. 定義と分類

　食物アレルギーとは、「食物によって引き起こされる抗原特異的な免疫学的機序を介して生体にとって不利益な症状が惹起される現象」と定義する[1]。

1）食物の関与

　感作および症状誘発において食物アレルゲンが生体に侵入する経路は問わず、経口（摂取）、経皮（接触）[2]、経気道（吸入）[3]、経粘膜[4]、経胎盤[5]あるいは注射[6]などが考えられる。例えば、小麦粉を吸入して感作が成立し、再度吸入することで喘息を発症するパン職人喘息（baker's asthma）は、食物アレルギーの一つと考えられる[3]。

　感作に関与する抗原は、食物であるとは限らない。例えば、花粉[7]、ラテックス[8]、マダニ咬傷[9]などによって感作され、それに交差抗原性を示す食物によって症状が誘発されることもある。食物成分を含む生活用品（石鹸[10]、化粧品[11]、アロマオイル[12]など）によって感作が成立し、そのアレルゲンを含む食物の摂取によって症状が誘発されることもある。

　一方、症状誘発において、食物由来の成分が食べ物とは無関係に関与する場合は、食物アレルギーに含まれない。例えば、食物由来の成分を含む化粧品による接触皮膚炎や、港湾労働者

第2章 定義・分類

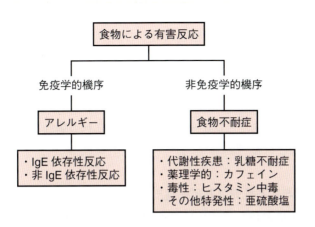

■ 図 2-1 食物による不利益な反応のタイプ

が大豆の殻を含む粉塵を吸入して誘発される職業性喘息[13,14]が、これにあたる。また、食品中に意図せず含まれた食物以外の成分（金属[15,16]、ダニ[17]、寄生虫成分[18]など）がアレルゲンとして症状を誘発する場合も、食物アレルギーには含まれない。

2) 抗原特異的な免疫学的機序

食物アレルギーには、食物成分に対する獲得免疫（特異的抗体または特異的T細胞）が関与する（図 2-1、第 4 章参照）[1]。ただし、ある食物に対して特異的抗体が認められても、その曝露によって不利益な反応（adverse reactions）が誘発されなければ食物アレルギーとしない。

最も多い免疫学的機序は特異的IgE抗体の関与するIgE依存性反応（IgE mediated reactions）である。特異的IgE抗体の関与が証明されない場合を非IgE依存性反応（non-IgE mediated reactions）といい、その中でも感作リンパ球の関与が証明されている場合を細胞性反応（cell mediated reactions）という。

本ガイドライン（第 16 章以外）では、特別な断りのない限り、IgE依存性食物アレルギーを取り扱う。

3) 症状誘発の時間経過

アレルゲン曝露から症状誘発までが 2 時間以内に進展するものを、即時型反応（immediate reactions）という。即時型症状、即時型アレルギーも同義である。即時型反応の多くは、IgE依存性反応である。

主にアナフィラキシーの場面において、即時型反応出現の数時間後に何らかの症状が出現する場合を二相性反応（biphasic reactions）といい、後に現れる症状を遅発型反応（late reactions）という。

アレルゲン曝露から 2 時間以上経過して症状を認めるものを非即時型反応（non-immediate reactions）という。その多くは非 IgE 依存性反応であるが、IgE 依存性反応の中にも、アレルゲン曝露から数時間〜半日後に症状が誘発される遅発型 IgE 依存性食物アレルギーがある。

2. IgE 依存性食物アレルギーの臨床的病型分類

IgE 依存性食物アレルギーは、アレルギー症状が誘発される場面での状態により、表 2-1 に示すような臨床型に分類される[19]。

1）食物アレルギーの関与する乳児アトピー性皮膚炎

乳児アトピー性皮膚炎に合併して認められる食物アレルギー。食物に対する IgE 抗体の感作が先行し、食物が湿疹の増悪に関与している場合である。皮疹が消失した後には、即時型症状に移行することも多い。ただし、すべての乳児アトピー性皮膚炎に食物が関与しているわけではない（第 6 章参照）。

2）即時型症状

食物アレルギーの最も典型的なタイプ。即時型反応による症状を中心とし、時にアナフィラキシーに至る。

■ 表 2-1　IgE 依存性食物アレルギーの臨床型分類[19]

臨床型	発症年齢	頻度の高い食物	耐性獲得（寛解）	アナフィラキシーショックの可能性	食物アレルギーの機序
食物アレルギーの関与する乳児アトピー性皮膚炎	乳児期	鶏卵、牛乳、小麦など	多くは寛解	(+)	主にIgE依存性
即時型症状（蕁麻疹、アナフィラキシーなど）	乳児期〜成人期	乳児〜幼児： 　鶏卵、牛乳、小麦、ピーナッツ、木の実類、魚卵など 学童〜成人： 　甲殻類、魚類、小麦、果物類、木の実類など	鶏卵、牛乳、小麦などは寛解しやすい その他は寛解しにくい	(++)	IgE依存性
食物依存性運動誘発アナフィラキシー（FDEIA）	学童期〜成人期	小麦、エビ、果物など	寛解しにくい	(+++)	IgE依存性
口腔アレルギー症候群（OAS）	幼児期〜成人期	果物・野菜・大豆など	寛解しにくい	(±)	IgE依存性

FDEIA：food-dependent exercise-induced anaphylaxis
OAS：oral allergy syndrome

（『食物アレルギーの診療の手引き2020』より転載）

3) 食物依存性運動誘発アナフィラキシー（food-dependent exercise-induced anaphylaxis, FDEIA）

原因食物を摂取後に運動することによってアナフィラキシーが誘発される病態。感冒、睡眠不足や疲労などのストレス、月経前状態、非ステロイド性抗炎症薬、アルコール摂取、入浴なども発症の誘発因子となる（第13章参照）。

4) 口腔アレルギー症候群（oral allergy syndrome, OAS）

口唇・口腔・咽頭粘膜を中心として誘発される、IgE 抗体を介した即時型アレルギー症状。食物摂取直後から始まり、口唇・口腔・咽頭の痒み、イガイガ、血管浮腫などを来す。口腔・咽頭粘膜から局所的に吸収されたアレルゲンによって誘発されるものであり、アナフィラキシーにおける全身症状の一部として発症する粘膜症状とは区別される。発症機序からみると、花粉-食物アレルギー症候群に相当する場合が多い（第14-1章参照）。

5) 遅発型 IgE 依存性食物アレルギー

IgE 依存性反応にもかかわらず、原因食物を摂取後、数時間〜半日経過してから蕁麻疹やアナフィラキシーショックが出現する。poly-γ-glutamic acid（PGA）による納豆アレルギー[20,21]、galactose-α-1,3-galactose（α-Gal）による獣肉アレルギー[9] などが相当する。摂取したアレルゲンが吸収されるまでに時間を要するためと考えられる（第14-3章参照）。

3. 発症（感作）の機序からみた特殊病態

典型的な食物アレルギーは食物抗原によって感作が成立して発症するが、食物以外の抗原によって感作が成立する特殊病態もある。また、食物成分を含む生活用品から感作を受ける場合もある（表2-2、第14章参照）。

また、食品に意図的、または意図せず含まれる食物以外のアレルゲンに由来する食物関連アレルギーがある（表2-3、第15章参照）。

4. 消化管アレルギー（gastrointestinal allergies）

主として消化器症状を示すアレルギーの総称。IgE 依存性、非 IgE 依存性と両方の性質を持つ混合性の3つに分類される[22]。非 IgE 依存性には、新生児・乳児食物蛋白誘発胃腸症[23] が、混合性には好酸球性消化管疾患[24] が含まれる（表2-4、第16章参照）。

5. 食物アレルギーの症状

食物アレルギーによって誘発される主な症状を表2-5 に示す。その多くは即時型反応として観察されるが、一部に非即時型反応も含まれる。なお、誘発症状の重症度判定および対症療法については、第7章を参照。

■ 表2-2　食物以外の抗原感作による食物アレルギー

病態の名称	感作	誘発	臨床型	アナフィラキシーのリスク	原因アレルゲン	解説章
花粉-食物アレルギー症候群 (pollen-food allergy syndrome, PFAS)	花粉	生果物・野菜	OAS	+/-	PR-10、プロフィリン	14-1
	カバノキ科花粉	大豆(豆乳)	OAS、FDEIA	++	PR-10(Gly m 4)	14-1
ラテックス-フルーツ症候群 (latex-fruit syndrome, LFS)	ラテックス	アボカド、栗、バナナ、キウイフルーツ	アナフィラキシー	+	ヘベイン (Hev b 6)	14-2
α-Galアレルギー	マダニ咬傷	牛肉・豚肉	遅発型IgE依存性食物アレルギー	++	galactose-α-1,3-galactose (α-Gal)	14-4
PGAアレルギー	クラゲ刺傷	納豆	遅発型IgE依存性食物アレルギー	++	poly-γ-glutamic acid (PGA)	14-4
bird-egg症候群	鳥類(羽毛・糞)	鶏肉・鶏卵	即時型症状	+	Gal d 5	14-3
pork-cat症候群	ネコ	豚肉・牛肉・羊肉	即時型症状	+	Fel d 2	14-3
加水分解小麦によるFDEIA	加水分解小麦含有石鹸	小麦	FDEIA	++	Tri a 20 Tri a 21	13

FDEIA : food-dependent exercise-induced anaphylaxis
OAS : oral allergy syndrome
PR-10 : pathogenesis-related protein-10

■ 表2-3　食物以外のアレルゲンに由来する食物関連アレルギー（第15章参照）

名称・原因物質	感作	誘発	臨床型	アナフィラキシーのリスク	原因アレルゲン	解説章
コチニール色素	化粧品	コチニール(カルミン色素)	即時型症状	+	夾雑タンパク質?	15
アニサキスアレルギー	アニサキス	魚介類	即時型症状	+	アニサキス	15
経口ダニアナフィラキシー（パンケーキ症候群）oral mite anaphylaxis	ダニ	お好み焼き、ホットケーキなど	即時型症状	++	ダニ	15

1）皮膚症状

　即時型反応における皮膚症状は、瘙痒感、蕁麻疹、血管性浮腫、紅斑などを含む。主な病態は真皮と皮下組織における毛細血管拡張と血漿漏出であり、炎症を伴わない。また、食物の接触によってアレルギー性接触皮膚炎や接触蕁麻疹が誘発されることもある。

2）粘膜症状

　粘膜症状は、主として眼球および眼瞼結膜、鼻粘膜、口腔咽頭粘膜に認められる。主な病態

■ 表2-4 新生児・乳児食物蛋白誘発胃腸症の臨床型分類[19]

臨床型			発症年齢	主な症状	診断	頻度の高い食物	耐性獲得・寛解
新生児・乳児食物蛋白誘発胃腸症 (non-IgE-GIFAs)[*1]	FPIES[*2]	非固形	新生児期乳児期	嘔吐・下痢、時に血便	負荷試験	牛乳	多くは耐性獲得
		固形物	乳児期後半	嘔吐	負荷試験	大豆、コメ、鶏卵、小麦など	多くは耐性獲得
	FPIAP[*2]		新生児期乳児期	血便	除去(負荷)試験[*3]	牛乳	多くは耐性獲得
	FPE[*2]		新生児期乳児期	体重増加不良・嘔吐	除去試験・病理	牛乳	多くは耐性獲得

non-IgE-GIFAs：non-IgE-mediated gastrointestinal food allergies、FPIES：food-protein induced enterocolitis syndrome、FPIAP：food-protein induced allergic proctocolitis、FPE：food-protein induced enteropathy

*1：新生児・乳児消化管アレルギーとも同義
*2：英語名が一般的
*3：わが国では行うが、国際的には負荷試験は必須ではない。

(『食物アレルギーの診療の手引き2020』より転載)

■ 表2-5 食物アレルギーの症状

臓器	症状
皮膚	紅斑、蕁麻疹、血管性浮腫、瘙痒、灼熱感、湿疹
粘膜	結膜充血・浮腫、瘙痒感、流涙、眼瞼浮腫 鼻汁、鼻閉、くしゃみ 口腔・咽頭・口唇・舌の違和感・腫脹
呼吸器	喉頭違和感・瘙痒感・絞扼感、嗄声、嚥下困難 咳嗽、喘鳴、陥没呼吸、胸部圧迫感、呼吸困難、チアノーゼ
消化器	悪心、嘔吐、腹痛、下痢、血便
神経	頭痛、活気の低下、眠気、不穏、意識障害、失禁
循環器	血圧低下、頻脈、徐脈、不整脈、四肢冷感、蒼白(末梢循環不全)

は、腺細胞からの分泌亢進と、粘膜下組織における血漿漏出および毛細血管拡張である。全身性に吸収されたアレルゲンによって誘発される場合と、アレルゲンが吸収された局所反応として誘発される場合がある。

なお、本ガイドラインでは解剖学的区分と症状の重篤性を考慮して、口腔咽頭症状までを粘膜症状とし、喉頭以下の症状は呼吸器症状、食道以下の症状は消化器症状に分類した。

3) 呼吸器症状

呼吸器症状には、喉頭およびその周囲に発症するものと、気管支から肺胞を首座とするものがある。

喉頭浮腫は、急速に進行して窒息に陥る危険を伴う。喉頭絞扼感(のどが締め付けられる感じ)や犬吠様咳嗽、呼吸困難を伴う嗄声などがこれに該当する。一方、呼吸器症状の一部は喘

鳴を伴い、β₂刺激薬の吸入が有効であることから、喘息と同様に気管支攣縮を伴う場合もあると考えられる。

4）消化器症状
　消化器症状は、主として消化管の蠕動亢進（または弛緩）と浮腫によってもたらされ、腹痛（疝痛）、嘔吐、下痢が主症状である。血便を認める場合は、非 IgE 依存性反応を考慮する。

5）神経症状
　さまざまなレベルの活気の低下、不機嫌、いらいら感、不穏などが認められる。米国のガイドラインにも「死の恐怖感（impending doom）」と表現され[1]、それが不安を煽って不穏に陥る場合もある。逆に、強いだるさや眠気を感じ、眠ってしまうこともある。呼びかけに応じない意識障害や、循環器症状を伴う意識消失との鑑別は重要である。
　副交感神経が優位になることから尿意を感じ、重篤な状態では尿道括約筋の弛緩に伴って失禁に至ることがある。

6）循環器症状
　末梢血管の拡張と血漿漏出に伴う循環血漿量の減少による血圧低下と頻脈が主徴である。初期には末梢血管収縮や頻脈によって代償される（代償性ショック）が、それが維持できなくなると急速に徐脈から心停止に陥る。脳血流の低下と低酸素血症によって意識障害、意識消失を伴う場合もある。

6. アナフィラキシーの定義
　アナフィラキシーは、「アレルゲン等の侵入により、複数臓器に全身性にアレルギー症状が惹起され、生命に危機を与え得る過敏反応」と定義され、「アナフィラキシーに血圧低下や意識障害を伴う場合」をアナフィラキシーショックという[25,26]。
　食物によるアナフィラキシーは特異的 IgE 抗体が関与する即時型反応であり、典型例では摂取後数分以内に初発症状が認められるが、その後アナフィラキシーまで症状が進展するスピードはさまざまである。症状の発現は二相性[27,28]のこともあり、すべての症状が同時に出現するとは限らない。アナフィラキシーの定義は症状の重篤性にあるため、軽微な症状が複数臓器に及ぶことをアナフィラキシーとはしない。アナフィラキシーの診断・治療は第7章参照。

7. 他のアレルギー疾患と食物アレルギーの関連
1）蕁麻疹
　急性蕁麻疹は即時型食物アレルギーの代表的な症状であるが、蕁麻疹を主訴として受診する患者に占める食物アレルギーの割合は多くない。『蕁麻疹診療ガイドライン 2018』では、刺激

誘発型蕁麻疹の中にアレルギー性蕁麻疹と食物依存性運動誘発アナフィラキシーが挙げられている[29]。

一方、慢性蕁麻疹では、食物アレルギーの関与が証明できないことが多い。また、運動や入浴による発汗で誘発されるコリン性蕁麻疹を、FDEIAと過剰診断しないよう、鑑別診断が求められる。

2）アトピー性皮膚炎

アトピー性皮膚炎は皮膚のバリア機能低下をもたらし、アレルゲン感作を促進する因子となる[30]。また、その原因の一つであるフィラグリン遺伝子変異は、食物アレルギーの発症リスクにも関連している[31]。したがって、アトピー性皮膚炎患者は食物アレルギーを合併しやすい。しかし、アトピー性皮膚炎（湿疹）の悪化因子として食物アレルギーの関与は明確ではなく、アトピー性皮膚炎に対する標準的な治療を十分に行った上で、皮疹悪化の原因となる食物アレルゲンを慎重に同定すべきである[32]。

3）アナフィラキシー

食物アレルギーは、IgEが関与するアナフィラキシーの主要な誘因ではあるが、その他のアレルゲン（刺咬昆虫、医薬品、花粉など）によるものや、IgEが関与しない免疫学的機序によるものもある。特に、アナフィラキシーショックによる死亡数においては、医薬品やハチ刺傷によるものが食物を凌駕している[25]。

したがって、アナフィラキシー患者の診療においては、常に食物以外の原因も念頭に置いて鑑別する必要がある。

4）喘息

喘息における運動誘発性気道攣縮は、食物とは無関係に発症するものである。しかし、喘息を合併した食物アレルギー患者において、FDEIA、あるいは運動による即時型反応の閾値低下との鑑別が問題になることがある。

8. 鑑別すべき疾患（抗原特異的な免疫学的機序によらない反応）

一般的には無害な食物が特定の人に不利益な反応をもたらす場合でも、それが抗原特異的な免疫学的機序によらないものを、食物不耐症（food intolerance）という（図2-1）。

食物には、アレルギー様の症状を起こし得るさまざまな生理活性物質が含まれている。例えば、モノアミン類（ヒスタミン、セロトニンなど）、アセチルコリン、カフェイン、サリチル酸などが挙げられる。また、一部の食品添加物（亜硫酸、亜硝酸、グルタミン酸ナトリウム、タートラジンなど）にも類似した作用を有するものがある（表2-6）[33]。

それらの中で、例えば鮮度の落ちた魚によるヒスタミン食中毒（scombroid fish

■ 表 2-6 　食物アレルギーと鑑別すべき疾患や病態
1. 食物以外のアレルゲンによる反応：薬物、虫刺、花粉
2. 他の原因による湿疹の悪化：刺激物質、湿度、温度の変化、皮膚の細菌感染
3. 慢性的な胃腸症状：胃食道逆流症、感染症、解剖学的異常、代謝異常
4. 食品中の化学物質に対する非特異的な反応：カプサイシンや酸味のある食品に対する神経反射
5. 細菌性毒素やヒスタミン食中毒
6. 寄生虫感染、全身性好酸球増多症、血管炎
7. 精神疾患・心理的問題に起因する食物忌避：神経性食思不振症、代理ミュンヒハウゼン症候群
8. 食品中の化学物質による薬理作用：トリプタミン、食品添加物

poisoning）は、しばしば魚アレルギーと誤認される[34, 35]。乳糖不耐症[36]のように、消化酵素の欠乏あるいは活性の低下に基づく下痢症は、牛乳アレルギーとの鑑別が問題となる。その有害事象は免疫学的機序を介さないことから食物アレルギーには分類されず、因果関係が確定できないことも多い[37]。

なお、食物に由来する感染症（細菌性腸炎、ウイルス性腸炎）や中毒反応（フグ毒、キノコ毒など）は、原因に曝露された人ならだれにでも起こり得る有害事象であるため、食物不耐症には含めない。

食物アレルギーと他の疾患や病態を正しく鑑別することは、患者個人に対する正しい生活指導を行うためだけでなく、食物アレルギーに関する社会の正しい理解を啓発し、不適切な情報に対峙するためにも重要である。患者の自己判断による食物アレルギーのうち、食物経口負荷試験を含む正しい診断基準で確定診断されるものは一部にすぎない。

参考文献

1) Boyce JA, Assa'ad A, Burks AW, et al. Guidelines for the diagnosis and management of food allergy in the United States：summary of the NIAID sponsored Expert Panel Report. J Allergy Clin Immunol. 2010；126：1105-18.
2) Chinthrajah RS, Hernandez JD, Boyd SD, et al. Molecular and cellular mechanisms of food allergy and food tolerance. J Allergy Clin Immunol. 2016；137：984-97.
3) Cianferoni A. Wheat allergy：diagnosis and management. J Asthma Allergy. 2016；9：13-25.
4) Fukutomi Y, Itagaki Y, Taniguchi M, et al. Rhinoconjunctival sensitization to hydrolyzed wheat protein in facial soap can induce wheat-dependent exercise-induced anaphylaxis. J Allergy Clin Immunol. 2011；127：531-3.e1-3.
5) Kamemura N, Tada H, Shimojo N, et al. Intrauterine sensitization of allergen-specific IgE analyzed by a highly sensitive new allergen microarray. J Allergy Clin Immunol. 2012；130：113-21.e2.
6) Sakaguchi M, Inouye S. IgE sensitization to gelatin：the probable role of gelatin-containing diphtheria-tetanus-acellular pertussis (DTaP) vaccines. Vaccine. 2000；18：2055-8.
7) Yagami A, Ebisawa M. New findings, pathophysiology, and antigen analysis in pollen-food allergy syndrome. Curr Opin Allergy Clin Immunol. 2019；19：218-23.
8) Cabañes N, Igea JM, de la Hoz B, et al. Latex allergy：Position Paper. J Investig Allergol Clin Immunol. 2012；22：313-30.
9) Platts-Mills TAE, Commins SP, Biedermann T, et al. On the cause and consequences of IgE to galactose-alpha-1,3-galactose：A report from the National Institute of Allergy and Infectious Diseases workshop on understanding IgE-mediated mammalian meat allergy. J Allergy Clin Immunol. 2020；145：1061-71.
10) Chinuki Y, Morita E. Wheat-dependent exercise induced anaphylaxis sensitized with hydrolyzed wheat protein in soap. Allergol Int. 2012；61：529-37.
11) Ohgiya Y, Arakawa F, Akiyama H, et al. Molecular cloning, expression, and characterization of a major 38-kd cochineal

allergen. J Allergy Clin Immunol. 2009；123：1157-62.e1-4.
12) Lack G, Fox D, Northstone K, et al. Factors associated with the development of peanut allergy in childhood. N Engl J Med. 2003；348：977-85.
13) Thom de Souza CC, Rosário Filho NA, Camargo JF, et al. Levels of airborne soybean allergen (Gly m 1) in a Brazilian soybean production city：A pilot study. Int J Environ Res Public Health. 2020；17：5381.
14) Alvarez-Simon D, Cruz MJ, Untoria MD, et al. A rapid test for soy aeroallergens exposure assessment. PLoS One. 2014；9：e88676.
15) Ahlström MG, Thyssen JP, Wennervaldt M, et al. Nickel allergy and allergic contact dermatitis：A clinical review of immunology, epidemiology, exposure, and treatment. Contact Dermatitis. 2019；81：227-41.
16) Aquino M, Rosner G. Systemic Contact Dermatitis. Clin Rev Allergy Immunol. 2019；56：9-18.
17) Takahashi K, Taniguchi M, Fukutomi Y, et al. Oral mite anaphylaxis caused by mite-contaminated okonomiyaki/pancake-mix in Japan：8 case reports and a review of 28 reported cases. Allergol Int. 2014；63：51-6.
18) Nieuwenhuizen NE, Lopata AL. Allergic reactions to Anisakis found in fish. Curr Allergy Asthma Rep. 2014；14：455.
19) 日本医療研究開発機構（AMED）．研究開発代表者：海老澤元宏．食物アレルギーの診療の手引き 2020．2020．
20) Inomata N, Miyakawa M, Aihara M. Surfing as a risk factor for sensitization to poly（γ-glutamic acid）in fermented soybeans, natto, allergy. Allergol Int. 2018；67：341-6.
21) Inomata N, Chin K, Aihara M. Anaphylaxis caused by ingesting jellyfish in a subject with fermented soybean allergy：possibility of epicutaneous sensitization to poly-gamma-glutamic acid by jellyfish stings. J Dermatol. 2014；41：752-3.
22) Yamada Y. Unique features of non-IgE-mediated gastrointestinal food allergy during infancy in Japan. Curr Opin Allergy Clin Immunol. 2020；20：299-304.
23) 厚生労働省好酸球性消化管疾患研究班．新生児・乳児食物蛋白誘発胃腸症診療ガイドライン．https://minds.jcqhc.or.jp/n/med/4/med0351/G0001047
24) 厚生労働省好酸球性消化管疾患研究班．幼児・成人好酸球性消化管疾患診療ガイドライン．https://www.ncchd.go.jp/hospital/sickness/allergy/EGIDs_guideline.pdf
25) 一般社団法人日本アレルギー学会．アナフィラキシーガイドライン．2014．
26) Cardona V, Ansotegui IJ, Ebisawa M, et al. World Allergy Organization Anaphylaxis Guidance 2020. World Allergy Organ J. 2020；13：100472.
27) Lee S, Bellolio MF, Hess EP, et al. Time of onset and predictors of biphasic anaphylactic reactions：A systematic review and meta-analysis. J Allergy Clin Immunol Pract. 2015；3：408-16.e1-2.
28) Pourmand A, Robinson C, Syed W, et al. Biphasic anaphylaxis：A review of the literature and implications for emergency management. Am J Emerg Med. 2018；36：1480-5.
29) 秀 道広，森 桶聡，福永 淳，他．蕁麻疹診療ガイドライン 2018．日皮会誌．2018；128：2503-624．
30) Sugita K, Akdis CA. Recent developments and advances in atopic dermatitis and food allergy. Allergol Int. 2020；69：204-14.
31) Venkataraman D, Soto-Ramírez N, Kurukulaaratchy RJ, et al. Filaggrin loss-of-function mutations are associated with food allergy in childhood and adolescence. J Allergy Clin Immunol. 2014；134：876-82.e4.
32) 加藤則人，大矢幸弘，池田政憲，他．アトピー性皮膚炎診療ガイドライン 2018．日皮会誌．2018；128：2431-502．
33) Lemoine A, Pauliat-Desbordes S, Challier P, et al. Adverse reactions to food additives in children：A retrospective study and a prospective survey. Arch Pediatr. 2020；27：68-371.
34) Feng C, Teuber S, Gershwin ME. Histamine (scombroid) fish poisoning：a comprehensive review. Clin Rev Allergy Immunol. 2016；50：64-9.
35) 厚生労働省．ヒスタミンによる食中毒について．https://www.mhlw.go.jp/stf/seisakunitsuite/bunya/0000130677.html
36) Fassio F, Facioni MS, Guagnini F. Lactose maldigestion, malabsorption, and intolerance：A comprehensive review with a focus on current management and future perspectives. Nutrients. 2018；10：1599.
37) Bush RK, Baumert JL, Taylor SL. Reactions to food and drug additives. In：Middleton's Allergy：Principles and Practice, 80. 1326-43.e1.

第3章　食物アレルゲン

[要旨]

1. 食物アレルゲンの本体は、大部分が食物に含まれるタンパク質である。
2. 食物中で特異的IgE抗体が結合するそれぞれのタンパク質をアレルゲンコンポーネント、その結合部位をエピトープ（抗原決定基）という。
3. 交差抗原性を有していても臨床的に交差反応を起こすとは限らない。
4. 植物性食物アレルゲンの多くは4つのタンパク質ファミリー（プロラミン、クーピン、Bet v 1ホモログ、プロフィリン）に、動物性食物アレルゲンの多くは3つのタンパク質ファミリー（トロポミオシン、パルブアルブミン、カゼイン）に属している。
5. 臨床症状と関連のあるアレルゲンコンポーネントが明らかになってきている。

1. アレルゲンの構造とエピトープ（図3-1、表3-1）

　食物アレルゲンの本体は、大部分が食物に含まれるタンパク質である。タンパク質は、約20種類のアミノ酸が鎖状につながってできており（一次構造）、それが螺旋状（α-ヘリックス）やシート状（β-シート）に折り畳まれ（二次構造）、特定の立体構造（三次構造）をとる。さらに複数のタンパク質分子が結合して（四次構造）大きな分子を形成することもある。特異的IgE抗体は、この構造の特定の部位（抗原決定基、エピトープ）を認識して結合する。一連のアミノ酸配列で構成されるものを連続性エピトープ（linear epitope）、立体構造によって形成された不連続なアミノ酸で構成されるものを構造的エピトープ（conformational epitope）という（図3-1）。異なるタンパク質に共通の構造をしたエピトープが存在すると、抗体は両者に結合する。これを交差抗原性と呼ぶ。

　食物を構成している多種類のタンパク質のうち、アレルゲン性を有する（IgE抗体結合能がある）タンパク質分子をアレルゲンコンポーネントという[1]。アレルギー疾患患者の50％以上において特異的IgE抗体が認識し、誘発症状を引き起こすことが確認されているアレルゲンコンポーネントを主要アレルゲンという。

　アレルゲン性があると確認されて、遺伝子配列（およびアミノ酸構造）が同定されたものはWHOとInternational Union of Immunological Societies（WHO/IUIS）にてアレルゲンとして命名される（表3-1）。アレルゲン名は、食物の学名を元にして、属（genus）名の頭文字3文字と、種（species）の1文字、および基本的には同定された順の通し番号で構成される〔例）Ara h 1：ラッカセイ（*Arachis hypogaea*）で1番目に命名されたアレルゲン〕。

　食物に含まれるタンパク質は、加工や調理の過程で加熱や酸処理や加水分解酵素などの酵素

第3章 食物アレルゲン

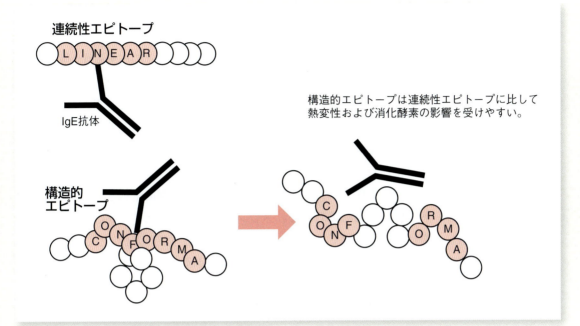

■ 図3-1　タンパク質の消化・熱処理による変化

■ 表3-1　アレルゲン情報を入手するためのウェブサイト

データベース名	内容	ウェブアドレス
World Health Organization and International Union of Immunological Societies (WHO/IUIS) Allergen Nomenclature Sub-committee	正式に承認されているすべてのアレルゲンのデータベース	http://www.allergen.org/index.php
Allergome	IUIS小委員会でまだ承認されていないアレルゲンも含むデータベース	http://www.allergome.org
AllFam	AllergomeとPfam*に含まれる情報を元に作成されたアレルゲンデータベース	http://www.meduniwien.ac.at/allfam/
Food Allergy Research and Resource Program Allergen Database	食品産業関連のアレルゲンデータベース	http://allergenonline.com
Structural Database of Allergenic Proteins (SDAP)	アレルゲンデータベース（エピトープデータおよびアレルゲン構造コンピュータ解析手法を含む）	http://fermi.utmb.edu/SDAP/index.html
Immune Epitope Database and Analysis Resource	抗原およびアレルゲンのエピトープデータベース	http://www.iedb.org

＊：Pfam：タンパク質構造やドメイン構造のデータベース（ウェブアドレス　http：//pfam.xfam.org）

処理によって立体構造が変化する（変性）。また、ペプシン、トリプシン、キモトリプシンといった消化酵素（プロテアーゼ）の働きによりアミノ酸同士の結合が切断される（消化）。これらの結果、エピトープの構造が変化すると、IgE抗体結合性が低下してアレルギー反応が減弱

することを低アレルゲン化という。

　これら以外にアレルゲン性を変化させる機序として、マトリックス効果とメイラード反応がある。マトリックス効果とは、加工食品中のタンパク質、脂肪、糖などの成分同士が影響を及ぼしてアレルギー症状を起こしにくくする効果のことである。卵白と小麦を例にとると、お互いを混ぜ合わせて加熱することで、卵白のアレルゲンコンポーネントであるオボムコイドが重合し、かつ小麦の成分であるグルテンとともに高分子複合体を形成することで、凝集とオボムコイドの不溶化が起こり、アレルギー反応が減弱化する。メイラード反応とは、食物を煎ったり焼いたりする際にアミノ化合物と還元糖が反応を起こしメラノイジンという褐色物質を生み出す反応のことであるが、反応機序の詳細は未解明である。調理の際に玉ねぎや肉を焼くと褐色化するのもメイラード反応によるものである。メラノイジンは抗酸化作用をはじめとしてさまざまな作用を示し、炎症疾患において注目されている物質であるが、アレルゲンコンポーネントのタンパク質構造に対しては、凝集させるなどの作用を及ぼし、アレルゲン性増強あるいは減弱に関わる。ピーナッツにおいては、ローストによるメイラード反応で抽出物のIgE結合性が著しく増強することが知られているが、それはAra h 2のジスルフィド結合に変化が生じて、その結果としてトリプシンインヒビター活性が増強されることが影響していると考えられる[2]。一方、サクランボの主要アレルゲンであるPru av 1においてはメイラード反応により三次構造が変化することでIgE結合性が劇的に低下することが報告されている[3]。

2. 交差抗原性と臨床的交差反応性[4]

　同じIgE抗体が競合して結合するエピトープ同士を交差抗原性（cross antigenicity）があるという。

　一般的には、生物学的に近い食物間ではタンパク質のアミノ酸配列相同性が高く、交差抗原性が強いといわれている[5]。しかし、ある食物に対してアレルギー症状のある患者がその食物と交差抗原性がある食物を食べた場合に、アレルギー症状が現れる場合（臨床的交差反応性あり）と現れない場合（臨床的交差反応性なし）がある。交差抗原性がある食物同士が臨床的交差反応性を示すかどうかには、タンパク質の溶解性、消化性、特異的IgE抗体の濃度および親和性、抗原量および曝露経路などさまざまな要因が関与している[6]。高い臨床的交差反応率を示す食物には、ウシ、ヒツジ、ヤギなど哺乳類の乳[7]、甲殻類[8]、リンゴ、ナシ、モモなどバラ科の果物[9]、魚類[10]がある。一方、臨床的交差反応率が低い食物には、木の実類[11]、穀物[12]、ピーナッツ・豆類[13]がある。

3. 植物性食物アレルゲンタンパク質スーパーファミリー

　植物由来の食物アレルゲン（植物性食物アレルゲン）は、6割以上が4つのタンパク質スーパーファミリー（プロラミン、クーピン、Bet v 1 ホモログ、プロフィリン）に所属している[14]。植物性食物アレルゲンの交差抗原性と臨床的交差反応を理解するには、生物学的分類

第3章 食物アレルゲン

■ 表3-2 種子類の生物学的分類

類 Clade	目 Order	科 Family	属 Genus	種 Species
バラ類 Rosids マメ類 Fabids	マメ目 Fabales	マメ科 Fabaceae (Leguminosae)	ラッカセイ属 Arachis	ピーナッツ A. hypogaea
			大豆属 Glycine	大豆 G. max
			エンドウ属 Pisum	エンドウ P. sativum
			インゲンマメ属 Phaseolus	インゲンマメ P. vulgaris
	バラ目 Rosales	バラ科 Rosaceae	サクラ属(スモモ属) Cerasus (Prunus)	アーモンド P. dulcis
	ブナ目 Fagales	クルミ科 Juglandaceae	クルミ属 Juglans	シナノグルミ*1 J. regia
				クロクルミ J. nigra
			ペカン属 Carya	ペカン C. illinoiensis
		ブナ科 Fagaceae	クリ属 Castanea	ニホングリ C. crenata
				ヨーロッパクリ C. sativa
		カバノキ科 Betulaceae	ハシバミ属 Corylus	ヘーゼルナッツ C. avellana
バラ類 Rosids アオイ類 Malvids	ムクロジ目 Sapindales	ウルシ科 Anacardiaceae	カシューナットノキ属 Anacardium	カシューナッツ A. occidentale
			カイノキ属 Pistacia	ピスタチオ P. vera
	アオイ目 Malvales	アオイ科 Malvaceae	カカオ属 Theobroma	カカオ T. cacao
キク類 Asterids シソ類 Lamiids	シソ目 Lamiales	ゴマ科 Pedaliaceae	ゴマ属 Sesamum	ゴマ S. indicum
キク類 Asterids	ツツジ目 Ericales	サガリバナ科 Lecythidaceae	ブラジルナッツ属 Bertholletia	ブラジルナッツ B. excelsa
真正双子葉類 Eudicots	ヤマモガシ目 Proteales	ヤマモガシ科 Proteaceae	マカダミア属 Macadamia	マカダミア*2 M. integrifolia

Angiosperum Phylogeny Group (APG) IV分類による
種の名称は、Wikimedia Commonsなどの情報を参考にした
*1：english walnut、persian walnutともいう。
*2：マカダミアの分類は、Wikimedia Commonsの情報による

（表3-2）およびタンパク質スーパーファミリーの特徴（表3-3）を知った上で、各食物のアレルゲンがどのタンパク質スーパーファミリーに属するかを認識する（表3-4）必要がある。

■ 表 3-3　植物性食物アレルゲンタンパク質ファミリーの特徴

植物性食物アレルゲンタンパク質ファミリー	プロラミン			クーピン	Bet v 1 ホモログ	プロフィリン
	LTP	2S アルブミン	α-アミラーゼ/トリプシンインヒビター			
分子量(kDa)	7〜13	7〜17	12〜16	40〜80 (7Sグロブリン) 300〜450 (11Sグロブリン)	16〜22	13〜17
タンパク質構造の特徴	ジスルフィド結合により4つのα-ヘリックスが結合して三次構造を形成する			β-バレル構造 多量体を形成	植物ステロイドを結合する疎水ポケットを持つβ-バレル構造	α-ヘリックスとβ-シートを含む球状構造
熱消化への耐性	非常に安定	安定	安定	安定	加熱によって低アレルゲン化されやすい	比較的安定
溶解性	疎水性	水溶性	水溶性	塩溶性	水溶性	水溶性
生物種	果物・種子類	種子類	穀物	種子類	果物	果物
アレルギー症状への関与	即時型アレルギー、アナフィラキシー	即時型アレルギー、アナフィラキシー	小麦によるパン職人喘息	即時型アレルギー、アナフィラキシー	バラ科果物のPFAS	限定的（一部の患者に限られている）
その他	モモやリンゴでは外表皮組織に存在	貯蔵タンパク質		貯蔵タンパク質		植物間で広汎な交差抗原性に関与

LTP：脂質輸送タンパク質、PFAS：花粉-食物アレルギー症候群

1）プロラミン（図 3-2）

　プロラミンスーパーファミリーは、よく保存された特徴的なモチーフの 8 つあるいはそれ以上のシステイン残基を骨格の中心とし、ジスルフィド結合によって安定化されたα-ヘリックスによる折りたたまれた束状構造を持つタンパク質ファミリーで、熱処理や胃酸に抵抗性を示す。脂質輸送タンパク質（lipid transfer protein, LTP）、種子貯蔵タンパク質である 2S アルブミン、穀物種子のα-アミラーゼ/トリプシンインヒビターなどがこのタンパク質ファミリーに所属する[15]。

(1) 脂質輸送タンパク質（LTP）

　In vitro で脂質輸送機能を持つことから名付けられたが、植物の中でどのような働きをするのかは不明である。モモ（*Prunus persica*）の Pru p 3 やリンゴ（*Malus domestica*）の Mal d 3 などバラ科果物の外表皮組織に多く存在する。多くの果物のアレルゲンとしてのみならず、植物の花粉アレルゲンとしても知られている。熱消化耐性であり、即時型症状を呈することが多い。

(2) 2S アルブミン

　成長に必要な栄養を供給するタンパク質である種子貯蔵タンパク質の一種である。2S とは超遠心分析による沈降係数を表しており、これ以外の種子貯蔵タンパク質として、後述のクーピンに所属する 7S グロブリン、11S グロブリンがある。分子量は 7〜17 kDa と小さく、ファミリー内で保存性の高いジスルフィド結合を持つため消化などに耐性であると考えられてい

表 3-4 種子類の主なアレルゲン

ナッツ名	学名	プロラミン LTP	プロラミン 2Sアルブミン	クーピン 7Sグロブリン	クーピン 11Sグロブリン	PR-10	プロフィリン	オレオシン
ピーナッツ	*Arachis hypogaea*	Ara h 9 Ara h 16 Ara h 17	Ara h 2 Ara h 6 Ara h 7	Ara h 1	Ara h 3	Ara h 8	Ara h 5	Ara h 10 Ara h 11 Ara h 14 Ara h 15
大豆	*Glycine max*	Gly m 1	Gly m 8	Gly m 5	Gly m 6	Gly m 4	Gly m 3	
カシューナッツ	*Anacardium occidentale*		Ana o 3	Ana o 1	Ana o 2			
ピスタチオ	*Pistacia vera*		Pis v 1	Pis v 3	Pis v 2 Pis v 5			
クルミ	*Juglans regia*	Jug r 3 Jug r 8	Jug r 1	Jug r 2	Jug r 4	Jug r 5	Jug r 7	
	Juglans nigra		Jug n 1	Jug n 2	Jug n 4			
ペカンナッツ	*Carya illinoinensis*		Car i 1		Car i 4			
ヘーゼルナッツ	*Corylus avellana*	Cor a 8	Cor a 14	Cor a 11	Cor a 9	Cor a 1	Cor a 2	Cor a 12 Cor a 13 Cor a 15
アーモンド	*Prunus dulcis*	Pru du 3			Pru du 6		Pru du 4	
ブラジルナッツ	*Bertholletia excelsa*		Ber e 1		Ber e 2			
マカダミアナッツ	*Macadamia integrifolia*			Mac i 1	Mac i 2			
ゴマ	*Sesamum indicum*		Ses i 1 Ses i 2	Ses i 3	Ses i 6 Ses i 7			Ses i 4 Ses i 5

LTP：脂質輸送タンパク質、PR-10：pathogenesis-related protein-10

る。豆類〔ピーナッツの Ara h 2、大豆（*Glycine max*）の Gly m 8 など〕、種子類〔ゴマ（*Sesamum indicum*）の Ses i 1、Ses i 2 など〕、木の実類〔カシューナッツ（*Anacardium occidentale*）の Ana o 3、クルミ（*Juglans regia*）の Jug r 1 など〕において 2S アルブミンは主要なアレルゲンである。

(3) α-アミラーゼ／トリプシンインヒビター

穀物に存在するアレルゲンで、トリプシンインヒビターとして、α-アミラーゼインヒビターとして、または両方として機能するタンパク質である。コムギ（*Triticum aestivum*）吸入による職業アレルギーであるパン職人喘息（baker's asthma）の原因アレルゲン（Tri a 15、Tri a 28、Tri a 29、Tri a 30）として知られている。

2）クーピン（Cupins）（図 3-3）

クーピンは、植物や微生物だけに存在し動物には存在しない機能的に多様なタンパク質スーパーファミリーである。クーピン 2 分子が一つの鎖〔バイ・クーピン（bi-cupin）〕となり、

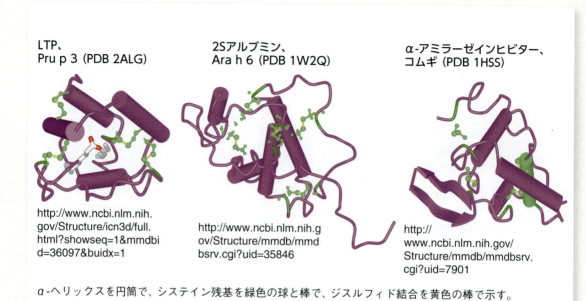

■ 図 3-2　プロラミンの三次構造

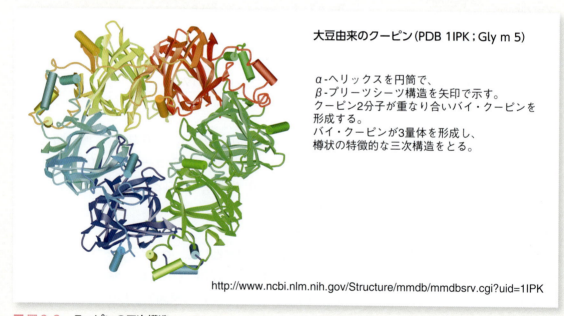

■ 図 3-3　クーピンの三次構造

　バイ・クーピンが3量体を形成して、β-バレル構造という特徴的な三次構造となる（図3-3）。クーピンという名前はラテン語の樽（Cupa）に相当する言葉にちなんで付けられた。真菌胞子形成・スクロース結合活性・胚内で認められる酵素活性など生物学的に多様な機能を

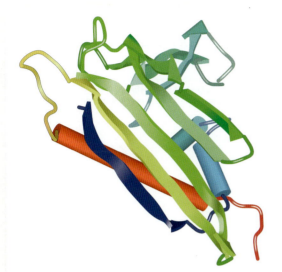

図 3-4　Bet v 1 ホモログ（PR-10）の三次構造

持っている。熱消化耐性であり、アレルギー反応としては即時型症状を呈することが多い。主に種子類に含まれ、7S および 11S 種子貯蔵グロブリンはこれに含まれる。11S グロブリンはレグミン（legumins）と呼ばれ、ピーナッツの Ara h 3 がこれに含まれる。7S グロブリンはビシリン（vicilins）と呼ばれ、ピーナッツの Ara h 1、ゴマの Ses i 3 などがこれに含まれる。

3）Bet v 1 ホモログ（図 3-4）

　シラカンバ花粉（*Betula verrucosa*）の主要アレルゲンである Bet v 1 と相同性を持ち、構造的に中心に植物ステロイドを結合できる β-バレル構造を持つタンパク質である。機能的には植物の生体防御タンパク質である病因関連タンパク質（pathogenesis-related protein, PR-タンパク質）の一つである PR-10 に属し、植物がストレスに曝された際に植物内に増加する。また、加熱によって低アレルゲン化されやすい。構造的エピトープの類似性が臨床的交差反応性の原因と考えられており、バラ科果物（リンゴなど）によって引き起こされる花粉-食物アレルギー症候群（pollen-food allergy syndrome, PFAS）との関与が知られている。

4）プロフィリン（図 3-5）

　細胞内骨格を形成するアクチン結合性タンパク質で、植物に広く分布する汎アレルゲンである。汎アレルゲンとは、進化の過程で受け継がれた類似のエピトープを持ち、生物学的分類の種を超えて、食物・植物・花粉間など広範囲に交差抗原性を示すタンパク質を指す。多くの花粉や果物の交差反応の原因アレルゲンであるが、アレルギー症状への関与は一部の患者に限られている。

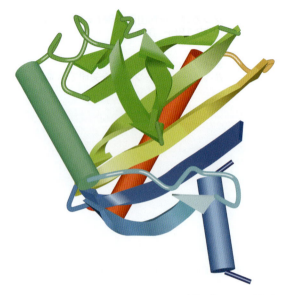

■ 図 3-5　プロフィリンの三次構造

5）その他

　Gibberellin regulated protein（GRP）は、近年、新たに同定され、LTPと構造上の特徴が似ているアレルゲンタンパク質ファミリーである。最初にPru p 7（peamaclein）が重篤なアレルギーを引き起こすモモアレルゲンとして報告され[16,17]、小児でもモモによるアナフィラキシーとの関連が報告されている[18]。果実のGRPとヒノキ花粉のGRPが交差抗原性を示す報告もある[19]（第12-12章参照）。

　その他の植物性食物アレルゲンタンパク質ファミリーの多くも生体防御タンパク質である。その中に、クラスⅠキチナーゼとシスチン（C1）パパイン様プロテアーゼという2種類の酵素タンパク質ファミリーがある。アボカド（*Persea americana*）のPers a 1、クリ（*Castanea sativa*）のCas s 5、バナナ（*Musa acuminata*）のMus a 2はクラスⅠキチナーゼであり、ラテックス（*Hevea brasiliensis*）の主要アレルゲンであるヘベイン（Hev b 6.02）に相当する構造単位（ヘベイン様ドメイン）をN-末端部に含んでいる（第14-2参照）。

4．動物性食物アレルゲンタンパク質スーパーファミリー（表3-5）

　動物由来の食物アレルゲン（動物性食物アレルゲン）の多くが3つのタンパク質スーパーファミリー（トロポミオシン、パルブアルブミン、カゼイン）に所属している[20]。

第3章 食物アレルゲン

■ 表3-5 動物性食物アレルゲンタンパク質ファミリーの特徴

動物性食物アレルゲンタンパク質ファミリー	トロポミオシン	パルブアルブミン	カゼイン	リポカリン
分子量(kDa)	33〜39	11〜12	19〜30	18〜20
タンパク質の特徴	α-ヘリックス構造のサブユニット2本がよじれあってアクチンに巻きついている	EF-handを特徴とするCa^{2+}結合性の酸性タンパク質	牛乳中にカルシウム-カゼイン-リン酸複合体の形で存在	8つの逆平行鎖β-バレルが折り畳まれた中に一つのリガンド結合部位を持った構造を持つ
熱消化への耐性	非常に安定	非常に安定	安定	不安定
溶解性	水溶性	水溶性	水溶性	水溶性
生物種	すべての動物	脊椎動物	哺乳類	グラム陰性菌から動植物まで幅広く存在

回虫のトロポミオシン（PDB 1C1G）

α-ヘリックス構造を円筒で示す。トロポミオシンは7つのペプタイドの繰り返し配列からなり、2つのトロポミオシンがお互いによじれて、二本鎖コイルドコイル構造をとる。

http://www.ncbi.nlm.nih.gov/Structure/mmdb/mmdbsrv.cgi?uid=12747

昆虫の飛翔筋由来のトロポミオシン（PDB 2W4U）

2本のトロポミオシンダイマーとアクチンによって筋線維が構成されている。

http://www.ncbi.nlm.nih.gov/Structure/mmdb/mmdbsrv.cgi?uid=84279

■ 図3-6 トロポミオシンの三次構造

1）トロポミオシン（図3-6）

トロポミオシンは筋原線維タンパク質（塩溶性タンパク質）の一種で、アクチン、トロポニ

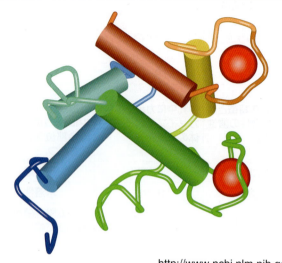

大西洋タラ由来のパルブアルブミン
(PDB 2MBX；Gad m 1)

α-ヘリックスを円筒で、カルシウムイオンを赤の球で示す。

http://www.ncbi.nlm.nih.gov/Structure/mmdb/mmdbsrv.cgi?uid=122473

■ 図 3-7　パルブアルブミンの三次構造

ンとともに細い筋原線維を構成して筋収縮の調節を担っている。ほぼ全長にわたってα-ヘリックス構造をとっている分子量約 35 kDa のサブユニット 2 本がアクチン線維に沿ってお互いによじれて、head to tail polymer となる。甲殻類や軟体動物の主要なアレルゲンである。食物アレルゲンではないが、甲殻類と同じ節足動物に分類されるダニやゴキブリのアレルゲンの一つとしてもトロポミオシン（Der f 10、Bla g 7）が同定され、甲殻類トロポミオシンと交差抗原性を示し、無脊椎動物の汎アレルゲンと考えられている。なお、無脊椎動物（甲殻類・軟体動物など）と脊椎動物（魚類・哺乳類など）の間でトロポミオシンの相同性は低いため、交差抗原性を認めない。

2）パルブアルブミン（図 3-7）

　パルブアルブミンは分子量 12 kDa の脊椎動物特有の筋形質（水溶性）タンパク質で、加熱に対して非常に安定なタンパク質〔タラ（*Gadus callarias*）の Gad c 1、サケ（*Salmo salar*）の Sal s 1〕である。Ca^{2+} 結合能をもち、筋肉の弛緩に関与していると考えられている。パルブアルブミンは、EF-hand モチーフ（α-ヘリックス-ループ-α-ヘリックスで構成され、Ca^{2+} 結合部位を持つ）という特徴的なモチーフを持っており、立体構造は Ca^{2+} の存在で保たれている。多くは構造的エピトープとして存在し、キレート剤で Ca^{2+} 除去すると IgE 反応性が低下することが報告されている。なお、α-パルブアルブミンとβ-パルブアルブミンという 2 つの異なった進化系統のパルブアルブミンが存在するが、主にアレルギーを起こすのはヒトの筋肉に存在しないβ-パルブアルブミンである[21]。

3）カゼイン

　カゼインは哺乳類にのみ存在し、牛乳〔家畜牛（*Bos domesticus*）の乳汁〕の主なアレルゲン（Bos d 8）で、$α_{s1}$-カゼイン（Bos d 9）、$α_{s2}$-カゼイン（Bos d 10）、β-カゼイン（Bos d 11）の不均一な混合物（$α_{s2}$-カゼインはヒトには存在しない）である。これらが集合してカゼインミセルといわれる高分子構造となり、カルシウムイオンの存在下で溶解する唯一のカゼインであるκ-カゼイン（Bos d 12）がカゼインミセルを安定化させている。牛乳と他の哺乳類のミルクとは構造的に共通性があり、IgE交差抗原性がある。また熱に耐性である。

4）その他

　その他の動物性アレルゲンタンパク質ファミリーとしては、頻度は少ないがリガンド結合タンパク質があり、機能的には運搬体として働くものや、酵素として働くもの、あるいはプロテアーゼインヒビターとして働くものなどがある。運搬体として働くアレルゲンの一つとしてリポカリン（表3-5）がある。リポカリンの多くは吸入アレルゲン（動物の鱗屑や唾液）として同定されているが、牛乳のアレルゲンであるβ-ラクトグロブリン（Bos d 5）とBos d 2は食物アレルゲンとして同定されているリポカリンである。

5. 糖鎖抗原・低分子抗原

1）糖鎖抗原（cross-reactive carbohydrate determinant, CCD）（図3-8）

　貯蔵タンパク質を含む多くの木の実類アレルゲンは糖タンパク質であり、構造上の共通性が高い糖鎖CCDを含有する。代表的なCCDはパイナップルのブロメラインや西洋わさびのペルオキシダーゼで構造がよく解析されており、アスパラギンN-結合グリカン（図3-8）である。CCDを認識するIgE抗体はマスト細胞を脱顆粒させる力が弱いため、アレルギー症状を惹起することが少ない。

2）低分子化合物

　食品成分であるエリスリトールや食品添加物であるコチニール色素など、タンパク質以外の低分子化合物の摂取による食物アレルギーが報告されている[22]。

　エリスリトールは、ブドウ糖を酵母によって発酵させることにより作られる四炭糖の糖アルコールで、果物やキノコ類の他、洋酒や醤油などの発酵食品に含まれている。エネルギーが0 kcal/gで、砂糖の60～80％の甘味度を有しているため、近年ではノンカロリー食品への応用が広がっている。このエリスリトールに対してIgE依存性にアナフィラキシーを誘発する症例が報告されている[23～25]。機序としては、エリスリトールがハプテンとなり、食品製造中あるいは生体内において何らかのタンパク質と結合し、抗原性を示すと推測されている[26]（第15章参照）。

　コチニール色素は、サボテンに寄生するカイガラムシ科エンジムシの雌の乾燥虫体を、水あ

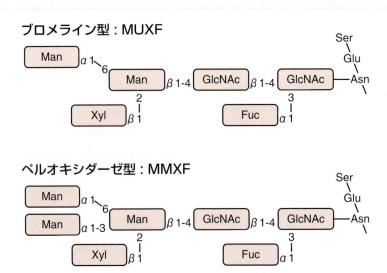

代表的なCCDの基本構造を示す。アスパラギン（Asn）結合性の糖鎖で、2分子のN-アセチルグルコサミン（GlcNAc）からマンノース（Man）の側鎖が伸びる。キシロース（Xyl）とフコース（Fuc）の存在がIgE結合能に関与している。基本骨格に結合する糖鎖の頭文字から、MUXF（パイナップルブロメライン型）、MMXF（西洋わさびペルオキシダーゼ型）などと略称される。

■ 図3-8 cross-reactive carbohydrate determinant（CCD）の構造

るいはエタノールで抽出して得られる天然の赤色色素である。食品添加物だけでなく、医薬品添加物、医薬部外品、口紅などの化粧品などさまざまな用途で使用されている。このためコチニール色素による即時型アレルギーは、職業性経気道感作・化粧品などによる経皮感作・食品摂取による経消化管感作と3つの感作および曝露経路がある。コチニールアレルギーの原因抗原に関しては、主成分である低分子化合物のカルミン酸自体[27]か、コチニール色素中の虫体残滓雑タンパク質由来[28]かと、2つの異なる見解が存在している。

参考文献

1) Matricardi PM, Kleine-Tebbe J, Hoffmann HJ, et al. EAACI Molecular Allergology User's Guide. Pediatr Allergy Immunol. 2016；27 Suppl 23：1-250.
2) Maleki SJ, Viquez O, Jacks T, et al. The major peanut allergen, Ara h 2, functions as a trypsin inhibitor, and roasting enhances this function. J Allergy Clin Immunol. 2003；112：190-5.
3) Gruber P, Vieths S, Wangorsch A, et al. Maillard reaction and enzymatic browning affect the allergenicity of Pru av 1, the major allergen from cherry (*Prunus avium*). J Agric Food Chem. 2004；52：4002-7.
4) Sicherer SH. Clinical implications of cross-reactive food allergens. J Allergy Clin Immunol. 2001；108：881-90.
5) Aalberse RC. Structural biology of allergens. J Allergy Clin Immunol. 2000；106：228-38.
6) Sicherer SH. Determinants of systemic manifestations of food allergy. J Allergy Clin Immunol. 2000；106(5 Suppl)：S251-7.
7) Businco L, Giampietro PG, Lucenti P, et al. Allergenicity of mare's milk in children with cow's milk allergy. J Allergy Clin Immunol. 2000；105：1031-4.
8) 富川盛光, 鈴木直仁, 宇理須厚雄, 他. 日本における小児から成人のエビアレルギーの臨床像に関する検討. アレルギー. 2006；55：1536-42.
9) Rodriguez J, Crespo JF, Lopez-Rubio A, et al. Clinical cross-reactivity among foods of the Rosaceae family. J Allergy Clin Immunol. 2000；106(1 Pt 1)：183-9.

10) Helbling A, Haydel R, Jr, McCants ML, et al. Fish allergy : is cross-reactivity among fish species relevant? Double-blind placebo-controlled food challenge studies of fish allergic adults. Ann Allergy Asthma Immunol. 1999 ; 83(6 Pt 1) : 517-23.
11) Sicherer SH, Burks AW, Sampson HA. Clinical features of acute allergic reactions to peanut and tree nuts in children. Pediatrics. 1998 ; 102 : e6.
12) Jones SM, Magnolfi CF, Cooke SK, et al. Immunologic cross-reactivity among cereal grains and grasses in children with food hypersensitivity. J Allergy Clin Immunol. 1995 ; 96 : 341-51.
13) Skolnick HS, Conover-Walker MK, Koerner CB, et al. The natural history of peanut allergy. J Allergy Clin Immunol. 2001 ; 107 : 367-74.
14) Jenkins JA, Griffiths-Jones S, Shewry PR, et al. Structural relatedness of plant food allergens with specific reference to cross-reactive allergens : an in silico analysis. J Allergy Clin Immunol. 2005 ; 115 : 163-70.
15) Shewry PR, Beaudoin F, Jenkins J, et al. Plant protein families and their relationships to food allergy. Biochem Society transactions. 2002 ; 30(Pt 6) : 906-10.
16) Tuppo L, Alessandri C, Pomponi D, et al. Peamaclein--a new peach allergenic protein : similarities, differences and misleading features compared to Pru p 3. Clin Exp Allergy. 2013 ; 43 : 128-40.
17) Inomata N, Okazaki F, Moriyama T, et al. Identification of peamaclein as a marker allergen related to systemic reactions in peach allergy. Ann Allergy Asthma Immunol. 2014 ; 112 : 175-7.e3.
18) Ando Y, Miyamoto M, Kato M, et al. Pru p 7 Predicts severe reactions after ingestion of peach in Japanese children and adolescents. Int Arch Allergy Immunol. 2020 ; 181 : 183-190.
19) Sénéchal H, Šantrůček J, Melčová M, et al. A new allergen family involved in pollen food-associated syndrome : Snakin/gibberellin-regulated proteins. J Allergy Clin Immunol. 2018 ; 141 : 411-14.e4.
20) Jenkins JA, Breiteneder H, Mills EN. Evolutionary distance from human homologs reflects allergenicity of animal food proteins. J Allergy Clin Immunol. 2007 ; 120 : 1399-405.
21) Wild LG, Lehrer SB. Fish and shellfish allergy. Curr Allergy Asthma Rep. 2005 ; 5 : 74-9.
22) 穐山 浩，海老澤元宏．低分子化合物の食物アレルギー．日小ア誌．2014；28：25-30.
23) Sugiura S, Kondo Y, Ito K, et al. A case of anaphylaxis to erythritol diagnosed by CD203c expression-based basophil activation test. Ann Allergy Asthma Immunol. 2013 ; 111 : 222-3.
24) Shirao K, Inoue M, Tokuda R, et al. "Bitter sweet" : a child case of erythritol-induced anaphylaxis. Allergol Int. 2013 ; 62 : 269-71.
25) Sugiura S, Kondo Y, Tsuge I, et al. IgE-dependent mechanism and successful desensitization of erythritol allergy. Ann Allergy Asthma Immunol. 2016 ; 117 : 320-1.e1.
26) Sreenath K, Prabhasankar P, Venkatesh YP. Generation of an antibody specific to erythritol, a non-immunogenic food additive. Food Addit Contam. 2006 ; 23 : 861-9.
27) Sugimoto N, Yamaguchi M, Tanaka Y, et al. The basophil activation test identified carminic acid as an allergen inducing anaphylaxis. J Allergy Clin Immunol Pract. 2013 ; 1 : 197-9.
28) Ohgiya Y, Arakawa F, Akiyama H, et al. Molecular cloning, expression, and characterization of a major 38-kd cochineal allergen. J Allergy Clin Immunol. 2009 ; 123 : 1157-62, 1162.e1-4.

第4章　免疫学の知識

[要旨]

1. 経口免疫寛容の破綻は、アレルギーの発症メカニズムの一つと考えられている。
2. 食物アレルゲンの感作経路は、胎内、皮膚、消化管、気道などが知られている。
3. IgE依存性反応では、アレルゲン特異的IgE抗体が誘導され、マスト細胞上の高親和性IgE受容体に結合して感作が成立する。
4. IgE依存性反応では、マスト細胞上の複数のアレルゲン特異的IgE抗体とアレルゲンの結合によりIgE抗体が架橋され、脱顆粒によるケミカルメディエーターの放出と脂質メディエーターなどの産生が誘導される。
5. 非IgE依存性反応は、アレルゲン特異的リンパ球により誘導される炎症と考えられている。
6. 乳幼児期の即時型食物アレルギー患者の多くは、成長とともに自然耐性を獲得する。その機序として、成長による消化管の消化機能、物理化学的防御機構、経口免疫寛容の発達などが考えられている。
7. アレルゲン免疫療法により、脱感作、持続的無反応（sustained unresponsiveness）が誘導される。

1. 経口免疫寛容

　ヒトの消化管粘膜の面積は約300 m^{2}あり、恒常的に多種多様な抗原に曝露されているが[1]、抗原のほとんどは食物や腸内共生細菌由来であり、生体にとって有害ではない。このため腸管免疫系には、これらの抗原に対して不要な免疫応答を惹起せず、免疫寛容を誘導するための抗原認識機構が備わっている。

　マウスを用いた経口免疫寛容の機序の検討では、消化管内の食物抗原を取り込んだ腸管上皮下の樹状細胞が定常状態においても腸間膜リンパ節に移動し[2]、ナイーブT細胞に抗原提示を行い、T細胞のクローン除去[3]、免疫不応答性（アネルギー）[4]、制御性T細胞（regulatory T cell, Treg）への分化誘導[5]などにより、末梢性免疫寛容を誘導することが示されている。中でも、消化管に多く存在するレチノイン酸産生能が高いCD103$^+$樹状細胞は、transforming growth factor-β（TGF-β）存在下にFoxp3$^+$制御性T細胞（peripherally derived Treg, pTreg）を誘導し[6]、経口免疫寛容の確立に重要な働きを持つ。誘導されたpTregは消化管だけでなく他臓器にも移行し、アレルゲン特異的免疫応答を抑制すると考えられている（図4-1）。

　また、消化管から血行性に取り込まれた抗原に対する免疫寛容の誘導には肝臓が重要な役割

第4章 免疫学の知識

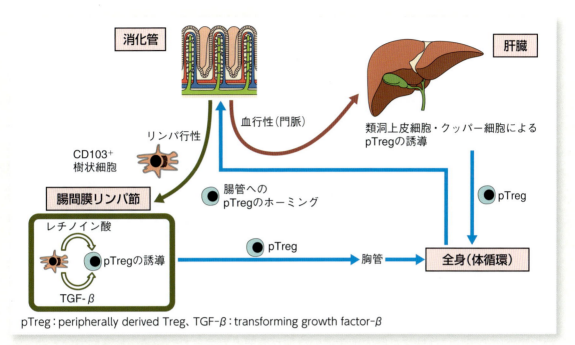

■ 図4-1 経口免疫寛容の機序

を果たしていることが知られている[7〜9]。消化管で吸収された栄養素は肝門脈を通り肝実質の類洞に流入して代謝されるが、類洞壁を形成する類洞上皮細胞とクッパー細胞は、抗原性を保った食物抗原などを肝臓内のナイーブT細胞に提示しpTregを誘導することで食物抗原に対する過剰な免疫応答を抑制していると考えられている[10]。

2. 食物アレルゲンによる感作

　アレルギーは、本来は無害であるはずの異種タンパクなどに対して起こる免疫学的機序を介した過敏反応である。アレルギー反応を誘導する抗原は、ダニ、花粉、食物、動物皮屑、真菌、薬剤など多岐にわたり、アレルゲンと呼ばれる。アレルゲンに曝露されるとアレルギー反応が生じる状態になることを「感作」と呼ぶ。IgE依存性アレルギーではアレルゲン特異的IgE抗体が誘導され、マスト細胞上の高親和性IgE受容体（Fcε receptor I, FcεR I）に結合することが感作の重要な機序となる。

　感作の成立には、個体側の要因であるアトピー素因や皮膚粘膜のバリア機能、消化・分解能、環境要因であるアレルゲン量、アレルゲン自体の特性などに加えて、アレルゲンの曝露経路が重要と考えられている。食物アレルゲンの感作経路として、胎内感作、経皮感作、経消化管感作、経気道感作などが知られている。

1）胎内感作

　胎児期のアレルゲン曝露により胎内感作が成立することが知られているが[11〜13]、誘導さ

るIgE抗体はアレルゲンに対して低親和性であり、FcεRⅠを介した好塩基球の活性化能が低いことが示されている[14]。このため、食物アレルギーの発症における胎内感作の意義はいまだ明らかではない。

2）経皮感作

経皮感作により食物アレルギーが発症し得ることは以前から知られていたが、2009年ごろから小麦加水分解物含有石鹸の使用により発症した小麦アレルギーの報告が相次ぎ[15]、その存在が広く認知されるようになった。経皮感作の機序は近年解明が進んでおり、表皮バリア障害によるアレルゲンの侵入[16,17]や、角化細胞由来のさまざまなサイトカインやケモカインによる抗原提示細胞のTh2細胞分化誘導能の獲得[18]が関与していると考えられている。

3）経消化管感作

経口免疫寛容の破綻による経消化管感作について、ヒトでの検討は少ない。動物モデルにおいては、無菌マウス[19]や抗菌薬が投与されたマウス[20]で経口免疫寛容が破綻することから、経消化管感作の予防には健常な腸内細菌叢の存在が重要と考えられている。ヒトにおいても、乳児期早期の腸内細菌叢とその後の食物アレルギー発症の関連について、腸内細菌叢の網羅的解析を用いた疫学的な知見が集積されつつある[21〜26]。

4）経気道感作

環境中の塵埃などには食物アレルゲンが存在しており[27]、経気道的な曝露による感作が成立する可能性がある。また、花粉の経気道感作は、交差反応による花粉-食物アレルギー症候群の原因となる。アレルギー性気道炎症は、新たな経気道感作のリスク因子であり[28]、少数例での検討ではあるが、ピーナッツやヘーゼルナッツの貯蔵タンパク質への感作と、下気道のアレルギー性炎症（呼気中一酸化窒素濃度，FeNO）との関連が報告されている[29]。

3．IgE依存性食物アレルギーの機序（図4-2）

感作が成立した個体に再び侵入したアレルゲンはマスト細胞上のアレルゲン特異的IgE抗体に結合し、FcεRⅠが架橋されマスト細胞の活性化が起こる。IgE依存性アレルギー反応の即時相においては、マスト細胞の脱顆粒によりヒスタミン、セロトニンなどのケミカルメディエーターが放出される。また、アラキドン酸カスケードにより、ロイコトリエンやプロスタグランジンなど脂質メディエーターの産生が誘導される。ヒスタミンには血管拡張作用や血管透過性亢進作用があり、蕁麻疹、腸管浮腫、気道閉塞、さらには血圧の低下を引き起こす。ロイコトリエンは気管支平滑筋の収縮、血管透過性の亢進、気道上皮細胞からの粘液分泌促進などにより呼吸器症状を引き起こす。さらに、活性化したマスト細胞は、IL-4、IL-5、IL-13などのTh2サイトカインやケモカインなどを産生する。アレルゲン曝露数時間後の遅発相では、これ

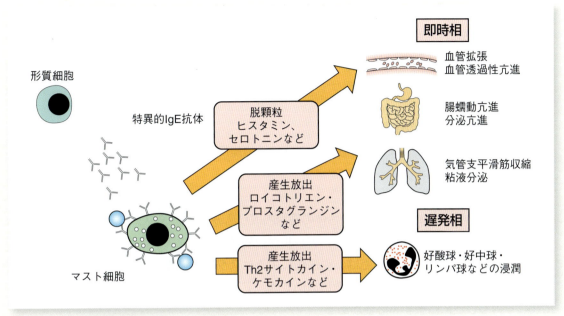

■ 図 4-2　IgE 依存性食物アレルギーの機序

らのサイトカインやケモカインによって局所に集積された好酸球などの炎症細胞により、炎症が惹起される。

4. 食物アレルギーの抑制・寛解の機序

1）自然耐性獲得

　乳幼児期の即時型食物アレルギー患者の多くは成長とともに耐性を獲得する（自然耐性獲得）。自然耐性獲得の機序には、消化管の消化機能や物理化学的防御機構の発達に加えて経口免疫寛容機構の発達が重要であり、アレルゲン特異的 T 細胞のクローン除去や不応答性、Treg の増加[30〜32]、アレルゲン特異的 IgG$_4$ 抗体の上昇[33, 34]、アレルゲン特異的 IgA$_2$ 抗体の上昇[35]、アレルゲン特異的好塩基球・マスト細胞の活性化の抑制[36]が認められる。

　Treg は、産生する IL-10 や TGF-β などの抑制性サイトカインの作用や細胞間の直接作用により、抑制性樹状細胞の誘導[37]による新たな感作の抑制、アレルゲン特異的 Th2 細胞の活性化の抑制による下流の免疫応答の抑制[38]、B 細胞におけるアレルゲン特異的 IgG$_4$ 抗体産生の誘導[39]と特異的 IgE 抗体産生の抑制[40, 41]、マスト細胞などのエフェクター細胞の活性化の抑制[42, 43]など種々の免疫応答を抑制する。

　特異的 IgG$_4$ 抗体は、特異的 IgE 抗体と競合してアレルゲンと結合することで、特異的 IgE 抗体を介した好塩基球・マスト細胞の活性化を阻害する。実際に、ピーナッツ特異的 IgE 抗体が陽性であってもピーナッツによる誘発症状を呈さない児は、ピーナッツアレルギー児よりも Ara h 2 特異的 IgG$_4$ 抗体および特異的 IgG$_4$ 抗体 /IgE 抗体比が高いことが知られている[44]。

また、特異的 IgA 抗体は血液中だけでなく消化管や気道の粘膜にも存在し（分泌型 IgA 抗体）、その約半分は特異的 IgA_2 抗体であることが知られている。健常小児と比べて鶏卵アレルギー児では血清卵白特異的 IgA_2 抗体が有意に低く、耐性獲得に関わっていることが示唆されている[35]。

2）アレルゲン免疫療法の作用機序

アレルゲン免疫療法の効果は、①脱感作、②持続的無反応（sustained unresponsiveness, SU）に分類される[45]。

（1）脱感作

脱感作においては、IgE-FcεRI 複合体の細胞内取り込み[46]や、アクチン再構築による Ca^{2+} 細胞内流入の阻害[47]が誘導されており、アレルゲン刺激によるマスト細胞の活性化が一過性に抑制されている。ヒトマスト細胞は、脱感作によるヒスタミン遊離の抑制から、5 日間で完全に回復する[48]。このため、脱感作状態においては、アレルゲン食物摂取による症状誘発が、常に起こり得ることに留意する必要がある。

（2）持続的無反応

SU に関わる免疫学的機序として、Treg[49]や制御性 B 細胞[50]の誘導や、アレルゲン特異的 T 細胞の不応答性[51]やクローン除去の誘導、高親和性アレルゲン特異的 IgG_4 抗体の産生誘導[52]が知られている。脱感作との比較を行った研究においては、SU には、マスト細胞・好塩基球の活性化の抑制に働くアレルゲン特異的 IgG_4 抗体の誘導が重要であることが示されている[53,54]。持続的無反応状態であっても、運動などによるマスト細胞反応閾値の低下、加齢・薬剤などによる制御性 T 細胞の減弱、過量のアレルゲン曝露があれば、症状誘発を起こす可能性があることに、留意が必要である。

5. 非 IgE 依存性食物アレルギーの機序

非 IgE 依存性食物アレルギーには、食物による接触皮膚炎や、大部分の「新生児・乳児消化管アレルギー」などが含まれる（第 16 章参照）。接触皮膚炎の病態は、皮膚へと誘導された特異的 T リンパ球が食物アレルゲンの刺激により表皮細胞を障害し、湿疹性の組織反応が形成されると考えられている。一方で、新生児・乳児消化管アレルギーの病態は明らかでないことが多い。新生児・乳児消化管アレルギーの一病型である food protein-induced enterocolitis syndrome においては、末梢血中の特異的 T リンパ球から tumor necrosis factor-α（TNF-α）、IL-6、Th2 サイトカインの産生亢進を認める[55~57]。消化管においては炎症性サイトカインである TNF-α の発現が亢進し、抑制性サイトカインである TGF-β の発現が低下しており、炎症病態への関与が示唆されている[58]。

第4章 免疫学の知識

参考文献

1) Macdonald TT, Monteleone G. Immunity, inflammation, and allergy in the gut. Science. 2005；307：1920-5.
2) Wilson NS, Young LJ, Kupresanin F, et al. Normal proportion and expression of maturation markers in migratory dendritic cells in the absence of germs or Toll-like receptor signaling. Immunol Cell Biol. 2008；86：200-5.
3) Chen Y, Inobe J, Marks R, et al. Peripheral deletion of antigen-reactive T cells in oral tolerance. Nature. 1995；376：177-80.
4) Whitacre CC, Gienapp IE, Orosz CG, et al. Oral tolerance in experimental autoimmune encephalomyelitis. III. Evidence for clonal anergy. J Immunol. 1991；147：2155-63.
5) Kim KS, Hong SW, Han D, et al. Dietary antigens limit mucosal immunity by inducing regulatory T cells in the small intestine. Science. 2016；351：858-63.
6) Coombes JL, Siddiqui KR, Arancibia-Carcamo CV, et al. A functionally specialized population of mucosal CD103$^+$ DCs induces Foxp3$^+$ regulatory T cells via a TGF-beta and retinoic acid-dependent mechanism. J Exp Med. 2007；204：1757-64.
7) Callery MP, Kamei T, Flye MW. The effect of portacaval shunt on delayed-hypersensitivity responses following antigen feeding. J Surg Res. 1989；46：391-4.
8) Cantor HM, Dumont AE. Hepatic suppression of sensitization to antigen absorbed into the portal system. Nature. 1967；215：744-5.
9) Yang R, Liu Q, Grosfeld JL, et al. Intestinal venous drainage through the liver is a prerequisite for oral tolerance induction. J Pediatr Surg. 1994；29：1145-8.
10) Doherty DG. Immunity, tolerance and autoimmunity in the liver：A comprehensive review. J Autoimmun. 2016；66：60-75.
11) Holloway JA, Warner JO, Vance GH, et al. Detection of house-dust-mite allergen in amniotic fluid and umbilical-cord blood. Lancet. 2000；356：1900-2.
12) Kamemura N, Tada H, Shimojo N, et al. Intrauterine sensitization of allergen-specific IgE analyzed by a highly sensitive new allergen microarray. J Allergy Clin Immunol. 2012；130：113-21.e2.
13) Vance GH, Lewis SA, Grimshaw KE, et al. Exposure of the fetus and infant to hens' egg ovalbumin via the placenta and breast milk in relation to maternal intake of dietary egg. Clin Exp Allergy. 2005；35：1318-26.
14) Kamemura N, Kawamoto N, Nakamura R, et al. Low-affinity allergen-specific IgE in cord blood and affinity maturation after birth. J Allergy Clin Immunol. 2014；133：904-5.e6.
15) Yagami A, Aihara M, Ikezawa Z, et al. Outbreak of immediate-type hydrolyzed wheat protein allergy due to a facial soap in Japan. J Allergy Clin Immunol. 2017；140：879-81.e7.
16) Fallon PG, Sasaki T, Sandilands A, et al. A homozygous frameshift mutation in the mouse Flg gene facilitates enhanced percutaneous allergen priming. Nat Genet. 2009；41：602-8.
17) Venkataraman D, Soto-Ramirez N, Kurukulaaratchy RJ, et al. Filaggrin loss-of-function mutations are associated with food allergy in childhood and adolescence. J Allergy Clin Immunol. 2014；134：876-82.e4.
18) Nakajima S, Igyarto BZ, Honda T, et al. Langerhans cells are critical in epicutaneous sensitization with protein antigen via thymic stromal lymphopoietin receptor signaling. J Allergy Clin Immunol. 2012；129：1048-55.e6.
19) Rodriguez B, Prioult G, Bibiloni R, et al. Germ-free status and altered caecal subdominant microbiota are associated with a high susceptibility to cow's milk allergy in mice. FEMS Microbiol Ecol. 2011；76：133-44.
20) Bashir ME, Louie S, Shi HN, et al. Toll-like receptor 4 signaling by intestinal microbes influences susceptibility to food allergy. J Immunol. 2004；172：6978-87.
21) Azad MB, Konya T, Guttman DS, et al. Infant gut microbiota and food sensitization：associations in the first year of life. Clin Exp Allergy. 2015；45：632-43.
22) Fujimura KE, Sitarik AR, Havstad S, et al. Neonatal gut microbiota associates with childhood multisensitized atopy and T cell differentiation. Nat Med. 2016；22：1187-91.
23) Feehley T, Plunkett CH, Bao R, et al. Healthy infants harbor intestinal bacteria that protect against food allergy. Nat Med. 2019；25：448-53.
24) Roduit C, Frei R, Ferstl R et al. High levels of butyrate and propionate in early life are associated with protection against atopy. Allergy. 2019；74：799-809.
25) Fazlollahi M, Chun Y, Grishin A, et al. Early-life gut microbiome and egg allergy. Allergy. 2018；73：1515-24.
26) Savage JH, Lee-Sarwar KA, Sordillo J, et al. A prospective microbiome-wide association study of food sensitization and food allergy in early childhood. Allergy. 2018；73：145-52.
27) Perry TT, Conover-Walker MK, Pomes A, et al. Distribution of peanut allergen in the environment. J Allergy Clin Immunol. 2004；113：973-6.
28) Olivieri M, Zock JP, Accordini S, et al. Risk factors for new-onset cat sensitization among adults：a population-based

international cohort study. J Allergy Clin Immunol. 2012 ; 129 : 420-5.
29) Johnson J, Malinovschi A, Lidholm J, et al. Sensitization to storage proteins in peanut and hazelnut is associated with higher levels of inflammatory markers in asthma. Clin Mol Allergy. 2020 ; 18 : 11.
30) Karlsson MR, Rugtveit J, Brandtzaeg P, et al. Allergen-responsive CD4$^+$CD25$^+$ regulatory T cells in children who have outgrown cow's milk allergy. J Exp Med. 2004 ; 199 : 1679-88.
31) Shreffler WG, Wanich N, Moloney M, et al. Association of allergen-specific regulatory T cells with the onset of clinical tolerance to milk protein. J Allergy Clin Immunol. 2009 ; 123 : 43-52.e7.
32) Tiemessen MM, Van Ieperen-Van Dijk AG, Bruijnzeel-Koomen CA, et al. Cow's milk-specific T-cell reactivity of children with and without persistent cow's milk allergy : key role for IL-10. J Allergy Clin Immunol. 2004 ; 113 : 932-9.
33) Savilahti EM, Rantanen V, Lin JS, et al. Early recovery from cow's milk allergy is associated with decreasing IgE and increasing IgG$_4$ binding to cow's milk epitopes. J Allergy Clin Immunol. 2010 ; 125 : 1315-21.e9.
34) Ruiter B, Knol EF, van Neerven RJ, et al. Maintenance of tolerance to cow's milk in atopic individuals is characterized by high levels of specific immunoglobulin G$_4$. Clin Exp Allergy. 2007 ; 37 : 1103-10.
35) Konstantinou GN, Nowak-Wegrzyn A, Bencharitiwong R, et al. Egg-white-specific IgA and IgA$_2$ antibodies in egg-allergic children : is there a role in tolerance induction? Pediatr Allergy Immunol. 2014 ; 25 : 64-70.
36) Wanich N, Nowak-Wegrzyn A, Sampson HA, et al. Allergen-specific basophil suppression associated with clinical tolerance in patients with milk allergy. J Allergy Clin Immunol. 2009 ; 123 : 789-94.e20.
37) Wing K, Onishi Y, Prieto-Martin P, et al. CTLA-4 control over Foxp3$^+$ regulatory T cell function. Science. 2008 ; 322 : 271-5.
38) Palomares O, Yaman G, Azkur AK, et al. Role of Treg in immune regulation of allergic diseases. Eur J Immunol. 2010 ; 40 : 1232-40.
39) Meiler F, Klunker S, Zimmermann M, et al. Distinct regulation of IgE, IgG$_4$ and IgA by T regulatory cells and toll-like receptors. Allergy. 2008 ; 63 : 1455-63.
40) Akdis CA, Blesken T, Akdis M, et al. Role of interleukin 10 in specific immunotherapy. J Clin Invest. 1998 ; 102 : 98-106.
41) Jeannin P, Lecoanet S, Delneste Y, et al. IgE versus IgG$_4$ production can be differentially regulated by IL-10. J Immunol. 1998 ; 160 : 3555-61.
42) Kashyap M, Thornton AM, Norton SK, et al. Cutting edge : CD4 T cell-mast cell interactions alter IgE receptor expression and signaling. J Immunol. 2008 ; 180 : 2039-43.
43) Ring S, Schafer SC, Mahnke K, et al. CD4$^+$ CD25$^+$ regulatory T cells suppress contact hypersensitivity reactions by blocking influx of effector T cells into inflamed tissue. Eur J Immunol. 2006 ; 36 : 2981-92.
44) Santos AF, James LK, Bahnson HT, et al. IgG$_4$ inhibits peanut-induced basophil and mast cell activation in peanut-tolerant children sensitized to peanut major allergens. J Allergy Clin Immunol. 2015 ; 135 : 1249-56.
45) Burks AW, Sampson HA, Plaut M, et al. Treatment for food allergy. J Allergy Clin Immunol. 2018 ; 141 : 1-9.
46) Oka T, Rios EJ, Tsai M, et al. Rapid desensitization induces internalization of antigen-specific IgE on mouse mast cells. J Allergy Clin Immunol. 2013 ; 132 : 922-32.e1-16.
47) Ang WX, Church AM, Kulis M, et al. Mast cell desensitization inhibits calcium flux and aberrantly remodels actin. J Clin Invest. 2016 ; 126 : 4103-18.
48) Lewis A, MacGlashan Jr DW, Suvarna SK, et al. Recovery from desensitization of IgE-dependent responses in human lung mast cells. Clin Exp Allergy. 2017 ; 47 : 1022-31.
49) Palomares F, Gomez F, Bogas G, et al. Immunological changes induced in peach allergy patients with systemic reactions by Pru p 3 sublingual immunotherapy. Mol Nutr Food Res. 2018 ; 62.
50) Satitsuksanoa P, van de Veen W, Akdis M. B-cell responses in allergen immunotherapy. Curr Opin Allergy Clin Immunol. 2019 ; 19 : 632-9.
51) Ryan JF, Hovde R, Glanville J, et al. Successful immunotherapy induces previously unidentified allergen-specific CD4$^+$ T-cell subsets. Proc Natl Acad Sci U S A. 2016 ; 113 : E1286-95.
52) Hoh RA, Joshi SA, Liu Y, et al. Single B-cell deconvolution of peanut-specific antibody responses in allergic patients. J Allergy Clin Immunol. 2016 ; 137 : 157-67.
53) Tsai M, Mukai K, Chinthrajah RS, et al. Sustained successful peanut oral immunotherapy associated with low basophil activation and peanut-specific IgE. J Allergy Clin Immunol. 2020 ; 145 : 885-96.e6.
54) Patil SU, Steinbrecher J, Calatroni A, et al. Early decrease in basophil sensitivity to Ara h 2 precedes sustained unresponsiveness after peanut oral immunotherapy. J Allergy Clin Immunol. 2019 ; 144 : 1310-9.e4.
55) Heyman M, Darmon N, Dupont C, et al. Mononuclear cells from infants allergic to cow's milk secrete tumor necrosis factor alpha, altering intestinal function. Gastroenterology. 1994 ; 106 : 1514-23.
56) Mori F, Barni S, Cianferoni A, et al. Cytokine expression in CD3+ cells in an infant with food protein-induced enterocolitis

syndrome (FPIES) : case report. Clin Dev Immunol. 2009 ; 2009 : 679381.
57) Morita H, Nomura I, Orihara K, et al. Antigen-specific T-cell responses in patients with non-IgE-mediated gastrointestinal food allergy are predominantly skewed to T(H)2. J Allergy Clin Immunol. 2013 ; 131 : 590-2.e1-6.
58) Chung HL, Hwang JB, Park JJ, et al. Expression of transforming growth factor beta1, transforming growth factor type I and II receptors, and TNF-alpha in the mucosa of the small intestine in infants with food protein-induced enterocolitis syndrome. J Allergy Clin Immunol. 2002 ; 109 : 150-4.

第5章 疫学

[要旨]

1. 食物アレルギーの有症率は、乳児期が最も高く加齢とともに漸減する。
2. 有症率は、その診断方法（自己申告、感作の有無、食物経口負荷試験結果）により大きく異なるので、結果の解釈に注意が必要である。
3. わが国の即時型食物アレルギーの主要原因食物は鶏卵、牛乳、小麦であるが、年齢群により種類や順位が異なる特徴がある。近年、幼児期の木の実類アレルギーが増加している。
4. 誘発症状は皮膚症状が高率に認められ、ショック症状がおよそ10％に認められる。
5. 乳幼児期に発症した食物アレルギー児は、その後、喘息、アレルギー性鼻炎、アトピー性皮膚炎などを高頻度に発症する。いわゆるアレルギーマーチをたどるリスクが高い。

1. わが国の食物アレルギー有症率

わが国におけるエコチル調査から、1、2、3歳児でそれぞれ7.6％、6.7％、4.9％[1]、全国の保育関係施設に対する調査（2016年）で4.0％[2]などが報告されている。東京都の3歳児健康診査（2019年）で3歳までに食物アレルギー症状を認めたのは17.8％、医師の診断があったのは14.9％であった。また3歳までに診断された児の60.1％は、1歳になるまでに診断されており、アナフィラキシーショックは9.6％が罹患していた[3]。

学童期は文部科学省の悉皆調査（2016年）で4.6％[4]、小学生から高校生までを対象とした日本学校保健会の調査（2018年）では、医師の診断がある食物アレルギーの有病率は全体で3.2％であり、学年差は少なかった。男女比は小学生で男児に多い傾向を認め、中学生以降は差が認められなくなった[5]。

前出の東京都3歳児調査において、医師の指示で除去している食物の割合は、鶏卵が4.1％、牛乳が1.6％、クルミと落花生が1.0％、イクラが0.8％、カシューナッツが0.7％、キウイフルーツと小麦が0.4％であった。同様に前出の日本学校保健会の児童生徒調査では、医師の指示で除去している食物の割合は、鶏卵が0.6％、落花生が0.5％、果物類と甲殻類が0.4％、ソバ、魚卵類、牛乳が0.3％であった。

成人の食物アレルギー有症率に関する調査は限られているが、エコチル調査において、妊婦の4.8％に食物アレルギーの既往歴を認めた[6]。

第5章 疫学

2. 世界の食物アレルギー有症率

米国のメタ解析では、自己申告に基づく食物アレルギーの有症率は、小児が12％であった。これを自己申告と何らかの感作または二重盲検プラセボ対照食物負荷試験（double-blind placebo-controlled food challenge, DBPCFC）による判断を組み合わせると有症率は3％に低下する[7]。各抗原別に、自己申告による有症率は牛乳が3％、甲殻類が1.2％、鶏卵が1％、魚類とピーナッツが0.6％であった。これに感作条件が加わると、鶏卵が0.9％、落花生が0.8％、牛乳と甲殻類が0.6％、魚類が0.2％に低下する。さらにDBPCFCに基づく診断となると牛乳が0.9％、鶏卵と魚類が0.3％であった。

欧州のメタ解析でも、年齢、診断方法と地域により有症率は大きく異なる。自己申告によれば、0～17歳が6.9％であった。食物アレルギーの診断を、症状に加えて特異的IgE抗体が少なくとも1つは陽性であるという条件にすると3.6％となる。さらに条件を症状または食物経口負荷試験（oral food challenge, OFC）とすると2.6％、OFCのみとすると1.0％となる[8]。

以上のように食物アレルギーの有症率は、自己申告に基づいて判断をすると最も高く、そこに特異的IgE抗体検査、OFCが加わった有病率はそれより低くなる。すなわち、自己申告に基づく食物アレルギーの診断は過剰判断となり、正しい診断のためにはOFCを実施して確認することが必要であることを示唆する。

成人食物アレルギーの有症率は、メタ解析では13％（自己申告）[7]や5.1％（自己申告）となる[8]。最近の報告では1.2％（自己申告、インド）[9]、6.8％〔自己申告、ノルウェー（女性のみ）〕[10]、10.8％（自己申告、ブラジル）[11]、12.1％（自己申告、オランダ）[12]であった。成人例の経時的な横断調査で2001年が9.1％であったのが2010年では13％（自己申告）に上昇したとする報告がある[13]。また思春期の有症率は4.5％（自己申告、オーストラリア）[14]、5.9％（自己申告、メキシコ）[15]などがある。また出生コホートで経時的に評価した報告では、1歳が5.3％と最も高く、10歳では2.3％まで減少するが、18歳では4.0％に再増加していた[16]。

3. 即時型食物アレルギー全国疫学調査からみたわが国の即時型食物アレルギーの実態[17]

1）調査方法

協力医師はアレルギーを専門とする医師（日本アレルギー学会指導医および専門医、日本小児アレルギー学会会員）の中で調査の主旨に賛同を得られたものとし、1,000人超の参加協力医師が得られた。調査対象は"何らかの食物を摂取後60分以内に症状が出現し、かつ医療機関を受診したもの"とし、OFCや経口免疫療法により誘発された症状は調査の対象から除外した。調査は平成29（2017年）1月から3か月ごとに1年間にわたって葉書郵送法で行い、4,851例を集積した。

2) 年齢別発症頻度（図5-1）

0歳が1,530例（31.5%）で最も多く、以降、加齢に伴い漸減した。1歳が875例（18.0%）、2歳が489例（10.1%）で、2歳以下で59.7%、6歳以下で80.5%、11歳以下で90.7%を占めた。なお、18歳以上は230例（4.7%）を占めた。全体の男女比は1.5（2,897/1,954）であった。

3) 原因食物割合（図5-2）

鶏卵1,681例（34.7%）、牛乳1,067例（22.0%）、小麦512例（10.6%）が多く、以下木の実類、落花生（ピーナッツ）、果物類、魚卵類、甲殻類、ソバ、大豆が上位10抗原であった。上位3抗原で全体の67.2%、5抗原で80.5%、上位10抗原で95.3%を占めた。

4) 年齢別原因食品
(1) 新規発症（表5-1、図5-3）

新規発症が全体の57.8%を占めた。0歳群の新規発症率が89.3%と最も高く、その後急激に低下した。

原因食物は、0歳群で鶏卵、牛乳、小麦が圧倒的に多いが、それ以降は各年齢群の特徴が現れた。1、2歳群では第2位に魚卵類、第3位に木の実類、3～6歳群では第1位に木の実類、第2位に魚卵類、第3位に落花生（ピーナッツ）、7～17歳群では第1位に果物類、第2位に甲殻類、第3位に木の実類、18歳以上群では第1位に甲殻類、第2位に小麦、第3位に魚類となった。特に近年、幼児期の木の実類アレルギーの増加が目立つ。

(2) 誤食発症（表5-2）

全体の42.2%が誤食例であった（図5-3）。誤食の原因食物は年齢によらず、鶏卵、牛乳、小麦が多かった。0～2歳ではそれらの大部分で占めたが、3歳以降では落花生（ピーナッツ）、木の実類が増加した。

5) 症状出現頻度（図5-4）

皮膚症状が86.6%で最も多く、以下呼吸器38.0%、粘膜28.1%、消化器27.1%、ショック10.8%（524人）であった。ショックの原因食物は鶏卵23.9%、牛乳22.5%、小麦16.6%の順に多かった。各原因食物の有症状者に占めるショック症状の発生率ではカシューナッツが18.3%で最も高く、以下小麦17.0%、クルミ16.7%、ソバ16.5%、落花生（ピーナッツ）15.4%、エビ14.9%が高かった。木の実類によるショックの割合が増加している。

4. アレルギーマーチに関して
1) アレルギーマーチ

アレルギー体質を有する個体が原因と発症臓器を異にして、次から次へとアレルギー疾患を

第5章 疫学

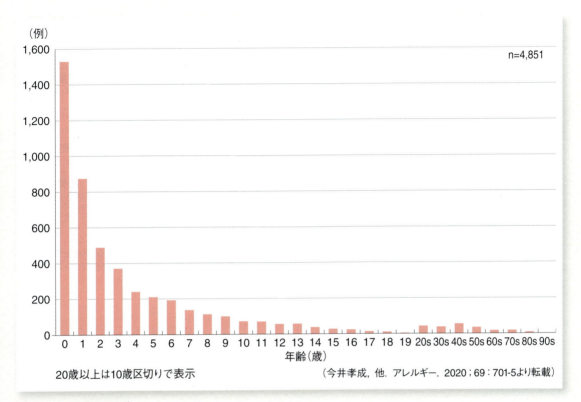

20歳以上は10歳区切りで表示　　　　　　　　　　（今井孝成,他.アレルギー.2020；69：701-5より転載）

■ 図 5-1　年齢分布[17]

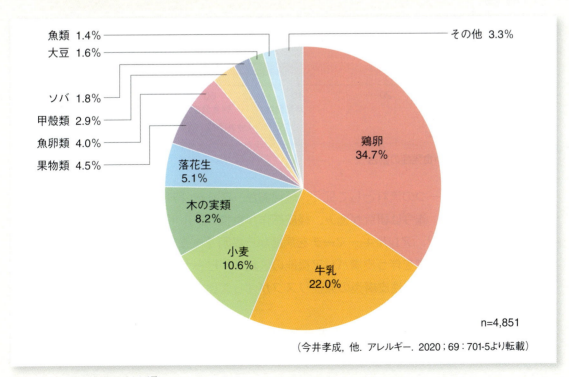

（今井孝成,他.アレルギー.2020；69：701-5より転載）

■ 図 5-2　原因食物の割合[17]

Japanese Guidelines for Food Allergy 2021

■ 表 5-1　新規発症の原因食物[17]

n＝2,764

	0歳 (1,356)	1、2歳 (676)	3～6歳 (369)	7～17歳 (246)	≧18歳 (117)
1	鶏卵 55.6%	鶏卵 34.5%	木の実類 32.5%	果物類 21.5%	甲殻類 17.1%
2	牛乳 27.3%	魚卵類 14.5%	魚卵類 14.9%	甲殻類 15.9%	小麦 16.2%
3	小麦 12.2%	木の実類 13.8%	落花生 12.7%	木の実類 14.6%	魚類 14.5%
4		牛乳 8.7%	果物類 9.8%	小麦 8.9%	果物類 12.8%
5		果物類 6.7%	鶏卵 6.0%	鶏卵 5.3%	大豆 9.4%

各年齢群ごとに5%以上を占めるものを上位5位表記
（今井孝成, 他. アレルギー. 2020；69：701-5より転載）

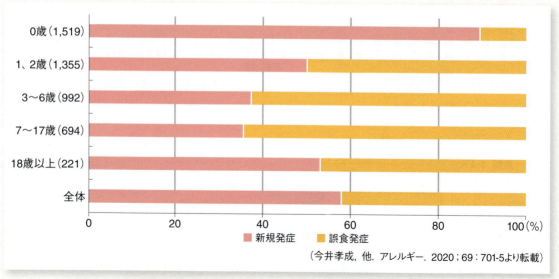

■ 図 5-3　新規発症と誤食発症の割合[17]

　発症していく現象を一つの流れとして捉え、馬場實が、これを「アレルギーマーチ」と呼ぶことを提唱して久しい。昨今は研究が進み、経皮感作が食物アレルギーの発症リスクとしても考えられるようになり[18]、アレルギーマーチを病態から説明できるようになってきた。例えば、フィラグリン遺伝子異常を伴う皮膚バリア機能の破綻は、ピーナッツアレルギーの発症リスクがオッズ比 5.3、アトピー性皮膚炎の発症リスクがオッズ比 3.1、喘息の発症リスクがオッズ比 1.5 と報告されている[19]。

　食物アレルギーを起点とするアレルギーマーチの報告を表 5-3 に示す[20～29]。食物アレルギーの診断根拠は限定せず、OFC から、エピソードと感作の組み合わせ、自己申告のエピソードのみ、カルテ記録による後方視的診断も含まれる。アレルギー疾患発症の評価年齢は 4～15

第5章 疫学

■ 表 5-2　誤食発症の原因食物[17]　　　　　　　　　　　　　　　　　n＝2,017

	0歳 (163)	1、2歳 (679)	3〜6歳 (623)	7〜17歳 (448)	≧18歳 (104)
1	鶏卵 52.1%	鶏卵 41.4%	牛乳 29.9%	鶏卵 21.9%	小麦 19.2%
2	牛乳 31.3%	牛乳 37.7%	鶏卵 26.5%	牛乳 21.4%	甲殻類 13.5%
3	小麦 11.7%	小麦 14.0%	小麦 16.2%	落花生 14.3%	ソバ 10.6%
4			木の実類 10.1%	木の実類 12.5%	木の実類 8.7%
5			落花生 9.5%	小麦 8.0%	牛乳 6.7%

各年齢群ごとに5%以上を占めるものを上位5位表記
(今井孝成, 他. アレルギー. 2020；69：701-5より転載)

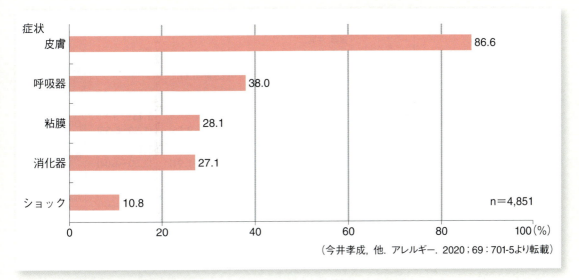

■ 図 5-4　臓器別の症状出現頻度[17]

歳、対象アレルギー疾患は喘息、アレルギー性鼻炎、アレルギー性結膜炎、アトピー性皮膚炎に関して検討されていた。

2) 喘息

表 5-3 にあるすべての報告[20〜29]で、食物アレルギーが喘息の発症リスクを高める結果が報告されている。喘息の合併因子として、乳児期の鶏卵アレルギーがオッズ比 5.0 (1.1〜22.3) で、湿疹合併症例ではさらにリスクが高かった[20]。食物アレルギーの中でも、多種食物抗原がオッズ比 5.8 (1.8〜18.9)、重症食物アレルギーがオッズ比 6.2 (2.0〜19.3)[21]、遷延性の食物アレルギーがオッズ比 6.9 (4.1〜11)[22]など、重症度が高いほど喘息の発症リスクを高める

■ 表 5-3　食物アレルギーとアレルギーマーチ

国(年)	調査人数(対象人数)	評価年齢	食物アレルギーの診断	食物抗原	リスク比またはオッズ比〔（ ）内は95％信頼区間〕			研究方法	文献
					喘息	アレルギー性鼻炎	アトピー性皮膚炎		
英国(2000)	1,218(29)	4歳	エピソードかつSPT	鶏卵	喘息またはアレルギー性鼻炎 5.0(1.1〜22.3)	−	−	コホート	20
米国(2009)	≥6歳 271(152)、<6歳 296(209)	調査時	エピソードかつSPT陽性かつ特異的IgE抗体陽性	特定しない	両群4.9(2.5〜9.5)、<6歳群5.3(1.7〜16.2)	−	−	コホート	21
スウェーデン(2008)	3,104(一過性399、遷延性115)	8歳	エピソード(自己申告)かつ一過性かつ遷延性	特定しない	一過性1.6(1.0〜2.5)遷延性6.9(4.1〜11)	一過性1.6(1.1〜2.3)遷延性13(8.0〜22)	一過性1.7(1.2〜2.4)遷延性2.3(1.1〜5.1)	コホート	22
フィンランド(2010)	6,209(90)	8歳	除去試験かつOFC	牛乳	FeNO↑3.51(1.56〜7.90)、BHR↑3.37(1.03〜10.97)	−	−	コホート	23
フランス(2005)	6,672(142)	10.4歳	エピソード(自己申告)	鶏卵、牛乳、魚類、甲殻類、木の実類、ピーナッツ、果物、野菜	2.1(1.3〜3.6)	4.0(2.4〜6.6)	−	横断的	24
フィンランド(2005)	6,209(118)	8歳	OFC	牛乳	2.41(1.15〜5.03)	5.08(2.67〜9.66)	3.13(1.50〜6.55)	コホート	25
日本(2009)	13,215(556)	7〜15歳	エピソード、除去あり(自己申告)	鶏卵、牛乳、小麦	2.68(2.08〜3.46)	1.57(1.29〜1.91)	3.18(2.50〜4.04)	横断的	26
米国(2007)	(36)	5歳	OFCかつSPT	牛乳	呼吸器アレルギー対照7.5％に比し、対象は72.2％	−	−	症例対照	27
アラブ首長国連邦(2011)	(397)	7.2歳	カルテ情報	鶏卵(40％)、果物(40％)、魚類(33％)など	4.6(2.1〜10.1)	アレルギー性鼻結膜炎 3.3(1.2〜9.6)	10.6(4.7〜24.3)	横断的	28
スウェーデン(2016)	5,654(3,382)	8歳	1歳時の自己申告	特定しない	3.7(2.3〜5.8)	3.4(2.2〜5.3)	2.9(2.0〜4.3)	コホート	29

OFC：食物経口負荷試験、SPT：皮膚プリックテスト、FeNO：呼気中一酸化窒素濃度、BHR：気道過敏性

ことが示されている。

　また IgE 依存性の牛乳アレルギー児で、呼吸機能に差は認められなかったものの、気道過敏性亢進がオッズ比 3.37（1.03〜10.97）、呼気中一酸化窒素濃度（FeNO）の上昇がオッズ比 3.51（1.56〜7.90）と、リスクを高めることが指摘された[23]。

3）アレルギー性鼻炎

　6報でアレルギー性鼻炎[22, 24〜26, 28, 29]、1報が呼吸器アレルギー[27]、1報は喘息かアレルギー性鼻炎の発症を評価項目として解析されていた[20]。結果にばらつきがあるものの、すべて

の報告で食物アレルギーがアレルギー性鼻炎の発症リスクを高める結果であった。

4) アトピー性皮膚炎

5報でアトピー性皮膚炎の発症オッズ比を評価していた[22, 25, 26, 28, 29]。結果にばらつきがあるものの、いずれの報告においても食物アレルギーがアトピー性皮膚炎の発症リスクを高める結果であった。

参考文献

1) Yamamoto-Hanada K, Pak K, Saito-Abe M, et al. Allergy and immunology in young children of Japan：The JECS cohort. World Allergy Organ J. 2020；13：100479.
2) 柳田紀之，海老澤元宏，勝沼俊雄，他．厚生労働省「平成27年度子ども・子育て支援推進調査研究事業」保育所入所児童のアレルギー疾患罹患状況と保育所におけるアレルギー対策に関する実態調査結果報告．アレルギー．2018；67：202-10.
3) 東京都健康安全研究センター．アレルギー疾患に関する3歳児全都調査報告書（令和元年度）．2020．
4) 公益財団法人日本学校保健会．学校生活における健康管理に関する調査報告書（平成25年度）．2014．
5) 公益財団法人日本学校保健会．児童生徒の健康状態サーベイランス事業報告書（平成30年度・令和元年度）．2020．
6) Yamamoto-Hanada K, Yang L, Ishitsuka K, et al. Allergic profiles of mothers and fathers in the Japan Environment and Children's Study (JECS)：a nationwide birth cohort study. World Allergy Organ J. 2017；10：24.
7) Rona RJ, Keil T, Summers C, et al. The prevalence of food allergy：A meta-analysis. J Allergy Clin Immunol. 2007；120：638-46.
8) Muraro A, Werfel T, Hoffmann-Sommergruber K, et al. EAACI food allergy and anaphylaxis guidelines：Diagnosis and management of food allergy. Allergy. 2014；69：1008-25.
9) Mahesh PA, Wong GWK, Ogorodova L, et al. Prevalence of food sensitization and probable food allergy among adults in India：The EuroPrevall INCO study. Allergy. 2016；71：1010-9.
10) Jakobsen MD, Braaten T, Obstfelder A, et al. Self-reported food hypersensitivity：Prevalence, characteristics, and comorbidities in the norwegian women and cancer study. PLoS One. 2016；11：1-12.
11) Silva LA, Silva AFM, Ribeiro ÂC, et al. Adult food allergy prevalence：Reducing questionnaire bias. Int Arch Allergy Immunol. 2017；171：261-4.
12) Westerlaken-Van Ginkel CD, Vonk JM, Flokstra-De Blok BMJ, et al. Likely questionnaire-diagnosed food allergy in 78, 890 adults from the northern Netherlands. PLoS One. 2020；15：1-18.
13) Verrill L, Bruns R, Luccioli S. Prevalence of self-reported food allergy in U.S. adults：2001, 2006, and 2010. Allergy Asthma Proc. 2015；36：458-67.
14) Sasaki M, Koplin JJ, Dharmage SC, et al. Prevalence of clinic-defined food allergy in early adolescence：The SchoolNuts study. J Allergy Clin Immunol. 2018；141：391-8.e4.
15) Puente-Fernández C, Maya-Hernández RL, Flores-Merino MV, et al. Self-reported prevalence and risk factors associated with food hypersensitivity in Mexican young adults. Ann Allergy Asthma Immunol. 2016；116：523-7.e3.
16) Venkataraman D, Erlewyn-Lajeunesse M, Kurukulaaratchy RJ, et al. Prevalence and longitudinal trends of food allergy during childhood and adolescence：Results of the Isle of Wight Birth Cohort study. Clin Exp Allergy. 2018；48：394-402.
17) 今井孝成，杉崎千鶴子，海老澤元宏．消費者庁「食物アレルギーに関連する食品表示に関する調査研究事業」平成29(2017)年即時型食物アレルギー全国モニタリング調査結果報告．アレルギー．2020；69：701-5.
18) Lack G. Update on risk factors for food allergy. J Allergy Clin Immunol. 2012；129：1187-97.
19) Irvine AD, McLean WHI, Leung DYM. Filaggrin mutations associated with skin and allergic diseases. N Engl J Med. 2011；365：1315-27.
20) Tariq SM, Matthews SM, Hakim EA, et al. Egg allergy in infancy predicts respiratory allergic disease by 4 years of age. Pediatr Allergy Immunol. 2000；11：162-7.
21) Schroeder A, Kumar R, Pongracic JA, et al. Food allergy is associated with an increased risk of asthma. Clin Exp Allergy. 2009；39：261-70.
22) Östblom E, Lilja G, Pershagen G, et al. Phenotypes of food hypersensitivity and development of allergic diseases during the first 8 years of life. Clin Exp Allergy. 2008；38：1325-32.

23) Malmberg LP, Saarinen KM, Pelkonen AS, et al. Cow's milk allergy as a predictor of bronchial hyperresponsiveness and airway inflammation at school age. Clin Exp Allergy. 2010；40：1491-7.
24) Pénard-Morand C, Raherison C, Kopferschmitt C, et al. Prevalence of food allergy and its relationship to asthma and allergic rhinitis in schoolchildren. Allergy. 2005；60：1165-71.
25) Saarinen KM, Pelkonen AS, Mäkelä MJ, et al. Clinical course and prognosis of cow's milk allergy are dependent on milk-specific IgE status. J Allergy Clin Immunol. 2005；116：869-75.
26) Kusunoki T, Morimoto T, Nishikomori R, et al. Allergic status of schoolchildren with food allergy to eggs, milk or wheat in infancy. Pediatr Allergy Immunol. 2009；20：642-7.
27) Huang SW. Follow-up of children with rhinitis and cough associated with milk allergy. Pediatr Allergy Immunol. 2007；18：81-5.
28) Al-Hammadi S, Zoubeidi T, Al-Maskari F. Predictors of childhood food allergy：Significance and implications. Asian Pacific J Allergy Immunol. 2011；29：313-7.
29) Goksör E, Loid P, Alm B, et al. The allergic march comprises the coexistence of related patterns of allergic disease not just the progressive development of one disease. Acta Paediatr. 2016；105：1472-9.

第6章 リスク因子と予防

[要旨]

1. 小児期の食物アレルギー発症リスクに影響する因子として、家族歴、特定の遺伝子、皮膚バリア機能、日光・ビタミンDなどが報告されているが、中でもアトピー性皮膚炎が重要である。
2. 小児期の食物アレルギーの発症予防のため、妊娠中や授乳中に母親が特定の食物を除去することは、効果が否定されている上に母親の栄養状態に対して有害であり、推奨されない。
3. 乳児に対して食物アレルギー予防のために、離乳食開始時期や食物アレルギーの原因食物となりやすい食物（鶏卵など）の摂取開始を遅らせることは推奨されない。
4. 完全母乳栄養が小児期の食物アレルギー発症予防という点において優れているという十分なエビデンスはない。乳児期早期から母乳とともに牛乳タンパク（普通ミルク）を摂取することにより乳児の牛乳アレルギー発症予防効果が報告されている。
5. 乳児期早期からの保湿剤塗布による食物アレルギーの発症予防効果を推奨する十分なエビデンスはない。

1. 小児の食物アレルギーの予防に必要なこと （図6-1）

　近年、食物アレルギーにおける予知や予防への関心が高まっている。かつて、妊娠中や乳児期において、食物アレルギーの原因となりやすい特定の食物の摂取を避けることなど、さまざまな試みによる発症予防が検討されたが[1]、食物アレルギーは増加傾向をたどっている[2,3]。ゆえに食物アレルギーの発症予防に対する社会的な期待は大きく、またそれを伝える医療者側の責任も大きい。

　食物アレルギーの感作・発症の機序は十分に解明されていないものの、その予防的アプローチにおいて大きな変換点を迎えつつある。食物アレルギーの発症には環境要因や遺伝的要因（エピジェネティックな変化を含む）も影響している可能性が示唆されている[4,5]。小児期の食物アレルギー発症リスクに影響する因子として、家族歴、特定の遺伝子、皮膚バリア機能、日光・ビタミンDなどが報告されているが、中でもアトピー性皮膚炎が重要である。また、妊娠中や授乳中の母親の食物除去は推奨されないという基本事項に加え、食物アレルギー患者の多い食物の摂取開始時期を遅らせることは食物アレルギーの発症予防につながらないことが世界的にもコンセンサスとなっている[6]。

　食物アレルギーの予防は、一次予防として感作（特異的IgE抗体産生）を予防すること、二

第6章 リスク因子と予防

次予防として感作された個体において食物アレルギーの発症を防ぐことと定義される[7]。Lackらは、湿疹のある乳児が経皮的な食物抗原曝露を受けることでアレルギーを増強する免疫系が誘導されてIgE抗体が産生され（感作）、食物抗原を経口的に摂取するとアレルギーを抑える免疫系の惹起により免疫寛容が誘導されるという「dual-allergen-exposure hypothesis」を提唱した[8]。食物アレルギーの発症を抑えるには、アトピー性皮膚炎をコントロールすることにより経皮感作を予防し、また、早期に経口摂取を開始し、経口免疫寛容を誘導することが重要であると考えられる。

本章では、食物アレルギーのリスク因子ならびに一次予防、二次予防に関するエビデンスを紹介する。

家族歴　　　　短い日光照射　　皮膚バリア機能の低下　　環境中の食物アレルゲン

予防法
妊娠中・授乳中に食物除去をしても予防効果なし
湿疹、アトピー性皮膚炎の乳児
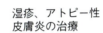湿疹、アトピー性皮膚炎の治療
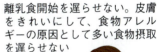離乳食開始を遅らせない。皮膚をきれいにして、食物アレルギーの原因として多い食物摂取を遅らせない

■ 図6-1　小児の食物アレルギーのリスク因子と予防法

2. 小児の食物アレルギーの発症リスク因子

1）家族歴（表6-1）

食物アレルギーの家族歴は食物アレルギーの発症リスクになるという報告が複数ある。英国の報告では、ピーナッツアレルギーの家族歴がある子どもは、家族歴がない子どもと比較して、ピーナッツアレルギーの発症リスクが約7倍（7%対1.3%）になることを示している[9]。米国からは食物アレルギーの子どもは、食物アレルギーのない子どもと比較して、他のきょうだいも食物アレルギーを持つ可能性が高い（調整オッズ比2.6）という報告もある[10]。Sugiuraらは、名古屋市の1歳半健診をベースとした調査で、母親および兄姉の食物アレル

ギー家族歴は、食物アレルギー有症率と有意に関連することを見いだし、総合的な食物アレルギー発症予測スコアを報告している[11]。一方、乳児期におけるピーナッツアレルギーの発症率には湿疹が強く関与し、食物アレルギーまたはピーナッツアレルギーの家族歴はそれ以上の影響を与えなかった、という報告もある[12]。

2）遺伝的要因（表6-1）

Brownらは症例対照研究で、フィラグリン遺伝子機能喪失変異を有する場合はピーナッツアレルギーの有病リスクがオッズ比5.3で有意に増加することを報告している[13]。*FOXP3*[14]、*IL10*[15]、*NLRP3*[16]に関わる遺伝子多型など、免疫システムの調節を担う遺伝子も食物アレルギーの発症に影響する可能性が報告されている。ゲノムワイド関連解析も複数報告されている[21, 22, 24, 25]。

3）皮膚バリア機能の低下（表6-2）

Berdyshevらは、ピーナッツアレルギー患者でアトピー性皮膚炎の有無に関わらず、天然保湿因子の低下があると報告した[26]。Leungらは、食物アレルギーを合併したアトピー性皮膚炎患者の非皮疹部が、食物アレルギーのないアトピー性皮膚炎患者や健常者と比較して高い経表皮水分蒸散量を示し、皮膚のバリア機能も低下していることを報告した[27]。

4）アトピー性皮膚炎（湿疹）（表6-2）

Sampsonは、1980年代にアトピー性皮膚炎が食物に対するIgE依存性反応と関連することを報告した[28]。その後Lackらは、湿疹とピーナッツアレルギーの関連、特に重症の皮膚炎やピーナッツオイルを含むスキンケアが発症リスクであると報告し[29]、経皮的な抗原曝露による感作を示唆した。オーストラリアからも、乳児期の湿疹がその後のピーナッツや鶏卵アレルギーの発症リスクを増大すると報告されている[23]。

わが国の出生コホート研究でも、3歳時の食物アレルギーに対するリスク比を湿疹の発症月齢ごとに検討して、生後1～2か月時の湿疹発症が調整オッズ比6.61で最も高く、生後3～4か月がこれに次いでいた（調整オッズ比4.69）[30]。欧州からも早期発症のアトピー性皮膚炎が食物アレルギーの発症リスクになること[31]、カナダからも1歳時のアトピー性皮膚炎が3歳時

■表6-1　小児における食物アレルギーの主なリスク因子（家族歴・遺伝子）

	報告者、年、国名	リスク因子	研究デザイン	結果の概要	文献
家族歴	Hourihane、1996、英国	きょうだいにPAあり	横断研究	一般有症率1.3％に対して、きょうだいにPAがある場合の有症率は7％	9
	Tsai、2009、米国	きょうだいにFAあり	横断研究	FA発症のオッズ比を上げる：調整オッズ比2.6(95%CI：1.2～5.6)	10

第6章 リスク因子と予防

	報告者、年、国名	リスク因子	研究デザイン	結果の概要	文献
家族歴	Sicherer、2000、米国	双生児にPAあり	横断研究	PAの一致率は一卵性で64.3%、二卵性で6.8%（χ^2=21.38、P<.0001）	17
遺伝子	Torgerson、2007、米国他	*FOXP3*遺伝子変異	症例報告（1つの大家系）	IPEX症候群大家系の症例報告で家系内の男性に重症のFA	14
	Alberto、2008、日本	*IL10*遺伝子多型	横断研究・症例対照研究	1082 AA遺伝子型ではFA有病リスク：調整オッズ比2.5（95%CI：1.0〜6.4）	15
	Hitomi、2009、日本	*NLRP3*遺伝子多型	横断研究・症例対照研究	*NLRP3* SNPs（rs4612666とrs10754558）と食物によるANとの関連	16
	Brown、2011、英国他	*FLG*機能喪失変異	横断研究・症例対照研究	7歳以上のPA有病リスク：オッズ比5.3（95%CI：2.8〜10.2）	13
	Brough、2014、英国	*FLG*機能喪失変異	横断研究・コホート内症例対照研究	PA有病リスク：調整オッズ比3.2（95%CI：1.1〜9.8）	18
	Hong、2015、米国	*HLA-DR*、*DQ*両遺伝子多型	横断研究・症例対照研究 GWAS	*HLA-DR*および*DQ*領域のSNPとPAとの関連と、それらのPA関連SNPが近傍のCpGアイランドのメチル化レベルに影響を与えている可能性	22
	Ashley、2017、オーストラリア	*SPINK5*遺伝子多型	出生コホート研究内・症例対照研究	*SPINK5* variant rs9325071（A>G）多型が食物アレルギーと関連していることを報告	19
	Marenholz、2017、ドイツ	*SERPINB*、*IL4/KIF3A*、*FLG-AS1*、*HLA-DQB1*、*SERPINB7/B2*	横断研究・症例対照研究 GWAS	食物経口負荷試験により診断確定されたFA患者を対象にしたGWASにより5つの関連領域を検出	24
	Hirota、2017、日本	*C11orf30/LRRC32*、*TMEM232/SLC25A46*、*TNFRSF6B/ZGPAT*、*OVOL1*、*KIF3A/IL13*、*GLB1*、*CCDC80*、*ZNF365*、*OR10A3/NLRP10*、*IL2/IL21*、*CLEC16A/DEXI*、*ZNF652*、*TSLP/WDR36*、*STAT6*の遺伝子多型	横断研究・症例対照研究	ADや好酸球性食道炎で関連が報告されている26候補遺伝子多型を用いて日本人のFAの症例対照研究を行い、左記の遺伝子多型との関連を検出（P<0.05）	20
	Asai、2018、カナダ	*HLA*遺伝子多型、*C11orf30/EMSY*領域	横断研究・症例対照研究 GWAS	*HLA*、*C11orf30/EMSY*領域とPAとの関連を報告	21、25

AD：アトピー性皮膚炎、AN：アナフィラキシー、CI：信頼区間、FA：食物アレルギー、*FLG*：フィラグリン遺伝子、GWAS：ゲノムワイド関連解析、*HLA*：human leukocyte antigen（ヒト白血球型抗原）、IPEX：immune dysregulation, polyendocrinopathy, enteropathy, X-linked、GWAS：ゲノムワイド関連解析、PA：ピーナッツアレルギー

■ 表6-2 小児における食物アレルギーの主なリスク因子（皮膚のバリア機能関連）

	報告者、年、国名	リスク因子	研究デザイン	結果の概要	文献
皮膚バリア機能の低下	Berdyshev、2021、米国	天然保湿因子	横断研究	ピーナッツアレルギー患者では、アトピー性皮膚炎の有無に関わらず、天然保湿因子が低下	26
	Leung、2019、米国	TEWL	横断研究	ADのあるFA児は、健常児と比較して、TEWLが有意に高く、皮膚バリア機能が低下	27
アトピー性皮膚炎	Lack、2003、英国	重症の皮膚炎所見*	出生コホート研究	PA発症：調整オッズ比5.2（95%CI：2.7〜10.2）	29
	Martin、2015、オーストラリア	乳児期のAD	コホート研究	乳児期に湿疹があると1歳時までにPA発症：調整オッズ比11.0（95%CI：6.6〜18.6） 鶏卵アレルギー発症：調整オッズ比5.8（95%CI：4.6〜7.4）。	23
	Shoda、2016、日本	乳児期のAD	出生コホート研究	1歳までに湿疹があると3歳時のFAのオッズ比3.9（95%CI：2.34〜6.52） 生後1〜2か月に湿疹があると3歳時のFAのオッズ比6.61（95%CI：3.27〜13.34）	30
	Roduit、2017、欧州	乳児期早期発症AD	出生コホート研究	乳児期早期発症持続型ADによるFA発症：調整オッズ比7.08（95%CI：3.59〜13.975）	31
	Tran、2018、カナダ	1歳時のAD	出生コホート研究	1歳時のADによる3歳児のFA：調整オッズ比3.49（95%CI：3.02〜7.05）	32

AD：アトピー性皮膚炎、CI：信頼区間、FA：食物アレルギー、PA：ピーナッツアレルギー、TEWL：経表皮水分蒸散量
＊：重症皮膚炎所見…滲出液や痂皮を伴う湿疹

の食物アレルギーのリスクになること[32]が示されている。
　これらの報告から、アトピー性皮膚炎は食物アレルギー発症のリスク因子であり、早期にアトピー性皮膚炎を発症するほど食物アレルギー発症のリスクが高くなると考えられる。

5）環境中の食物アレルゲン（表6-3）
　テーブルやベッド、手、塵埃など環境中には、わずかな食物抗原が存在している[33]。3歳時の子どものすべての寝具から鶏卵を検出した報告もある[34]。自宅で鶏卵を消費した後、リビングや寝室の塵埃中の鶏卵タンパク濃度が上昇することも明らかとなっている[35]。米国からは、自宅よりも学校のほうが塵埃中のピーナッツタンパクのレベルが高いことが示されている[36]。ピーナッツアレルギー児は、ピーナッツアレルギーがない児と比較して家庭内のピーナッツ消費量が有意に多く[37]、ピーナッツの消費量と家庭内塵埃中のピーナッツ抗原量は相関し[38]、塵

表6-3　小児における食物アレルギーの主なリスク因子（環境因子）

	報告者、年、国名	リスク因子	研究デザイン	結果の概要	文献
環境中の食物アレルゲン	Fox、2009、英国	家庭内のピーナッツ消費量	症例対照研究	PA発症リスクが上がる（消費なしと比較してピーナッツタンパク質3.75〜15 g/週消費）：調整オッズ比5.79（95%CI：2.3〜14.3）	37
	Brough、2015、英国	塵埃内ピーナッツタンパク量*	横断研究	PA発症：調整オッズ比2.1（95%CI：1.20〜3.67）	39
日光照射（出生季節）・ビタミンD	Camargo、2007、米国	北部の州対南部の州	横断研究	米国北部の州では南部の州と比較し約4倍処方量が多い	41
	Mullins、2011、オーストラリア	秋冬対春夏生まれ	症例対照研究	秋冬生まれは春夏と比較してFA児が多い（57%対43%、p<0.001）	43
	Weisse、2013、ドイツ	妊娠中の母親のビタミンD濃度	出生コホート研究	臍帯血のビタミンD濃度と2歳時の食物アレルギーが正の関連にある：調整オッズ比1.91（95%CI：1.09〜3.37）	45
	Allen、2013、オーストラリア	乳児のビタミンD濃度	コホート内症例対照研究	オーストラリアの両親から生まれた児は、児のビタミンD不足により鶏卵アレルギーが増加：調整オッズ比3.49（95%CI：1.19〜12.08）	46
	Hoyos-Bachiloglu、2014、チリ	緯度が高い	後方視的コホート研究	緯度が高いほど小児のANによる入院割合が増加（β=0.01、p=0.006）	44
	Tanaka、2015、日本	春夏対秋冬	症例対照研究	FAのうち春夏生まれは37.2%に対し、秋冬生まれは62.7%（オッズ比1.70）	42
ペット	Koplin、2012、オーストラリア	自宅内のイヌ	コホート研究	自宅内でイヌを飼っていると1歳までの鶏卵アレルギーのリスク低下：調整オッズ比0.72（95%CI：0.52〜0.99）	52
	Marrs、2019、英国	イヌを飼う	RCTの二次解析	生後3か月時に自宅でイヌのみを飼っているとその後の食物アレルギーが有意に抑制：調整オッズ比0.12（95%CI：0.02〜0.86）	53

AN：アナフィラキシー、CI：信頼区間、FA：食物アレルギー、PA：ピーナッツアレルギー、RCT：無作為化比較対照試験
＊：リビングルーム内を吸引して得られた塵埃中のピーナッツタンパクが16 μg/g以上

埃中のピーナッツ抗原量と乳児のピーナッツ感作やピーナッツアレルギーに正の関連が認められることが報告された[39]。皮膚へのホーミングレセプターを発現したT細胞のピーナッツ抗原との反応はピーナッツアレルギーに関与することが示され[40]、経皮感作の機序が示唆されている。しかし、現時点では、その他の食物アレルゲンの環境中濃度とアレルゲン感作の関係は証明されていない。

6）日光照射（出生季節）・ビタミン D（表 6-3）

　Camargo らは、米国におけるエピペン®処方数の調査で、北部が南部に比べて処方量が多い傾向にあることを示し、その原因は日光照射の差であろうと推察した[41]。その後、わが国でも小児期の食物アレルギー患者は秋冬生まれが多いことが報告されている[42]。同様の報告がオーストラリアなどからも示されている[43]。南米からは緯度が高いほど、小児のアナフィラキシーによる入院が有意に増加すると報告されている[44]。Weisse らは臍帯血のビタミン D 濃度と 2 歳時の食物アレルギーが正の関連にあると報告し（調整オッズ比 1.91）[45]、Allen らはオーストラリアの両親から生まれた児のビタミン D 不足と鶏卵アレルギーに関連があることを示した（調整オッズ比 3.49）[46]。

　日光が食物アレルギー発症に保護的な効果をもたらす理由として、ビタミン D の関与が考えられたが、母体や臍帯血、乳児期の血中ビタミン D 濃度と食物への感作や食物アレルギー発症の間に明確な結論はない[47]。

7）微生物曝露（腸内微生物叢、帝王切開、ペットなど）

　Fujimura らは、新生児期の腸内微生物叢の乱れが $CD4^+T$ 細胞に影響を与え IgE 感作を誘導する可能性があることを報告している[48]。また、Feehley らは、無菌マウスに健常乳児または牛乳アレルギー乳児の糞便をコロニー形成させた実験で、食物アレルギー反応を抑制する菌種としてクロストリジウム種（*Anaerostipes*）を同定し、腸内細菌叢を調整することにより食物アレルギー反応を制御する可能性を示唆した[49]。

　帝王切開と児の食物アレルギーの検討では、6 つのコホート研究のメタ解析により、食物アレルギー発症については、オッズ比が上昇することが示されている（統合オッズ比 1.32）[50]。近年の大規模コホート研究でも帝王切開により食物アレルギーと診断される児が増加することを報告している（ハザード比 1.21）[51]。

　ペット曝露については、オーストラリアから自宅でイヌを飼っていると 1 歳までの鶏卵アレルギーのリスクが低下することが示され（調整オッズ比 0.72）[52]、英国からは生後 3 か月時に自宅でイヌのみを飼っているとその後の食物アレルギーが有意に抑制されることが報告されている（調整オッズ比 0.12）[53]。自宅でイヌを飼うことにより室内埃の微生物叢を変化させると報告されている[54]。このように、海外ではペットが食物アレルギーを抑制すると示されているが、地域によりペット飼育環境が異なるため、わが国において海外の結果が再現されるかどうかの検討はなく、現時点ではペットを飼うことを推奨する段階ではないといえる。

3. 小児の食物アレルギーの一次予防（表 6-4）

　アレルギー疾患における一次予防の定義として「感作の予防」が広く用いられるものの、食物への感作を評価項目としない食物アレルギー発症リスクを検討した研究（アンケート調査など）もエビデンスの一部を担っている。

第6章 リスク因子と予防

表6-4 食物アレルギーの発症予防のまとめ

項目	コメント	文献
妊娠中や授乳中の母親の食事制限	食物アレルギーの発症予防のために妊娠中と授乳中の母親の食事制限を行うことを推奨しない。	70〜74
母乳栄養	母乳には多くの有益性があるものの、食物アレルギー予防という点で母乳栄養が混合栄養に比べて優れているという十分なエビデンスはない。	
人工乳	普通ミルクを避けて加水分解乳や大豆乳を用いることで、食物アレルギー発症が予防される十分なエビデンスはない。生後3日間の間だけ1日5 mL以上の人工乳を追加した児では、1歳時点の牛乳アレルギーが多かったという報告がある。生後1か月以降に普通ミルクを1日10 mL以上追加すると、その後の牛乳アレルギー発症が抑制されたという報告がある。	55〜61、76〜79
離乳食の開始時期	生後5〜6か月ごろが適当〔授乳・離乳の支援ガイド（2019年改訂版）〕であり、離乳食の開始を遅らせることは推奨されない。	81
鶏卵の早期摂取	生後5〜6か月から加熱卵黄を摂取開始してよい。	82〜87
乳児期発症早期からの湿疹の治療	乳児期早期の湿疹が食物アレルギーのリスク因子となることは多くの疫学研究から明らかであり、離乳食開始前には、湿疹発症早期から治療を開始し、速やかに湿疹を十分にコントロールしておくことは推奨される。	106、107
腸内フローラ	乳児期早期の腸内フローラがその後のアレルギー発症に関連するという疫学研究はあるが、妊娠中や授乳中のプロバイオティクス、プレバイオティクス、シンバイオティクスの使用が食物アレルギーを予防する十分なエビデンスはない。	97〜104
ビタミン・魚油	ビタミン・魚油の摂取が食物アレルギーを予防する十分なエビデンスはない。	62〜69

1) 妊娠中や授乳中の母親の食物除去

妊娠中や授乳中の母親の食物除去による食物アレルギー予防を検討した無作為化比較対照試験（randomized controlled trial, RCT）が複数報告されている[70〜74]。コクランレビューでは、直接食物アレルギーをアウトカムにして評価はしていないが、妊娠・授乳中の母親の食物除去による食物抗原感作や湿疹および喘息の発症予防効果はないとしている[75]。食物アレルギーの発症予防のために、妊娠中や授乳中に母親が食物除去を行うことは推奨されない。

2) 母乳栄養、混合栄養、低アレルゲン化ミルク

母乳栄養は、児と母親にとって多くのメリットがあるが、Lodgeらの観察研究のシステマティックレビューとメタ解析によると、母乳栄養期間と食物アレルギーには関連が認められなかった（統合オッズ比 1.02）[76]。SakiharaらによるRCTでは、生後1〜3か月の間に母乳に追加して普通ミルクを1日10 mL以上摂取する群と、必要時には大豆乳を追加して牛乳由来のミルクを摂取しない群を比較して、前者で生後6か月時に牛乳アレルギーの発症が有意に抑制されたことを報告している（リスク比 0.12）[77]。

Boyleらはメタ解析により、普通ミルクと比較して、部分加水分解乳や完全加水分解乳は食物アレルギーの発症と関連がないという結果を示した（部分加水分解乳の統合リスク比 1.73、完全加水分解乳の統合リスク比 0.86）[78]。Urashimaらは、RCTの結果、生後3日間の完全母

乳もしくはアミノ酸乳のみの追加は1日5 mL以上の普通ミルクを追加した場合に比べて1歳時点の牛乳アレルギーが少ないことを示した[79]。

3）離乳食の開始時期

　離乳食の開始を遅らせることで食物アレルギーの発症を予防できるというエビデンスはない。Nwaruらのコホート研究では、固形食の導入が遅れると、食物や抗原感作のリスクが高くなる[80]。Burgessらのシステマティックレビューでは、ミルク以外の固形食を生後4か月より前から開始することは、生後4か月以降の開始と比較しても、食物アレルギーの発症と関連がないという結果を示している（統合オッズ比1.22）[81]。「授乳・離乳の支援ガイド（2019年改訂版）」では生後5～6か月ごろが適当であるとし、これより早めたり遅らせたりすることは推奨されていない。

4）鶏卵・ピーナッツなどアレルギーになりやすい食物の早期摂取

　鶏卵早期摂取に関して、わが国におけるアトピー性皮膚炎の乳児を対象としたRCT（PETITスタディ）[82]では、生後6か月からごく少量の加熱鶏卵を段階的に導入した群において、生後12か月まで除去した群と比較し有意に鶏卵アレルギーの発症を減少させることが示された。この研究では明らかな有害事象は報告されず、加えて対象者はプロアクティブ療法を含めた積極的な湿疹コントロールによる寛解状態を維持していた。海外で行われた鶏卵早期摂取によるRCTは5試験[83〜87]あるが、そのうち4試験[84〜87]は生卵を使用したもので摂取量も多く、初回摂取でアナフィラキシーを来す症例も存在した。しかし、これらを含むメタ解析では、鶏卵早期摂取による予防効果が示されている[88,89]。

　ピーナッツの早期摂取に関しては、LEAPスタディにおいて生後4か月以上11か月未満のハイリスク乳児（アトピー性皮膚炎や鶏卵アレルギーのある乳児）を対象に、ピーナッツ摂取群と回避群のRCTが行われ、5歳におけるピーナッツアレルギー発症率は除去群で17.2％のところ、摂取群では3.2％と有意に少なく[90]、さらに効果は5歳から1年間完全除去の期間を経た後も継続することを報告した[91]。この報告から「ピーナッツアレルギーの発症リスクが高い国では、乳児の離乳時期においては"遅く"ではなく、むしろなるべく"早く"ピーナッツの摂取を開始するほうが有益である」との国際的なコンセンサスステートメントが発表されている[92]。しかし、ピーナッツ早期摂取によりピーナッツに対する消化管アレルギーが増加しているとの報告もあり、今後注意していく必要がある[93]。

　アレルギーになりやすい複数の食物を早期から摂取する研究については、ハイリスクを考慮しない完全母乳乳児を対象としたEATスタディにおいて、アレルギー発症頻度の高い食品を生後3～5か月の間に開始する早期導入群では、生後6か月以降に開始する標準導入群と比較して、per-protocol解析において鶏卵とピーナッツにおける感作率低減とアレルギーの発症予防効果を示した[83]。しかし、intention-to-treat解析では有意差を認めなかったばかりかプロ

第6章 リスク因子と予防

トコールからの脱落率も高く、有効性と安全性の解釈に対しては注意を要する。

5）乳児期早期からの保湿剤塗布

乳児期早期からの保湿剤塗布による食物アレルギーの発症予防を検討しているRCTは、3編報告されている[94〜96]。日本で行われたYonezawaらの報告では、生後3か月までに保湿剤塗布を行っても2歳までの食物アレルギーの発症予防効果は認められなかった（介入群16.4%、コントロール群12.5%、p＝0.489）[94]。英国でハイリスク児を対象に新生児期から保湿剤塗布を行ったBEEPスタディでは、2歳までの鶏卵、牛乳、ピーナッツアレルギー予防効果は認められなかった（調整リスク比1.47）[95]。日本で行われたDissanayakeらによる生後6か月までのスキンケアとシンバイオティクスを組み合わせた報告では、非介入群と比較して、スキンケア介入のみの群でも、スキンケアとシンバイオティクスを組み合わせた群でも有意な予防効果は認められなかった[96]。コクランレビューにおいても、乳児期での保湿剤塗布による食物アレルギーの発症予防効果は認められなかった[97]。

6）プロバイオティクス、プレバイオティクス、シンバイオティクス

プロバイオティクス、プレバイオティクス、シンバイオティクスによる食物アレルギーの予防に関し8編のRCTが報告されている[98〜105]。プレバイオティクスとしては、Ivakhnenkoらは健常正期産児に普通ミルクにオリゴ糖を混ぜて投与を行い、1歳6か月までの食物アレルギーの累積発症率は減少傾向にあったが、明らかな有効性を示していない（リスク比0.29）[98]。プロバイオティクスについては、Plummerらが *Bifidobacterium infantis*、*Streptococcus thermophilus*、*Bifidobacterium lactis* を混合したものを早期産児に投与したが、食物アレルギーの発症に対して有意な予防効果は認められなかった〔介入群4/124（3%）対プラセボ群2/154（1%）〕[100]。Morissetらは、ハイリスク乳児に対して生まれてから1歳まで *Bifidobacterium breve* C50と *Streptococcus thermophilus* 065を普通ミルクに混ぜて投与したが、牛乳アレルギーの発症予防効果は認められなかった[101]。Kallioらは、妊娠中に母親が *Lactobacillus rhamnosus* GG（ATCC53103）、*Lactobacillus rhamnosus* LC705（DSM7061）、*Bifidobacterium breve* Bb99（DSM13692）、*Propionibacterium freudenreichii* ssp. *shermanii* JS（DSM7076）を摂取し、生後6か月まで児がガラクトオリゴ糖を摂取したが、介入群はプラセボ群と比較して食物アレルギー発症の割合に有意な差を認めなかった（22.7%対26.9%）[104]。

これらの報告から、妊娠中や授乳中のプロバイオティクス、プレバイオティクス、シンバイオティクスの使用が食物アレルギーを予防する十分なエビデンスはなく、食物アレルギー予防の手法としては推奨できない。

7）ビタミンD

2018年のシステマティックレビューでは、食物アレルギーを含むアレルギー疾患に対してビタミンDが一次予防するかを検討しているが、結論として、ビタミンD投与による予防効果については明らかではないとしている[106]。ビタミンDによる発症予防についてはさらなる検討が必要とされる[47]。

4．小児の食物アレルギーの二次予防

感作が成立した摂取既往のない乳児に対し、何らかの介入により食物アレルギーの発症を予防できることを報告した研究は少ない。現在考え得る介入方法として以下の2つが挙げられるが、いずれもエビデンスに乏しくその予防的効果に対する判断は難しい。

1）経口耐性誘導（食物アレルギー発症例への経口免疫療法は第11章参照）

前述のLEAPスタディでは、ピーナッツ皮膚プリックテスト陽性群（径1〜4mmを指し、それ以上もしくは食物経口負荷試験陽性例は除外）98人に対して、摂取群でピーナッツアレルギー発症をより抑制する結果が示された[90]。また、PETITスタディでは生後6か月の卵白特異的IgE抗体陽性群に対しても、早期加熱卵白導入群でより鶏卵アレルギーの発症を予防することが示された[82]。ただし、食物アレルギーを発症している可能性がある乳児に原因食物を摂取させることは危険な行為であり、すでに発症が疑われる症例については自宅摂取を指示する前に食物経口負荷試験の検討を含めた細心の注意が必要である。

2）湿疹に対する積極的な抗炎症治療と寛解維持

食物抗原の経皮感作のリスクとして皮膚バリア機能の低下や皮膚炎が示唆されていることから、アトピー性皮膚炎に対する積極的な湿疹コントロールがアレルゲン感作や感作後のアレルギーマーチを減ずる可能性に関心が向けられている。山崎らの症例対照研究では、生後4か月までにプロアクティブ療法を開始したアトピー性皮膚炎の乳児は、生後5か月以降にプロアクティブ療法を開始した乳児と比較して、生後18か月時までの鶏卵アレルギーの罹患率が有意に低かった（9.1％対24.2％）[107]。Miyajiらの後方視的コホート研究でも、乳児期発症アトピー性皮膚炎で発症から4か月以内にプロアクティブ療法を開始した群のほうが、2歳時の食物アレルギー有病率は有意に低かった[108]。また、アトピー性皮膚炎発症から治療開始までの期間が長いほうが2歳時の食物アレルギー有病率が高いことも明らかとなった。これらの結果より、アトピー性皮膚炎発症児に対して、プロアクティブ療法を発症早期から行い寛解維持する治療戦略は、アレルギー感作や食物アレルギーの発症リスクを下げることが示唆される。

参考文献

1) Høst A, Halken S, Muraro A, et al. Dietary prevention of allergic diseases in infants and small children. Amendment to

previous published articles in Pediatric Allergy and Immunology 2004, by an expert group set up by the Section on Pediatrics, European Academy of Allergology and Clinical Immunology. Pediatr Allergy Immunol. 2008；19：1-4.
2) Prescott SL, Pawankar R, Allen KJ, et al. A global survey of changing patterns of food allergy burden in children. World Allergy Organ J. 2013；6：21.
3) 公益財団法人日本学校保健会. 児童生徒の健康状態サーベイランス事業報告書（平成26年度）. 2016.
4) Quake C, Nadeau KC. The role of epigenetic mediation and the future of food allergy research. Semin Cell Dev Biol. 2015；43：125-30.
5) Martino D, Dang T, Sexton-Oates A. Blood DNA methylation biomarkers predict clinical reactivity in food-sensitized infants. J Allergy Clin Immunol. 2015；135：1319-28.e1-12.
6) Fleischer DM, Sicherer S, Greenhawt, et al. Consensus communication on early peanut introduction and the prevention of peanut allergy in high-risk infants. J Allergy Clin Immunol. 2015；136：258-61.
7) du Toit G, Tsakok T, Lack S, et al. Prevention of food allergy. J Allergy Clin Immunol. 2016；137：998-1010.
8) Lack G. Epidemiologic risks for food allergy. J Allergy Clin Immunol. 2008；121：1331-6.
9) Hourihane JO, Dean TP, Warner JO. Peanut allergy in relation to heredity, maternal diet, and other atopic diseases：results of a questionnaire survey, skin prick testing, and food challenges. BMJ. 1996；313：518-21.
10) Tsai HJ, Kumar R, Pongracic J, et al. Familial aggregation of food allergy and sensitization to food allergens：a family-based study. Clin Exp Allergy. 2009；39：101-9.
11) Sugiura S, Hiramitsu Y, Futamura M, et al. Development of a prediction model for infants at high risk of food allergy. Asia Pac Allergy. 2021；11：e5.
12) Keet C, Pistiner M, Plesa M, et al. Age and eczema severity, but not family history, are major risk factors for peanut allergy in infancy. J Allergy Clin Immunol. 2021；147：984-91.e5.
13) Brown SJ, Asai Y, Cordell HJ, et al. Loss-of-function variants in the filaggrin gene are a significant risk factor for peanut allergy. J Allergy Clin Immunol. 2011；127：661-7.
14) Torgerson TR, Linane A, Moes N, et al. Severe food allergy as a variant of IPEX syndrome caused by a deletion in a noncoding region of the *FOXP3* gene. Gastroenterology. 2007；132：1705-17.
15) Campos Alberto EJ, Shimojo N, Suzuki Y, et al. *IL-10* gene polymorphism, but not TGF-beta1 gene polymorphisms, is associated with food allergy in a Japanese population. Pediatr Allergy Immunol. 2008；19：716-21.
16) Hitomi Y, Ebisawa M, Tomikawa M, et al. Associations of functional *NLRP3* polymorphisms with susceptibility to food-induced anaphylaxis and aspirin-induced asthma. J Allergy Clin Immunol. 2009；124：779-85.e6.
17) Sicherer SH, Furlong TJ, Maes HH, et al. Genetics of peanut allergy：a twin study. J Allergy Clin Immunol. 2000；106：53-6.
18) Brough HA, Simpson A, Makinson K, et al. Peanut allergy：effect of environmental peanut exposure in children with filaggrin loss-of-function mutations. J Allergy Clin Immunol. 2014；134：867-75.e1.
19) Ashley SE, Tan HT, Vuillermin P, et al. The skin barrier function gene *SPINK5* is associated with challenge-proven IgE-mediated food allergy in infants. Allergy. 2017；72：1356-64.
20) Hirota T, Nakayama T, Sato S, et al. Association study of childhood food allergy with genome-wide association studies-discovered loci of atopic dermatitis and eosinophilic esophagitis. J Allergy Clin Immunol. 2017；140：1713-6.
21) Asai Y, Eslami A, van Ginkel CD, et al. A Canadian genome-wide association study and meta-analysis confirm *HLA* as a risk factor for peanut allergy independent of asthma. J Allergy Clin Immunol. 2018；141：1513-6.
22) Hong X, Hao K, Ladd-Acosta C, et al. Genome-wide association study identifies peanut allergy-specific loci and evidence of epigenetic mediation in US children. Nat Commun. 2015；6：6304.
23) Martin PE, Eckert JK, Koplin JJ, et al. Which infants with eczema are at risk of food allergy? Results from a population-based cohort. Clin Exp Allergy. 2015；45：255-64.
24) Marenholz I, Grosche S, Kalb B, et al. Genome-wide association study identifies the *SERPINB* gene cluster as a susceptibility locus for food allergy. Nat Commun. 2017；8：1056.
25) Asai Y, Eslami A, van Ginkel CD, et al. Genome-wide association study and meta-analysis in multiple populations identifies new loci for peanut allergy and establishes *C11orf30/EMSY* as a genetic risk factor for food allergy. J Allergy Clin Immunol. 2018；141：991-1001.
26) Berdyshev E, Goleva E, Bronova I, et al. Unique skin abnormality in patients with peanut allergy but no atopic dermatitis. J Allergy Clin Immunol. 2021；147：361-7.e1.
27) Leung DYM, Calatroni A, Zaramela LS, et al. The nonlesional skin surface distinguishes atopic dermatitis with food allergy as a unique endotype. Sci Transl Med. 2019；11：eaav2685.
28) Sampson HA. Role of immediate food hypersensitivity in the pathogenesis of atopic dermatitis. J Allergy Clin Immunol. 1983；71：473-80.

29) Lack G, Fox D, Northstone K, et al. Factors associated with the development of peanut allergy in childhood. N Engl J Med. 2003;348:977-85.
30) Shoda T, Futamura M, Yang L, et al. Timing of eczema onset and risk of food allergy at 3 years of age: A hospital-based prospective birth cohort study. J Dermatol Sci. 2016;84:144-8
31) Roduit C, Frei R, Depner M, et al. Phenotypes of atopic dermatitis depending on the timing of onset and progression in childhood. JAMA Pediatr 2017;171:655-62.
32) Tran MM, Lefebvre DL, Dharma C, et al. Predicting the atopic march: Results from the Canadian Healthy Infant Longitudinal Development Study. J Allergy Clin Immunol. 2018;141:601-7.e8.
33) Perry TT, Conover-Walker MK, Pomes A, et al. Distribution of peanut allergen in the environment. J Allergy Clin Immunol. 2004;113:973-6.
34) Kitazawa H, Yamamoto-Hanada K, Saito-Abe M, et al. Egg antigen was more abundant than mite antigen in children's bedding: Findings of the pilot study of the Japan Environment and Children's Study (JECS). Allergol Int. 2019;68:391-3
35) Trendelenburg V, Tschirner S, Niggemann B, et al. Hen's egg allergen in house and bed dust is significantly increased after hen's egg consumption-A pilot study. Allergy. 2018;73:261-4.
36) Sheehan WJ, Brough HA, Makinson K, et al. Distribution of peanut protein in school and home environments of inner-city children. J Allergy Clin Immunol. 2017;140:1724-6.
37) Fox AT, Sasieni P, du Toit G, et al. Household peanut consumption as a risk factor for the development of peanut allergy. J Allergy Clin Immunol. 2009;123:417-23.
38) Brough HA, Santos AF, Makinson K, et al. Peanut protein in household dust is related to household peanut consumption and is biologically active. J Allergy Clin Immunol. 2013;132:630-8.
39) Brough HA, Liu AH, Sicherer S, et al. Atopic dermatitis increases the effect of exposure to peanut antigen in dust on peanut sensitization and likely peanut allergy. J Allergy Clin Immunol. 2015;135:164-70.
40) Chan SM, Turcanu V, Stephens AC, et al. Cutaneous lymphocyte antigen and $\alpha 4\beta 7$ T-lymphocyte responses are associated with peanut allergy and tolerance in children. Allergy. 2012;67:336-42.
41) Camargo CA, Jr, Clark S, Kaplan MS, et al. Regional differences in EpiPen prescriptions in the United States: the potential role of vitamin D. J Allergy Clin Immunol. 2007;120:131-6.
42) Tanaka K, Matsui T, Sato A, et al. The relationship between the season of birth and early-onset food allergies in children. Pediatr Allergy Immunol. 2015;26:607-13.
43) Mullins RJ, Clark S, Katelaris C, et al. Season of birth and childhood food allergy in Australia. Pediatr Allergy Immunol. 2011;22:583-9.
44) Hoyos-Bachiloglu R, Morales PS, Cerda J, et al. Higher latitude and lower solar radiation influence on anaphylaxis in Chilean children. Pediatr Allergy Immunol. 2014;25:338-43.
45) Weisse K, Winkler S, Hirche F, et al. Maternal and newborn vitamin D status and its impact on food allergy development in the German LINA cohort study. Allergy. 2013;68:220-8.
46) Allen KJ, Koplin JJ, Ponsonby AL, et al. Vitamin D insufficiency is associated with challenge-proven food allergy in infants. J Allergy Clin Immunol. 2013;131:1109-16.e1-6.
47) Giannetti A, Bernardini L, Cangemi J, et al. Role of vitamin D in prevention of food allergy in infants. Front Pediatr. 2020;8:447.
48) Fujimura KE, Sitarik AR, Havstad S, et al. Neonatal gut microbiota associates with childhood multisensitized atopy and T cell differentiation. Nat Med. 2016;22:1187-91.
49) Feehley T, Plunkett CH, Bao R, et al. Healthy infants harbor intestinal bacteria that protect against food allergy. Nat Med. 2019;25:448-53.
50) Bager P, Wohlfahrt J, Westergaard T. Caesarean delivery and risk of atopy and allergic disease: meta-analyses. Clin Exp Allergy. 2008;38:634-42.
51) Mitselou N, Hallberg J, Stephansson O, et al. Cesarean delivery, preterm birth, and risk of food allergy: Nationwide Swedish cohort study of more than 1 million children. J Allergy Clin Immunol. 2018;142:1510-4.e2.
52) Koplin JJ, Dharmage SC, Ponsonby AL, et al. Environmental and demographic risk factors for egg allergy in a population-based study of infants. Allergy. 2012;67:1415-22.
53) Marrs T, Logan K, Craven J, et al. Dog ownership at three months of age is associated with protection against food allergy. Allergy. 2019;74:2212-9.
54) Sitarik AR, Havstad S, Levin AM, et al. Dog introduction alters the home dust microbiota. Indoor Air. 2018;28:539-47.
55) Vandenplas Y, Hauser B, Van den Borre C, et al. Effect of a whey hydrolysate prophylaxis of atopic disease. Ann Allergy. 1992;68:419-24.

56) Halken S, Hansen KS, Jacobsen HP, et al. Comparison of a partially hydrolyzed infant formula with two extensively hydrolyzed formulas for allergy prevention : A prospective, randomized study. Pediatric Allergy and Immunology. 2000 ; 11 : 149-61.
57) Lowe AJ, Hosking CS, Bennett CM, et al. Effect of a partially hydrolyzed whey infant formula at weaning on risk of allergic disease in high-risk children : a randomized controlled trial. J Allergy Clin Immunol. 2011 ; 128 : 360-5.e4.
58) von Berg A, Koletzko S, Grubl A, et al. The effect of hydrolyzed cow's milk formula for allergy prevention in the first year of life : the German Infant Nutritional Intervention Study, a randomized double-blind trial. J Allergy Clin Immunol. 2003 ; 111 : 533-40.
59) Oldaeus G, Anjou K, Björkstén B, et al. Extensively and partially hydrolysed infant formulas for allergy prophylaxis. Arch Dis Child. 1997 ; 77 : 4-10.
60) Mallet E, Henocq A. Long-term prevention of allergic diseases by using protein hydrolysate formula in at-risk infants. J Pediatr. 1992 ; 121 : S95-100.
61) Halken S, Høst A, Hansen LG, et al. Preventive effect of feeding high-risk infants a casein hydrolysate formula or an ultrafiltrated whey hydrolysate formula. A prospective, randomized, comparative clinical study. Pediatric Allergy and Immunology. 1993 ; 4 : 173-81.
62) Goldring ST, Griffiths CJ, Martineau AR, et al. Prenatal vitamin d supplementation and child respiratory health : a randomised controlled trial. PLoS One. 2013 ; 8 : e66627.
63) Norizoe C, Akiyama N, Segawa T, et al. Increased food allergy and vitamin D : randomized, double-blind, placebo-controlled trial. Pediatr Int. 2014 ; 56 : 6-12.
64) Rosendahl J, Pelkonen AS, Helve O, et al. High-dose vitamin D supplementation does not prevent allergic sensitization of infants. J Pediatr. 2019 ; 209 : 139-45.e1.
65) Dunstan JA, Mori TA, Barden A, et al. Fish oil supplementation in pregnancy modifies neonatal allergen-specific immune responses and clinical outcomes in infants at high risk of atopy : a randomized, controlled trial. J Allergy Clin Immunol. 2003 ; 112 : 1178-84.
66) Palmer DJ, Sullivan T, Gold MS, et al. Randomized controlled trial of fish oil supplementation in pregnancy on childhood allergies. Allergy. 2013 ; 68 : 1370-6.
67) Furuhjelm C, Warstedt K, Larsson J, et al. Fish oil supplementation in pregnancy and lactation may decrease the risk of infant allergy. Acta Paediatr. 2009 ; 98 : 1461-7.
68) D'Vaz N, Meldrum SJ, Dunstan JA, et al. Postnatal fish oil supplementation in high-risk infants to prevent allergy : randomized controlled trial. Pediatrics 2012 ; 130 : 674-82.
69) Manley BJ, Makrides M, Collins CT, et al. High-dose docosahexaenoic acid supplementation of preterm infants : respiratory and allergy outcomes. Pediatrics. 2011 ; 128 : e71-7.
70) Lilja G, Dannaeus A, Foucard T, et al. Effects of maternal diet during late pregnancy and lactation on the development of atopic diseases in infants up to 18 months of age--*in-vivo* results. Clin Exp Allergy. 1989 ; 19 : 473-9.
71) Fälth-Magnusson K, Kjellman NI. Allergy prevention by maternal elimination diet during late pregnancy--a 5-year follow-up of a randomized study. J Allergy Clin Immunol. 1992 ; 89 : 709-13.
72) Arshad SH, Matthews S, Gant C, et al. Effect of allergen avoidance on development of allergic disorders in infancy. Lancet.1992 ; 339 : 1493-7.
73) Zeiger RS, Heller S, Mellon MH, et al. Genetic and environmental factors affecting the development of atopy through age 4 in children of atopic parents : a prospective randomized study of food allergen avoidance. Pediatric Allergy and Immunology. 1992 ; 3 : 110-27.
74) Odelrarn H, Vanto T, Jacobsen L, et al. Whey hydrolysate compared with cow's milk-based formula for weaning at about 6 months of age in high allergy-risk infants : effects on atopic disease and sensitization. Allergy. 1996 ; 51 : 192-5.
75) Kramer MS, Kakuma R. Maternal dietary antigen avoidance during pregnancy or lactation, or both, for preventing or treating atopic disease in the child. Cochrane Database Syst Rev. 2012 ; 2012 : CD000133.
76) Lodge CJ, Tan DJ, Lau MX, et al. Breastfeeding and asthma and allergies : a systematic review and meta-analysis. Acta Paediatr. 2015 ; 104 : 38-53.
77) Sakihara T, Otsuji K, Arakaki Y, et al. Randomized trial of early infant formula introduction to prevent co1w's milk allergy. J Allergy Clin Immunol. 2021 ; 147 : 224-32.
78) Boyle RJ, Ierodiakonou D, Khan T, et al. Hydrolysed formula and risk of allergic or autoimmune disease : systematic review and meta-analysis. BMJ. 2016 ; 352 : i974.
79) Urashima M, Mezawa H, Okuyama M, et al. Primary prevention of cow's milk sensitization and food allergy by avoiding supplementation with cow's milk formula at birth : A randomized clinical trial. JAMA Pediatr. 2019 ; 173 : 1137-45.
80) Nwaru BI, Erkkola M, Ahonen S, et al. Age at the introduction of solid foods during the first year and allergic sensitization

at age 5 years. Pediatrics. 2010；125：50-9.
81) Burgess JA, Dharmage SC, Allen K, et al. Age at introduction to complementary solid food and food allergy and sensitization：A systematic review and meta-analysis. Clin Exp Allergy. 2019；49：754-69.
82) Natsume O, Kabashima S, Nakazato J, et al. Two-step egg introduction for prevention of egg allergy in high-risk infants with eczema (PETIT)：a randomised, double-blind, placebo-controlled trial. The Lancet. 2017；389：276-86.
83) Perkin MR, Logan K, Tseng A, et al. Randomized trial of introduction of allergenic foods in breast-fed infants. N Engl J Med. 2016；374：1733-43.
84) Bellach J, Schwarz V, Ahrens B, et al. Randomized placebo-controlled trial of hen's egg consumption for primary prevention in infants. J Allergy Clin Immunol. 2017；139：1591-9.e2.
85) Palmer DJ, Metcalfe J, Makrides M, et al. Early regular egg exposure in infants with eczema：A randomized controlled trial. J Allergy Clin Immunol. 2013；132：387-92.e1.
86) Palmer DJ, Sullivan TR, Gold MS, et al. Randomized controlled trial of early regular egg intake to prevent egg allergy. J Allergy Clin Immunol. 2017；139：1600-7.e2.
87) Wei-Liang Tan J, Valerio C, Barnes EH, et al. A randomized trial of egg introduction from 4 months of age in infants at risk for egg allergy. Journal of Allergy and Clinical Immunology. 2017；139：1621-8.e8.
88) Ierodiakonou D, Garcia-Larsen V, Logan A, et al. Timing of allergenic food introduction to the infant diet and risk of allergic or autoimmune disease：A systematic review and meta-analysis. JAMA. 2016；316：1181-92.
89) Natsume O, Ohya Y. Recent advancement to prevent the development of allergy and allergic diseases and therapeutic strategy in the perspective of barrier dysfunction. Allergol Int. 2018；67：24-31.
90) Du Toit G, Roberts G, Sayre PH, et al. Randomized trial of peanut consumption in infants at risk for peanut allergy. N Engl J Med. 2015；372：803-13.
91) Du Toit G, Sayre PH, Roberts G, et al. Effect of avoidance on peanut allergy after early peanut consumption. N Engl J Med. 2016；374：1435-43.
92) Fleischer DM, Sicherer S, Greenhawt M, et al. Consensus communication on early peanut introduction and the prevention of peanut allergy in high-risk infants. J Allergy Clin Immunol. 2015；136：258-61.
93) Lopes JP, Cox AL, Baker MG, et al. Peanut-induced food protein-induced enterocolitis syndrome (FPIES) in infants with early peanut introduction. J Allergy Clin Immunol Pract. 2021；9：2117-9.
94) Yonezawa K, Haruna M. Short-term skin problems in infants aged 0-3 months affect food allergies or atopic dermatitis until 2 years of age, among infants of the general population. Allergy Asthma Clin Immunol. 2019；15：74.
95) Chalmers JR, Haines RH, Bradshaw LE, et al. Daily emollient during infancy for prevention of eczema：the BEEP randomised controlled trial. The Lancet. 2020；395：962-72.
96) Dissanayake E, Tani Y, Nagai K, et al. Skin care and synbiotics for prevention of atopic dermatitis or food allergy in newborn infants：A 2×2 factorial, randomized, non-treatment controlled trial. Int Arch Allergy Immunol. 2019；180：202-11.
97) Kelleher MM, Cro S, Cornelius V, et al. Skin care interventions in infants for preventing eczema and food allergy. Cochrane Database Syst Rev. 2021；2：CD013534.
98) Ivakhnenko OS, Nyankovskyy SL. Effect of the specific infant formula mixture of oligosaccharides on local immunity and development of allergic and infectious disease in young children：randomized study. Pediatria Polska. 2013；88：398-404.
99) Prescott SL, Wiltschut J, Taylor A, et al. Early markers of allergic disease in a primary prevention study using probiotics：2.5-year follow-up phase. Allergy. 2008；63：1481-90.
100) Plummer EL, Chebar Lozinsky A, Tobin JM, et al. Postnatal probiotics and allergic disease in very preterm infants：Sub-study to the ProPrems randomized trial. Allergy. 2020；75：127-36.
101) Morisset M, Aubert-Jacquin C, Soulaines P, et al. A non-hydrolyzed, fermented milk formula reduces digestive and respiratory events in infants at high risk of allergy. Eur J Clin Nutr. 2011；65：175-83.
102) Kalliomäki M, Salminen S, Poussa T, et al. Probiotics and prevention of atopic disease：4-year follow-up of a randomised placebo-controlled trial. Lancet 2003；361：1869-71.
103) Niers L, Martin R, Rijkers G, et al. The effects of selected probiotic strains on the development of eczema (the PandA study). Allergy. 2009；64：1349-58.
104) Kallio S, Kukkonen AK, Savilahti E, et al. Perinatal probiotic intervention prevented allergic disease in a Caesarean-delivered subgroup at 13-year follow-up. Clin Exp Allergy. 2019；49：506-15.
105) Marschan E, Kuitunen M, Kukkonen K, et al. Probiotics in infancy induce protective immune profiles that are characteristic for chronic low-grade inflammation. Clin Exp Allergy. 2008；38：611-8.
106) Yepes-Nunez JJ, Brozek JL, Fiocchi A, et al. Vitamin D supplementation in primary allergy prevention：Systematic review

of randomized and non-randomized studies. Allergy. 2018；73：37-49.
107) 山﨑　晃，竹村　豊，長井　恵，他.〈原著〉食物アレルギー発症予防を目的とした乳児期早期の湿疹に対するプロアクティブ療法の効果：後方視的ケースコントロールスタディ．近畿大学医学雑誌．2016；41：9-16.
108) Miyaji Y, Yang L, Yamamoto-Hanada K, et al. Earlier aggressive treatment to shorten the duration of eczema in infants resulted in fewer food allergies at 2 years of age. J Allergy Clin Immunol Pract. 2019；8：1721-4.e6.

第7章 即時型症状の重症度判定と対症療法

Japanese Guidelines for Food Allergy 2021

[要旨]

1. 食物アレルギーによる症状は臓器ごとに重症度分類を用いて素早く評価し、重症度に基づいた治療を行う。
2. アドレナリン筋肉注射はアナフィラキシーの第一選択薬であり、アナフィラキシーと診断した場合には速やかに投与する。
3. アナフィラキシーでは仰臥位ならびに下肢挙上のポジショニングを行い、必要により高流量酸素投与、生理食塩水もしくは各種リンゲル液の急速補液を行う。効果が不十分な場合にはアドレナリン筋肉注射と急速補液の反復投与を行う。
4. アナフィラキシーでは一旦症状が改善した後に再び症状が増悪することがあるため、十分な観察時間と本人、保護者への指導が必要である。
5. アドレナリン自己注射薬を処方する際には、使用法だけでなく使用するタイミングも具体的に繰り返し指導する。
6. 日常生活における不意の症状発現に対する適切な対応には、正しい資料に基づいた日常の訓練が重要である。

1. 誘発症状と重症度判定[1]

　食物アレルギーによる即時型アレルギー反応は、血管透過性亢進や血管拡張、気管支平滑筋の収縮により、急速に全身のさまざまな臓器で症状が進行することが特徴である。そのため起こり得る症状を熟知し、迅速に臓器ごとの重症度を判断し、それに応じた対応をとる必要がある。

1）臨床所見による重症度分類

　原因食物摂取後、数分から2時間以内に急速にさまざまな症状が出現する。各臓器で認められる症状とその重症度を表7-1に示す。臓器別にグレード1（軽症）、グレード2（中等症）、グレード3（重症）に分類され、最も高いものを全体の重症度とする。

2）各臓器症状の重症度判定
（1）皮膚・粘膜症状

　紅斑、蕁麻疹、瘙痒といった皮膚・粘膜症状はアナフィラキシーの80〜90％に認められ[2]、最も頻度が高い症状である。しかし、皮膚症状を欠くことで即時型アレルギー反応やア

第7章 即時型症状の重症度判定と対症療法

■ 表7-1 即時型症状の臨床所見と重症度分類[1]

		グレード1（軽症）	グレード2（中等症）	グレード3（重症）
皮膚・粘膜症状	紅斑・蕁麻疹・膨疹	部分的	全身性	←
	瘙痒	軽い瘙痒（自制内）	強い瘙痒（自制外）	←
	口唇、眼瞼腫脹	部分的	顔全体の腫れ	←
消化器症状	口腔内、咽頭違和感	口、のどの痒み、違和感	咽頭痛	←
	腹痛	弱い腹痛	強い腹痛（自制内）	持続する強い腹痛（自制外）
	嘔吐・下痢	嘔気、単回の嘔吐・下痢	複数回の嘔吐・下痢	繰り返す嘔吐・便失禁
呼吸器症状	咳嗽、鼻汁、鼻閉、くしゃみ	間欠的な咳嗽、鼻汁、鼻閉、くしゃみ	断続的な咳嗽	持続する強い咳き込み、犬吠様咳嗽
	喘鳴、呼吸困難	−	聴診上の喘鳴、軽い息苦しさ	明らかな喘鳴、呼吸困難、チアノーゼ、呼吸停止、$SpO_2 \leq 92\%$、締めつけられる感覚、嗄声、嚥下困難
循環器症状	脈拍、血圧	−	頻脈（+15回/分）、血圧軽度低下[*1]、蒼白	不整脈、血圧低下[*2]、重度徐脈、心停止
神経症状	意識状態	元気がない	眠気、軽度頭痛、恐怖感	ぐったり、不穏、失禁、意識消失

*1：血圧軽度低下：1歳未満＜80 mmHg、1〜10歳＜[80+（2×年齢）mmHg]、11歳〜成人＜100 mmHg
*2：血圧低下　　：1歳未満＜70 mmHg、1〜10歳＜[70+（2×年齢）mmHg]、11歳〜成人＜90 mmHg

（柳田紀之, ほか. 日小ア誌. 2014；28：201-10.より改変）

ナフィラキシーを否定してはならない。

（2）呼吸器症状

アナフィラキシーによる死亡例では高率に喘息を合併しており[3]、最も注意が必要な症状である。上気道症状である喉頭絞扼感、犬吠様咳嗽、嗄声は喉頭浮腫を疑う所見であり、急速な窒息を来す可能性がある危険な兆候である。下気道の狭窄が生じた場合には喘息発作と同様に呼気性喘鳴や呼吸困難が認められる。

（3）消化器症状

口、のどの痒みや違和感は、抗原との接触による局所の症状としてよく認められる。嘔吐や下痢は原因食物を排出するためでもあり、下痢は数時間以上経過してから認められることもある。腹痛の程度はさまざまで便意を訴えることも多く、トイレに行った際に体位変化や自律神経系の変調によりショックを来すことがあるので注意が必要である。

（4）神経症状

神経症状は、活気や眠気、頭痛、精神状態（興奮、不穏）を評価する。活気の低下や眠気は

代償性ショック症状の可能性もあり、バイタルサインをモニタリングしながら慎重に経過を追う。グレード3に相当する症状（ぐったり、不穏、失禁、意識消失）が認められた場合には、アナフィラキシーショックの状態と判断する。年少児では不機嫌の評価が困難で、玩具に興味を示すかなどを含めて観察する。

(5) 循環器症状

循環器症状は、心拍数、血圧、不整脈、顔色などを評価する。循環器症状は生命に危機が迫っているサインであるため、速やかな対応が必要である。心拍数の増加や末梢血管の収縮などの代償機転により全身状態が保たれていることがあるが、破綻すると突然の徐脈や血圧低下が出現することがある。収縮期血圧の正常値は年齢により異なる。

（参考）食物経口負荷試験の誘発症状のスコアリングシステムについて

「アナフィラキシースコアリングあいち：Anaphylaxis Scoring Aichi（ASCA）」は食物経口負荷試験における誘発症状の重症度を定量的に評価することができる尺度である（巻末資料7-1）。

2. アナフィラキシーの診断基準

1) アナフィラキシーの定義

2011年に公開された世界アレルギー機構（World Allergy Organization, WAO）のアナフィラキシーガイドライン[4]をもとに、日本アレルギー学会からも『アナフィラキシーガイドライン』（2014年版）が作成されている[5]。それによるとアナフィラキシーは、「アレルゲン等の侵入により、複数臓器に全身性にアレルギー症状が惹起され、生命に危機を与え得る過敏反応」と定義される。さらに血圧低下や意識障害を伴う場合をアナフィラキシーショックという。アナフィラキシーの定義は症状の重篤性にあるため、単にグレード1（軽症）の症状が複数臓器にみられただけのものはアナフィラキシーとはしない。

2) アナフィラキシーの診断基準

『アナフィラキシーガイドライン』（2014年版）の診断基準（図7-1）は、3項目のうちいずれかに該当すればアナフィラキシーと診断するとしている。皮膚症状はアレルギー以外の原因でみられることは稀であるため、アレルゲン曝露が証明されない状況であっても皮膚症状と呼吸器、循環器症状がみられた場合にはアナフィラキシーを疑う（基準1）。逆にアナフィラキシーの10～20％では皮膚症状を欠き、食物を含めたアレルゲン曝露後に呼吸器、もしくは循環器症状のみで発症することは珍しくない[6]。アレルゲン曝露後に血圧低下か気管支攣縮、気道狭窄を認めた場合には、皮膚症状がなくても速やかにアナフィラキシーと診断する（基準2、3）。

皮膚症状を欠くアナフィラキシーの診断を明確にするため、2020年にWAOから定義と診断基準の改定が提案された[7]。そこでは、「アナフィラキシーは通常急激に発症し、時に致死的

第7章 即時型症状の重症度判定と対症療法

1. 皮膚症状（全身の発疹、瘙痒または紅潮）、または粘膜症状（口唇・舌・口蓋垂の腫脹など）のいずれかが存在し、急速に（数分〜数時間以内）発現する症状で、かつ下記a、bの少なくとも1つを伴う

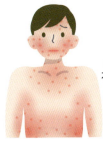
皮膚・粘膜症状

さらに、少なくとも右の1つを伴う

a. 呼吸器症状
（呼吸困難、気道狭窄、喘鳴、低酸素血症）

b. 循環器症状
（血圧低下、意識障害）

2. 一般的にアレルゲンとなり得るものへの曝露の後、急速に（数分〜数時間以内）発現する以下の症状のうち、2つ以上を伴う

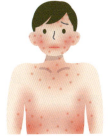
a. 皮膚・粘膜症状
（全身の発疹、瘙痒、紅潮、浮腫）

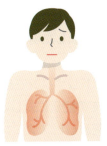
b. 呼吸器症状
（呼吸困難、気道狭窄、喘鳴、低酸素血症）

c. 循環器症状
（血圧低下、意識障害）

d. 持続する消化器症状
（腹部疝痛、嘔吐）

3. 当該患者におけるアレルゲンへの曝露後の急速な（数分〜数時間以内）血圧低下

血圧低下

収縮期血圧低下の定義：平常時血圧の70％未満または下記

生後1か月〜11か月　＜70mmHg
1〜10歳　　　　　＜70＋(2×年齢)mmHg
11歳〜成人　　　　＜90mmHg

〔一般社団法人日本アレルギー学会『アナフィラキシーガイドライン』(2014年版)より転載〕

■ 図7-1　アナフィラキシーの診断基準[5]

となる重篤な全身性過敏性反応である。重症のアナフィラキシーは皮膚症状やショック症状がなくても、呼吸器、循環器症状がみられ致死的となることがある」と定義している。アナフィラキシーの重症度は幅広く、すべてが致死的となるわけではないが、一方で重症化を予見することはできず[8]、早期のアドレナリン投与がリスクを軽減する[9]。そのためこの改定は、アナフィラキシーでは重症度によらず適切にアドレナリン筋肉注射が行われることを意図している。

3. アナフィラキシーの初期治療（図7-2）
1）アナフィラキシーへの対応
　大切なことは迅速にアナフィラキシーかどうか判断し、速やかにアドレナリンの投与を行うべきか判断することである。『アナフィラキシーガイドライン』（2014年版）[5]に準拠した対応を示す。
（1）バイタルサインの確認
　まず二次救命処置と同様に第一印象、一次評価を行い、気道、呼吸、循環、神経学的評価、全身観察により重症度を判断する〔ABCDE（Airway, Breathing, Circulation, Disability, Exposure）アプローチ〕。心電図、パルスオキシメーターを装着する。
（2）人員を確保して複数人で対応する
　呼吸窮迫や循環障害を認めるなど、重篤な状態と判断した場合にはすぐに応援を要請する。
（3）アドレナリンの筋肉注射
　アナフィラキシーに対する治療薬の第一選択はアドレナリンであり[4, 10〜12]、早期に投与することにより入院率[13]や死亡率を低下させる。すべての症状に対し効果があるだけでなく、マスト細胞や好塩基球上のβ_2アドレナリン受容体を刺激しヒスタミンなどの分泌を抑える作用もある[14]。重症化を予見することは困難で[8]、早期のアドレナリン投与は予後を改善するため[9]、アナフィラキシーと診断した場合には重症度に関係なく適切に投与されるべきである。図7-2に示すように、グレード3（重症）の症状はアドレナリン筋肉注射の適用である。それ以外でも過去に重篤なアナフィラキシーの既往がある場合や症状の進行が激烈な場合、循環器症状が認められる場合にはグレード2（中等症）の時点で投与することを考慮する。また気管支拡張剤の吸入により改善しない呼吸器症状も適用となる。

　0.1%アドレナリン（1:1,000；1 mg/mL）原液を用いて、体重1 kg当たり0.01 mg（最高量成人0.5 mg、小児0.3 mg）を大腿中央前外側に筋肉注射する。血中濃度は10分程度で最高となるが、速やかに分解され効果は短時間で消失するため、必要に応じて5〜15分ごとに再投与を行う。蕁麻疹のみではアドレナリン再投与はあまり必要としなかったが、グレード3相当の重症の呼吸器症状（喘鳴、咳）や循環器症状（チアノーゼ、低血圧、不整脈）などを呈した症例でアドレナリン再投与を要する傾向にあり、アナフィラキシー症例の13%でアドレナリン再投与が行われたという報告がある[15]。
（4）患者を仰臥位にする
　立位・起座位への体位変換をきっかけに下大静脈の血流が途絶するEmpty vena cava/

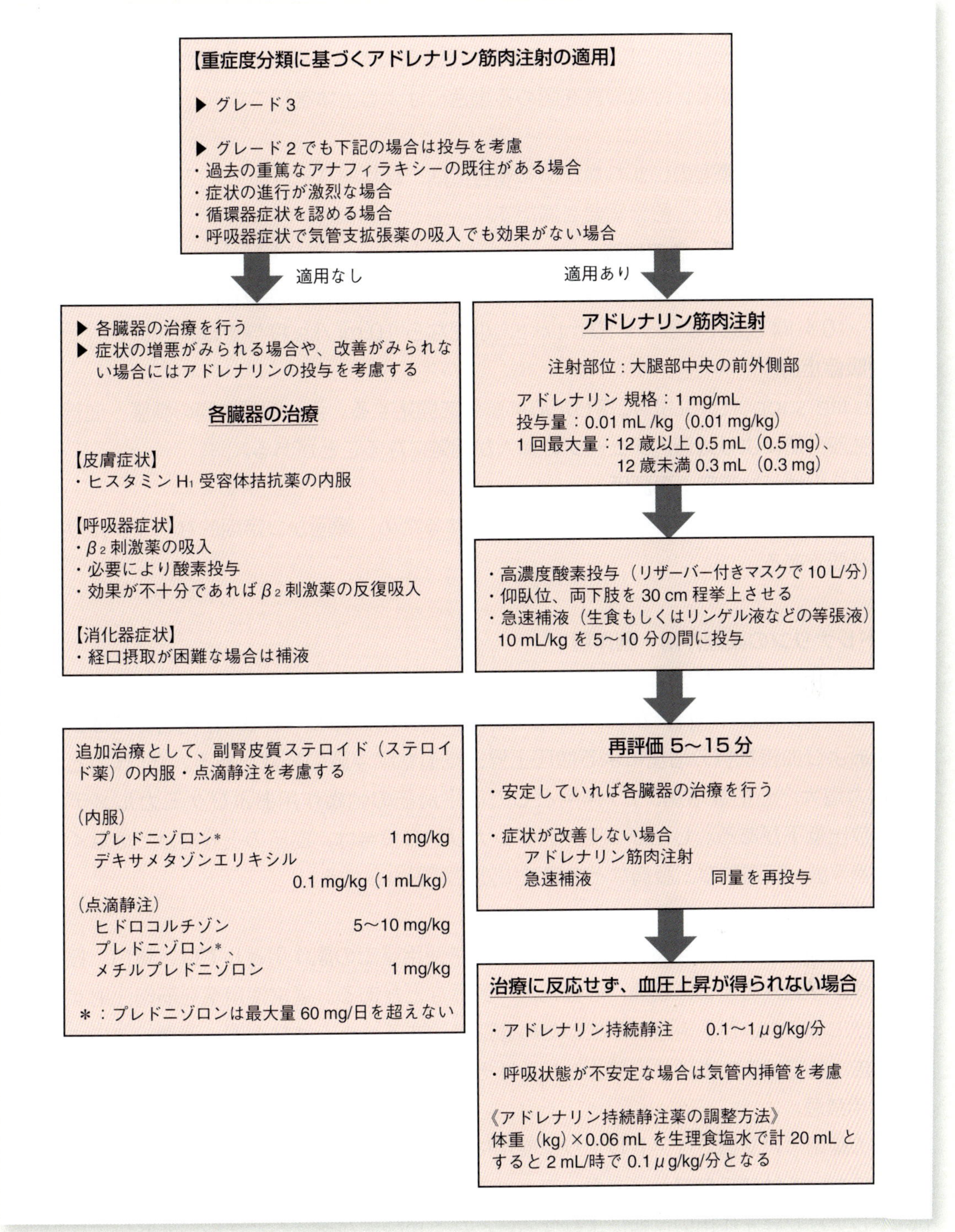

第7章 即時型症状の重症度判定と対症療法

【重症度分類に基づくアドレナリン筋肉注射の適用】
▶ グレード3
▶ グレード2でも下記の場合は投与を考慮
・過去の重篤なアナフィラキシーの既往がある場合
・症状の進行が激烈な場合
・循環器症状を認める場合
・呼吸器症状で気管支拡張薬の吸入でも効果がない場合

適用なし 　　　適用あり

▶ 各臓器の治療を行う
▶ 症状の増悪がみられる場合や、改善がみられない場合にはアドレナリンの投与を考慮する

各臓器の治療

【皮膚症状】
・ヒスタミン H_1 受容体拮抗薬の内服

【呼吸器症状】
・β_2 刺激薬の吸入
・必要により酸素投与
・効果が不十分であれば β_2 刺激薬の反復吸入

【消化器症状】
・経口摂取が困難な場合は補液

追加治療として、副腎皮質ステロイド（ステロイド薬）の内服・点滴静注を考慮する

（内服）
　プレドニゾロン*　　　　　　　　1 mg/kg
　デキサメタゾンエリキシル
　　　　　　　　　　　0.1 mg/kg（1 mL/kg）
（点滴静注）
　ヒドロコルチゾン　　　　　　5〜10 mg/kg
　プレドニゾロン*、
　メチルプレドニゾロン　　　　　　1 mg/kg

＊：プレドニゾロンは最大量 60 mg/日を超えない

アドレナリン筋肉注射

注射部位：大腿部中央の前外側部
アドレナリン 規格：1 mg/mL
投与量：0.01 mL/kg（0.01 mg/kg）
1回最大量：12歳以上 0.5 mL（0.5 mg）、
　　　　　　12歳未満 0.3 mL（0.3 mg）

・高濃度酸素投与（リザーバー付きマスクで 10 L/分）
・仰臥位、両下肢を 30 cm 程挙上させる
・急速補液（生食もしくはリンゲル液などの等張液）
　10 mL/kg を 5〜10 分の間に投与

再評価 5〜15分

・安定していれば各臓器の治療を行う

・症状が改善しない場合
　アドレナリン筋肉注射
　急速補液　　　　　　　同量を再投与

治療に反応せず、血圧上昇が得られない場合

・アドレナリン持続静注　　0.1〜1 µg/kg/分

・呼吸状態が不安定な場合は気管内挿管を考慮

《アドレナリン持続静注薬の調整方法》
体重（kg）×0.06 mL を生理食塩水で計 20 mL とすると 2 mL/時で 0.1 µg/kg/分となる

図 7-2　アナフィラキシーの初期治療

重症度に基づいた症状に対する治療
各臓器の誘発症状の重症度を評価し、重症度に応じた治療を行う。アドレナリン筋肉注射の適用はグレード3の症状を認めたときである。ただし、グレード2の症状でも過去に重篤なアナフィラキシーの既往がある場合、症状の進行が激烈な場合、循環器症状を認める場合、呼吸器症状で気管支拡張薬の吸入でも改善しない場合は、アドレナリンの投与を考慮する。

empty ventricle syndrome を呈する患者の突然死リスクは高く、アドレナリンへの反応性も低いため[16]、患者を仰臥位にして足を 30 cm 程度高くする。嘔吐が予想される場合には誤嚥防止のため側臥位とする。呼吸障害を認める場合には少し上体を起こす（巻末資料 7-2 参照）。

(5) 酸素投与
呼吸・循環・意識障害のいずれかがある場合には、リザーバー付きマスクにて高流量（10 L/分）の酸素投与を開始し、酸素需要を満たす。

(6) 静脈ルートの確保・急速輸液
血液分布異常性ショックが起こっており、静脈路を確保し、生理食塩水または各種リンゲル液を 5〜10 分間で成人なら 5〜10 mL/kg、小児なら 10 mL/kg 投与する。

(7) 呼吸停止時
Basic life support（BLS）に準じた心肺蘇生を開始する。舌、咽頭粘膜の腫脹、血管浮腫や多量の粘液分泌により気管内チューブの挿入が困難になることがある。

(8) バイタルサイン測定：再評価
アナフィラキシーでは、経時的に状態が変化するため、頻回かつ定期的なバイタルサインの評価が必要である。

2）アドレナリンの薬理作用・副作用

(1) 薬理作用（表 7-2）
アドレナリンは α_1、α_2、β_1 および β_2 薬理学的作用がある[17]。α_1 作用としては、血管収縮作用および血管抵抗の増加による血圧上昇、気道粘膜浮腫の軽減がある。β_1 作用としては心収縮力増大、心拍数増加、β_2 作用としては平滑筋の弛緩作用およびケミカルメディエーターの放出低下がある。したがって、アドレナリンの投与は、血圧の上昇だけではなく、蕁麻疹や血管浮腫、気道狭窄、腹痛などの軽減に効果が認められる。

(2) 副作用
アナフィラキシーに対するアドレナリンの通常使用量での副作用としては、蒼白、振戦、不安、動悸、浮動性めまい、頭痛、心悸亢進、頻脈などがある。通常使用量を筋肉注射する場合には問題にならないが、治療域が狭いため急速静注するべきではなく[18]、過量投与による死亡例も報告されているため[19]、心停止もしくはそれに近い状態でのみ経静脈投与を選択する。

(3) 併用禁忌
海外の薬剤添付文書ではアドレナリン使用に関する絶対的禁忌は記載されていない。しかしわが国においてはブチロフェノン系、フェノチアジン系などの抗精神病薬、α遮断薬との併用はアドレナリン昇圧作用の反転により低血圧となる可能性があることから、アドレナリンの添付文書において併用禁忌とされている。前回の『食物アレルギー診療ガイドライン 2016』作成の際にこの問題が認識され、現在では添付文書に「ただし、アナフィラキシーショックの救急治療時はこの限りでない」と追記された。

■ 表7-2　アドレナリンの薬理学的作用、副作用

薬理学的作用	α₁アドレナリン受容体 　・血管収縮作用および血管抵抗の増加（ほとんどの臓器において） 　・血圧の上昇 　・気道粘膜浮腫の軽減 α₂アドレナリン受容体 　・インスリンの分泌抑制 　・ノルアドレナリンの放出抑制 β₁アドレナリン受容体 　・心収縮力増大 　・心拍数増加 β₂アドレナリン受容体 　・ケミカルメディエーターの放出低下 　・平滑筋の弛緩作用	
副作用	通常量の投与時	⇒ 蒼白、心悸亢進、振戦、頻脈、動悸、頭痛
	過量投与時 ・過度の急速静脈内投与 ・1：1,000（1 mg/mL）溶液を希釈せずに静脈投与するなどの用量の誤り	⇒ 心室性不整脈、高血圧、肺水腫 冠動脈疾患を有する患者では、急性冠症候群（狭心症、心筋梗塞、不整脈）が発生し得る

わが国のアドレナリン注射薬の添付文書には、ブチロフェノン系、フェノチアジン系などの抗精神病薬、α遮断薬との併用は昇圧作用の反転により低血圧が認められることがあるため併用禁忌であると記載されている。ただし、アナフィラキシーショックの救急治療時はこの限りでない。

4. アナフィラキシーの追加治療

　以下の治療が行われることが多いが、いずれも効果発現までに時間がかかり、得られる効果に対するエビデンスも十分でないため、補助的なものと考える。これらの投与にとらわれ、アドレナリンの投与が遅れてはいけない。

1）ヒスタミンH₁受容体拮抗薬

　アナフィラキシーに対するヒスタミンH₁受容体拮抗薬（表7-3）の効果は十分認められておらず[20]、上気道閉塞、血圧低下、ショックといった重篤な症状には効果が期待できない。むしろ投与により生じる傾眠により意識障害の評価が困難となることがあり、積極的に投与する必要はない。特に第1世代のものでは中枢神経系に与える影響が大きいので、瘙痒感に対し使用するのであれば第2世代を選択する。ヒスタミンH₂受容体拮抗薬も、アナフィラキシーに対する効果について十分なエビデンスはない。

2）副腎皮質ステロイド（ステロイド薬）

　作用発現には数時間を要し、遷延する症状や二相性の反応を防止することが期待され投与されるが、その効果は立証されていない[21,22]。

■ 表7-3 小児適用のある鎮静作用の少ない第2世代ヒスタミンH₁受容体拮抗薬

一般名	代表的な薬剤名	剤形	小児投与量		
エピナスチン塩酸塩	アレジオン®	錠剤 10 mg、20 mg	7歳以上	10～20 mg	1日1回
オロパタジン塩酸塩	アレロック®	錠剤 2.5 mg、5 mg OD錠 2.5 mg、5 mg 顆粒 0.5%	2歳以上7歳未満 7歳以上	2.5 mg/回 5 mg/回	1日2回 1日2回
セチリジン塩酸塩	ジルテック®	錠剤 5 mg、10 mg ドライシロップ 1.25%	2歳以上7歳未満 7歳以上15歳未満 成人	2.5 mg/回 5 mg/回 10 mg/回	1日2回 1日2回 1日1回
フェキソフェナジン塩酸塩	アレグラ®	錠剤 30 mg、60 mg OD錠 60 mg ドライシロップ 5%	6か月以上2歳未満 2歳以上12歳未満 12歳以上	15 mg 30 mg 60 mg/回	1日2回 1日2回 1日2回
ロラタジン	クラリチン®	錠剤 10 mg レディタブ錠 10 mg ドライシロップ 1%	3歳以上7歳未満 7歳以上	5 mg 10 mg/回	1日1回 1日1回
レボセチリジン塩酸塩	ザイザル®	錠剤 5 mg シロップ 0.05%	（シロップ） 6か月以上1歳未満 1歳以上7歳未満 7歳以上15歳未満 （錠剤） 7歳以上15歳未満 15歳以上	2.5 mL/回 2.5 mL/回 5 mL/回 2.5 mg/回 5 mg/回	1日1回 1日2回 1日2回 1日2回 1日1回
ベポタスチンベシル酸塩	タリオン®	錠剤 5 mg、10 mg OD錠 5 mg、10 mg	7歳以上	10 mg/回	1日2回
デスロラタジン	デザレックス®	錠剤 5 mg	12歳以上	5 mg/回	1日1回
ルパタジンフマル酸塩	ルパフィン®	錠剤 10 mg	12歳以上	10 mg/回	1日1回

第1世代ヒスタミンH₁受容体拮抗薬は副作用として眠気やだるさがあり、アナフィラキシー症状としての循環器症状や神経症状との鑑別が困難になるため、安易な投与は控えるべきである。

※いずれも蕁麻疹、皮膚疾患（皮膚瘙痒症）に対する用量

3）酸素投与・β₂刺激薬吸入

断続的な咳嗽、軽度の呼気性喘鳴が認められる場合には呼吸数や酸素飽和度を測定し、酸素投与やβ₂刺激薬の吸入を行う。効果が不十分な場合に吸入を反復するが改善がみられない場合にはアドレナリンの筋肉注射を行う。喉頭浮腫など上気道狭窄に対してはβ₂刺激薬吸入の効果は期待できない。

4）アナフィラキシー後の対応

アナフィラキシー症状が一旦改善した後に、原因抗原への再曝露なく再びアナフィラキシーを反復することがあり、二相性反応と呼ばれている。初回のアナフィラキシー症状後、4.6％の

第7章 即時型症状の重症度判定と対症療法

患者において72時間以内（中央値11時間後）に認められ[23]、特に最初の症状が重篤だった場合や、複数回アドレナリンの投与を必要とした場合、脈圧が大きいとき、皮膚症状がみられた場合には[22]、一旦症状が消失した後も十分な経過観察が必要である。ヒスタミンH_1、H_2受容体拮抗薬、ステロイド薬ともに二相性反応を予防する効果は証明されていない[22]。

急性期の治療と同様に、再発防止のための原因検索、原因の回避、アナフィラキシー時の対応を患者に指導することが重要である。

5. アドレナリン自己注射薬の処方

1）処方が勧められる食物アレルギー患者

原因抗原を回避することが重要であるが、誤食した際の対応を患者に指導する必要がある。病院での対応と同様に、抗ヒスタミン薬やステロイド薬の効果は限定的であり、アナフィラキシーとなった場合には速やかにアドレナリンを投与することが最も有効である。そのためにリスクが高い患者[24]（図7-3）にはアドレナリン自己注射薬を処方する。患者の重症度、地理的条件によっては2本処方することもある[11]。

2）処方に関する注意点

体重15 kg以上30 kg未満では0.15 mg、体重30 kg以上では0.3 mgの製剤を選択する。体重が15 kg以下の場合にはアドレナリン投与量の問題だけでなく、筋肉量が少ないこと

アドレナリン自己注射薬（エピペン®0.3 mg、0.15 mg）

■エピペン®は登録医によって処方が可能で、2011年9月から保険適用となった。
■エピペン®の処方が勧められる食物アレルギー患者は下記の通り。

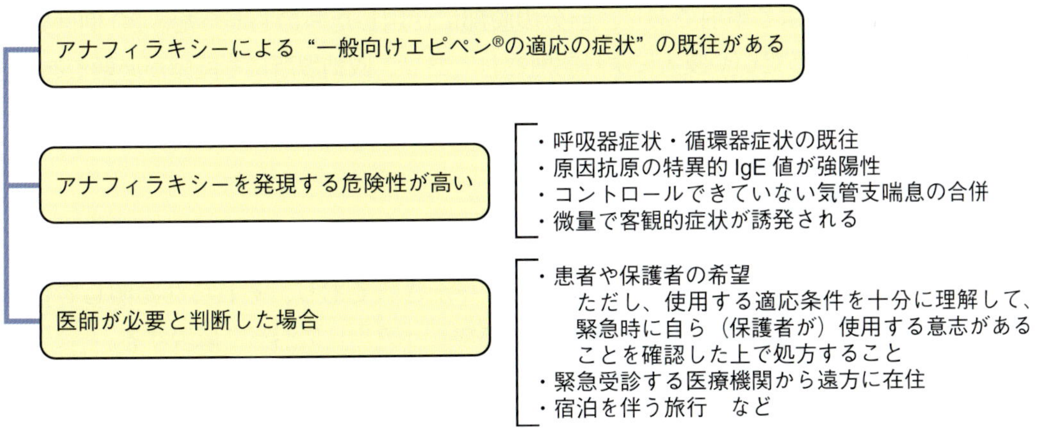

- アナフィラキシーによる"一般向けエピペン®の適応の症状"の既往がある
- アナフィラキシーを発現する危険性が高い
  - ・呼吸器症状・循環器症状の既往
  - ・原因抗原の特異的IgE値が強陽性
  - ・コントロールできていない気管支喘息の合併
  - ・微量で客観的症状が誘発される
- 医師が必要と判断した場合
  - ・患者や保護者の希望
    ただし、使用する適応条件を十分に理解して、緊急時に自ら（保護者が）使用する意志があることを確認した上で処方すること
  - ・緊急受診する医療機関から遠方に在住
  - ・宿泊を伴う旅行　など

（『食物アレルギーの診療の手引き2020』より転載）

■ 図7-3　アドレナリン自己注射薬の処方が勧められる食物アレルギー患者[24]

から針が骨髄に到達する恐れがある[25]。有効期限切れに注意し、破棄する場合には医療機関へ届けるよう指導する。在宅自己注射指導管理料が算定可能であり、使用するタイミング、使用方法について練習用模型を用いて十分に指導する。使用した場合には速やかに医療機関を受診する必要がある。

(1) 併用注意

前述のようにアドレナリンと一部の抗精神病薬（ブチロフェノン系薬剤、フェノチアジン系薬剤、イミノジベンジル系薬剤、ゾテピン、リスペリドン）、α遮断薬と併用すると薬理学的に血圧低下が起こる可能性がある。こうした薬剤を常用している患者に処方する場合は、その可能性を説明し、使用時の判断についてよく指導しておく必要がある。

(2) 教職員による使用

日本小児アレルギー学会アナフィラキシー対応ワーキンググループによるアドレナリン自己注射薬使用症例集積調査によると、総計266例のうち、食物によるものは240例であり、そのうち67例は学校、保育所などで使用され、教員・保育士などにより使用されたのは39例（58%）であった[26]。低年齢児においては本人が使用することは不可能であるため、教職員の協力が不可欠である。救命の現場に居合わせた教職員が注射することは医師法違反にならないことが確認されている。それ以外の刑事・民事の責任についても、人命救助の観点からやむを得ず行った行為であると認められる場合には、関係法令の規定によりその責任が問われない。これは日本学校保健会発行の「学校のアレルギー疾患に対する取り組みガイドライン」（令和元年度改訂）[27]にも明記されている。正しい知識普及のために地域の食物アレルギーに関する検討委員会や研修会への協力が期待される。

(3) 誤使用に関する注意

誤使用についても100例の事例調査が行われており、初めて処方された場合だけでなく、継続処方の例も報告されている[28]ことから反復した指導が必要であることがわかる。72例は小児（中央値5.5歳）による誤射であり、自分の腹部に使用したものもあった。20例は処方された患者ではないきょうだいや友人により誤射されており、収納場所にも配慮が必要である。

6. 医療機関外での治療・アクションプラン

1) 日常の訓練、役割分担

医師個人の考えに基づいた指導は現場の混乱を招くため、学校や保育所などを対象にしたさまざまなガイドライン[27]、指針（巻末資料7-2）が示されており、それらを参照して指導する。ここでは東京都の「食物アレルギー緊急時対応マニュアル」に沿って解説する。

2) 緊急性の判断と対応

重症度の判断は表7-1に準ずるが、理解しづらい医学用語を避けてわかりやすい表現で指導するために、「B：緊急性の判断と対応」、「F：症状チェックシート」を活用するとよい。日本

第7章 即時型症状の重症度判定と対症療法

一般向けエピペン®の適応（日本小児アレルギー学会）

エピペン®が処方されている患者でアナフィラキシーショックを疑う場合、下記の症状が一つでもあれば使用すべきである。

消化器の症状	・繰り返し吐き続ける	・持続する強い（がまんできない）おなかの痛み	
呼吸器の症状	・のどや胸が締め付けられる ・持続する強い咳込み	・声がかすれる ・ゼーゼーする呼吸	・犬が吠えるような咳 ・息がしにくい
全身の症状	・唇や爪が青白い ・意識がもうろうとしている	・脈を触れにくい・不規則 ・ぐったりしている	・尿や便を漏らす

■ 図7-4 一般向けエピペン®の適応

小児アレルギー学会アナフィラキシー対策特別委員会において、「一般向けエピペン®の適応」としてアドレナリン自己注射薬を使用する目安となる13症状（図7-4）が提案されており、一つでも該当する症状があれば使用するように指導する。全身の皮膚症状のみでは対象とならないが、過去に重篤なアナフィラキシーの既往がある場合や、急速に症状が進行する場合には積極的に使用するべきである。

3) エピペン®の使い方

「C：エピペン®の使い方」（巻末資料7-2）や、製薬会社作成の資材を利用して十分に指導する。初回処方時だけでなく、再処方時にもあらためて対応や使用方法を確認するよう指導する。

4) 救急要請のポイント

「D：救急要請（119番通報）のポイント」に沿って明確に症状を伝えるよう指導する。

参考文献

1) 柳田紀之, 宿谷明紀, 佐藤さくら, 他. 携帯用患者家族向けアレルギー症状の重症度評価と対応マニュアルの作成および評価. 日小ア誌. 2014；28：201-10.
2) Simons FE. Anaphylaxis. J Allergy Clin Immunol. 2010；125 (2 Suppl 2)：S161-81.
3) Bock SA, Muñoz-Furlong A, Sampson HA. Fatalities due to anaphylactic reactions to foods. J Allergy Clin Immunol. 2001；107：191-3.
4) Simons FE, Ardusso LR, Bilò MB, et al；World Allergy Organization. World allergy organization guidelines for the assessment and management of anaphylaxis. World Allergy Organ J. 2011；4：13-37.
5) 日本アレルギー学会 Anaphylaxis 対策特別委員会. アナフィラキシーガイドライン. 2014.
6) Brown SG, Stone SF, Fatovich DM, et al. Anaphylaxis：clinical patterns, mediator release, and severity. J Allergy Clin

Immunol. 2013；132：1141-9.e5.
7) Cardona V, Ansotegui IJ, Ebisawa M, et al. World Allergy Organization anaphylaxis guidance 2020. World Allergy Organ J. 2020；13：100472.
8) Turner PJ, Baumert JL, Beyer K, et al. Can we identify patients at risk of life-threatening allergic reactions to food? Allergy. 2016；71：1241-55.
9) Turner PJ, Jerschow E, Umasunthar T, et al. Fatal anaphylaxis：Mortality rate and risk factors. J Allergy Clin Immunol Pract. 2017；5：1169-1178.
10) Sheikh A, Shehata YA, Brown SG, et al. Adrenaline for the treatment of anaphylaxis：cochrane systematic review. Allergy. 2009；64：204-12.
11) Muraro A, Roberts G, Worm M, et al；EAACI Food Allergy and Anaphylaxis Guidelines Group. Anaphylaxis：guidelines from the European Academy of Allergy and Clinical Immunology. Allergy. 2014；69：1026-45.
12) Simons FE, Ardusso LR, Bilò MB, et al. International consensus on (ICON) anaphylaxis. World Allergy Organ J. 2014；7：9.
13) Fleming JT, Clark S, Camargo CA Jr, et al. Early treatment of food-induced anaphylaxis with epinephrine is associated with a lower risk of hospitalization. J Allergy Clin Immunol Pract. 2015；3：57-62.
14) Kaliner M, Austen KF. Cyclic AMP, ATP, and reversed anaphylactic histamine release from rat mast cells. J Immunol. 1974；112：664-74.
15) Manivannan V, Campbell RL, Bellolio MF, et al. Factors associated with repeated use of epinephrine for the treatment of anaphylaxis. Ann Allergy Asthma Immunol. 2009；103：395-400.
16) Pumphrey RS. Fatal posture in anaphylactic shock. J Allergy Clin Immunol. 2003；112：451-2.
17) Simons FE. First-aid treatment of anaphylaxis to food：focus on epinephrine. J Allergy Clin Immunol. 2004；113：837-44.
18) Campbell RL, Bellolio MF, Knutson BD, et al. Epinephrine in anaphylaxis：higher risk of cardiovascular complications and overdose after administration of intravenous bolus epinephrine compared with intramuscular epinephrine. J Allergy Clin Immunol Pract. 2015；3：76-80.
19) Pumphrey RS. Lessons for management of anaphylaxis from a study of fatal reactions. Clin Exp Allergy. 2000；30：1144-50.
20) Sheikh A, Ten Broek V, Brown SG, et al. H$_1$-antihistamines for the treatment of anaphylaxis：Cochrane systematic review. Allergy. 2007；62：830-7.
21) Alqurashi W, Ellis AK. Do corticosteroids prevent biphasic anaphylaxis? J Allergy Clin Immunol Pract. 2017；5：1194-205.
22) Shaker MS, Wallace DV, Golden DBK, et al. Anaphylaxis-a 2020 practice parameter update, systematic review, and Grading of Recommendations, Assessment, Development and Evaluation (GRADE) analysis. J Allergy Clin Immunol. 2020；145：1082-123.
23) Lee S, Bellolio MF, Hess EP, et al. Time of onset and predictors of biphasic anaphylactic reactions：A systematic review and meta-analysis. J Allergy Clin Immunol Pract. 2015；3：408-16.e1-2.
24) 日本医療研究開発機構（AMED）．研究開発代表者：海老澤元宏．食物アレルギーの診療の手引き2020．2020．
25) Kim H, Dinakar C, McInnis P, et al. Inadequacy of current pediatric epinephrine autoinjector needle length for use in infants and toddlers. Ann Allergy Asthma Immunol. 2017；118：719-25.e1.
26) Ito K, Ono M, Kando N, et al. Surveillance of the use of adrenaline auto-injectors in Japanese children. Allergol Int. 2018；67：195-200.
27) 公益財団法人日本学校保健会．学校のアレルギー疾患に対する取り組みガイドライン《令和元年度改訂》．https://www.gakkohoken.jp/books/archives/226
28) Sasaki K, Nakagawa T, Sugiura S, et al. Identifying the factors and root causes associated with the unintentional usage of an adrenaline auto-injector in Japanese children and their caregivers. Allergol Int. 2018；67：475-80.

第7章 即時型症状の重症度判定と対症療法

第2部 総論

第8章 診断と検査

[要旨]

1. 食物アレルギーは、特定の食物摂取によりアレルギー症状が誘発され、それが特異的IgE抗体など免疫学的機序を介する可能性を確認することによって診断される。

2. 乳児のアトピー性皮膚炎では、まずスキンケア指導・ステロイド外用療法などで湿疹を改善させた上で、食物アレルギーの関与について検索を進める。

3. 食物アレルゲンの摂取と症状誘発の関連を、詳細な問診によって明らかにすることが診断につながる。

4. 免疫学的検査には特異的IgE抗体検査、皮膚プリックテストなどがあるが、感作の証明だけで除去を安易に指導しないようにする。

5. 特異的IgE抗体検査は、検査法により測定結果や評価法が異なることに留意する。アレルゲンコンポーネント特異的IgE抗体を測定することにより、診断精度を上げることができる。

6. 特異的IgE抗体価と症状誘発の確率の関係を示したさまざまなプロバビリティカーブが報告されている。

1. 食物アレルギーの診断手順

食物アレルギーの診断は、次の2点を証明することで確定する。
①特定の食物の摂取により症状が誘発されること。
②症状誘発が、特異的IgE抗体など免疫学的機序を介する可能性があること。

食物アレルギーが診断される契機は、食物アレルギーの関与する乳児アトピー性皮膚炎に関連するものと、即時型アレルギー症状〔花粉-食物アレルギー症候群（pollen-food allergy syndrome, PFAS）や食物依存性運動誘発アナフィラキシー（food-dependent exercise-induced anaphylaxis, FDEIA）を含む〕のエピソードによるものが多い。それぞれの診断の流れを図8-1に示す[1,2]。

1）食物アレルギーの関与する乳児アトピー性皮膚炎（図8-1a）

乳児アトピー性皮膚炎に対しては、まず詳細な問診の上で、適切なスキンケアや薬物療法、環境整備などを行って症状の改善を図る。多くの乳児はこれで皮疹が改善するが、ステロイド外用薬の連日塗布により一時的に皮疹が消失しても、塗布間隔を空けると皮疹が再燃するため、連日塗布から離脱できない場合、あるいは問診や食物日誌から特定の食物摂取と症状悪化

に因果関係が疑われる場合は、食物アレルギーの関与を疑い、可能性のある食物について皮膚プリックテスト（skin prick test, SPT）や特異的IgE抗体検査などの免疫学的検査を行う。

次に、免疫学的検査の結果から原因と疑われた食物について、食物除去試験を行う。食物除去試験では、疑われる原因食物を1〜2週間、食事内容から完全に除去する。母乳栄養児の乳児アトピー性皮膚炎の場合は、除去試験として疑われる原因食物を母親の食事から除去することも考慮する。食物除去試験によって皮疹の改善が認められた場合を、除去試験陽性という。除去試験により皮疹の改善が認められない場合には、除去品目の妥当性や、確実に除去が行われたかを再検討の上で、除去試験陰性として速やかに除去を解除する。

食物除去試験や免疫学的検査の結果から原因と疑われた食物（検査陽性のために未摂取の食物を含む）については、必要に応じて診断確定のための食物経口負荷試験（oral food challenge, OFC）に進む[3]（第9章参照）。母親に対する負荷試験により症状が誘発された場合でも、それが重篤になることは少なく、母親は加工品程度の摂取は可能であることが多い。自施設でOFCの実施が困難な場合は専門医への紹介を考慮する。

乳児期では、特にアトピー性皮膚炎を伴う場合に、未摂取でもすでに感作が成立しており、初めての摂取でアレルギー症状が誘発されることがある。卵や牛乳など頻度の高い食物についてSPTや特異的IgE抗体検査など免疫学的検査を行い、慎重にOFCの適用を考慮する（第9章参照）。

専門医紹介のタイミングとして、①通常のスキンケアとステロイド外用療法にて皮疹が改善しない・繰り返す場合、②多抗原（3抗原以上）の抗原特異的IgE抗体が陽性の場合（離乳食開始までに）、③自施設でOFCの実施が困難な場合は考慮する。

2）即時型症状（図8-1b）

即時型アレルギー反応（アナフィラキシーを含む）を発症し、食物アレルギーの関与が疑われる場合は、その食物についての免疫学的検査を行う。原因食物が容易に予測できない場合はアレルギー専門の医師に紹介する。

誘発症状との明らかな因果関係が想定される食物摂取の病歴と、その食物に対する免疫学的検査の結果に整合性がある場合には、食物アレルギーと診断できるので、OFCは基本的に不要である。しかし、誘発症状がアレルギー反応であるかどうか疑わしい場合、複数の原因食物が疑われる場合、症状誘発閾値や症状の重症度を決定したい場合などでは、OFCによる確定診断を行う。

2. 病歴の把握

食物摂取による誘発症状を直接確認できない場合は、患者・保護者の記憶に頼って病歴を聴取する必要がある。このため、正確な情報を把握するためには、系統的な問診技術が求められる。ここでは年齢別にポイントを述べる。

Japanese Guidelines for Food Allergy 2021

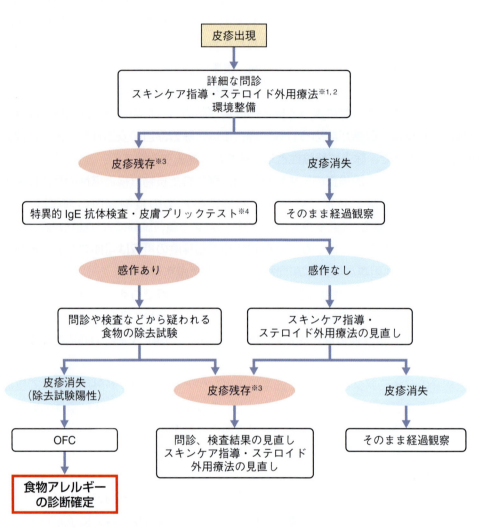

※1：スキンケア指導
　　スキンケアは皮膚の清潔と保湿が基本であり、詳細は「アトピー性皮膚炎診療ガイドライン2018」などを参照する。
※2：ステロイド外用療法
　　ステロイド外用薬の使用方法については「アトピー性皮膚炎診療ガイドライン2018」などを参照する。
　　非ステロイド系外用薬は接触皮膚炎を惹起することがあるので注意する。
※3：皮疹残存
　　ステロイド外用薬の連日塗布により一時的に皮疹が消失しても、塗布間隔を空けると皮疹が再燃するため連日塗布から離脱できない状態。
※4：皮膚プリックテスト
　　生後6か月未満の乳児では抗原特異的IgE抗体は陰性になることもあるので、プリックテストも有用である。

食物アレルギーの関与する乳児アトピー性皮膚炎の専門医紹介のタイミング

1）通常のスキンケアとステロイド外用療法にて皮疹が改善しない・繰り返す場合
2）多抗原（3抗原以上）の抗原特異的IgE抗体が陽性の場合（離乳食開始までに紹介）
3）自施設でOFCの実施困難な場合

（『食物アレルギーの診療の手引き2020』より転載）

■ 図8-1a　食物アレルギー診断のフローチャート（食物アレルギーの関与する乳児アトピー性皮膚炎）[1]

第8章 診断と検査

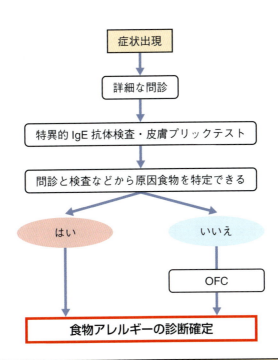

(『食物アレルギーの診療の手引き2020』より転載)

■ 図 8-1b　食物アレルギー診断のフローチャート（即時型症状）[1]

1）乳児期

　特定の食物とアトピー性皮膚炎の因果関係はわかりにくいので、丁寧な問診が必要である。栄養方法、母乳の場合は母親の食事内容を尋ねて、湿疹の増悪との時間経過、その再現性を確認する。初めての摂取で明らかな即時型反応が起きることもある。湿疹は、食物だけではなく、ダニやペットアレルゲン曝露、汗や汚れなどで悪化することも少なくないので、これらの関与についても詳しく問診する。原因不明の下痢、嘔吐、血便、体重増加不良があるときには、新生児・乳児消化管アレルギーの可能性を考えて、発症時期、症状の詳細と変化、栄養方法（母乳／人工乳）、離乳食の内容などを問診する（第10章参照）。

2）幼児期以降

　即時型症状を呈することが多い。表8-1 に示す症状の有無を、詳細に摂取からの時間経過とともに聞き取る。

■ 表8-1　幼児期以降の病歴把握のポイント

皮膚症状	瘙痒、蕁麻疹、紅斑、血管浮腫、湿疹増悪など
粘膜症状	結膜充血、鼻汁、くしゃみ、咽頭違和感など
呼吸器症状	咳嗽、喘鳴など
消化器症状	腹痛、嘔吐、下痢など
全身症状	活気低下、顔面蒼白、入眠、意識レベル低下など

※：何となく痒いとか調子が悪いなど主観的・曖昧な症状はアレルギーでないこともあるが、保護者の印象として記録しておく。
※：消化器症状のみが認められる場合は、第16章を参照。
※：保護者には、症状出現時の写真や動画を携帯電話やスマートフォンなどを利用して撮ると重要な参考になることを説明する。

3）学童期以降

　新たにPFASが発症しやすく、野菜・果物アレルギーの頻度が増える（第14章参照）。季節性のアレルギー性鼻結膜炎の症状の有無を聞き取ることが参考になる。日常的に摂取している食品であっても、FDEIAにより症状が誘発されることもあるため、食後の運動や入浴、疲労や体調不良時など摂取した状況をよく聞き取るようにする（第13章参照）。

3．免疫学的検査の概要

　本項では、IgE依存性反応の原因アレルゲン同定のための検査について解説する。血清総IgE値、末梢血好酸球数はアレルギー疾患全般で増加し、新生児・乳児消化管アレルギーやアトピー性皮膚炎で著しい好酸球増多が認められることがある（第16章参照）。

　特異的IgE抗体の存在は、特異的IgE抗体検査、SPTなどで確認することができる。これらの検査法の診断的価値は多くの研究で評価されているが、研究の母集団となっている患者群の選択や診断方法によって結果が異なることに留意する。

　特異的IgE抗体が存在することは、当該食物アレルゲンへの「感作」を示しているものの、それが必ずしも症状誘発に関わる真のアレルゲンであるとは限らない。誘発症状が確認された食物に対する免疫学的検査であれば問題が少ないが、未摂取の食物に対する検査や、原因アレルゲンをスクリーニングする目的の検査においては、結果の解釈は慎重にすべきである。

4．特異的IgE抗体検査

1）測定方法（図8-2）

　現在、臨床の現場で広く用いられているイムノキャップ®（サーモフィッシャーサイエンティフィック社）はセルロースポリマーを用いてアレルゲン固相化の効率を上げ、蛍光酵素標識抗体を用いて高感度に検出するfluorescence-enzyme immunoassay（FEIA）法である。また、同じく臨床の現場で広く用いられているアラスタット3gAllergy®（シーメンス社）は液相アレルゲンを固相化ビーズに結合させて特異的IgE抗体を検出するchemiluminescence enzyme immunoassay（CLEIA）である。両者はほぼ同等の精度がある[4]。オリトンIgE®

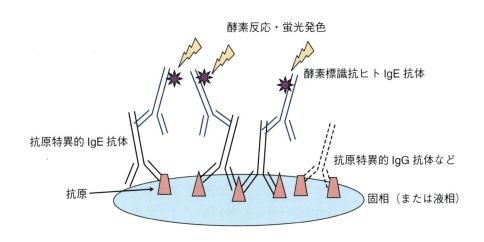

■ 図 8-2　血中抗原特異的 IgE 抗体測定の原理

（日本ケミファ）は固相に多孔性ガラスフィルターを用いる。いずれも抗原に結合した特異的 IgE 抗体を WHO IgE 標準品をもとに相対的に測定するものであり、抗体分子の直接定量ではないが、明確な濃度依存性を有しており、診断やモニタリングに用いることができる。

　イムノクロマト法を使った迅速キットで特異的 IgE 抗体を検査するものもあるが、精密性は不十分である。同時に多項目を測定できることを特徴とするマストイムノシステムズⅣ® およびⅤ®（ミナリスメディカル）、View アレルギー 39®（サーモフィッシャーダイアグノスティックス社）、ドロップスクリーン A-1®（日本ケミファ）は、原因不明の食物アレルギーの検索や、吸入抗原の感作状況を同時に検出する際に用いることができる。しかし、データの定量性は十分ではないので、あくまでもスクリーニング検査として位置付ける。したがって、これらの測定法を、食物アレルギーの診断や臨床経過の評価に直接用いることは推奨できない。

2）測定方法による違い

　相対的定量法という性質から、異なる特異的 IgE 抗体検査を用いれば、同一検体を測定しても結果の数値が一致するとは限らない。イムノキャップ® とアラスタット 3gAllergy® を比較すると、特に鶏卵で測定値が大きく異なることが知られており、両者の検査結果を同一に扱うことはできない[4]。外注検査では測定法が明記されないことがあるが、単位の表記がイムノキャップ® は U_A/mL（欧米では kU_A/L）、アラスタット 3gAllergy® は IU_A/mL であることで区別できる。

3）検査結果の評価方法

　特異的 IgE 抗体検査の結果を解釈するために、プロバビリティカーブや、感度（sensitivity）、特異度（specificity）の情報が参考になる。

プロバビリティカーブとは、測定値に対する症状誘発の確率をロジスティック回帰法により算出してプロットしたものである。例えば図8-3のカーブは、IgE抗体価2 kU$_A$/Lの場合、症状誘発する可能性は50%、20 kU$_A$/Lの場合は95%となる。

　プロバビリティカーブを参考にするときの注意点としては、①算出した対象集団、②食物アレルギーの判断（OFC、症状誘発歴、陽性の判定基準など）[5]、③OFCの方法（加熱卵か非加熱卵か[6]、総負荷量[7]など）、④血清総IgE値[8]、⑤年齢[9]、により結果が異なることであり、それらの背景を理解した上で、検査結果の解釈を行う。プロバビリティカーブは通常1本の曲線で示されているが、実際にはそれぞれの値に対して95%信頼区間が存在する[6,10]。症例数が少ない場合にはデータのばらつきが大きくなり、95%信頼区間は拡大する。

　Receiver operating characteristic（ROC）解析により、特異的IgE抗体価のあるカットオフ値における感度、特異度、陽性的中率（positive predictive value, PPV）、陰性的中率（negative predictive value, NPV）が算出される。感度はその食物アレルギー患者の中で検査陽性（一定のカットオフ値以上）となる割合、特異度はその食物アレルギーがなかった者のうち検査陰性（一定のカットオフ値以下）となる割合を示す。PPVは検査陽性者の中でその食物アレルギーがある割合、NPVは検査陰性者のうち、実際にその食物アレルギーではなかった割合を示す（図8-4、右図）。

　PPVとNPVは、それを算出した母集団の有病率の影響を受けやすい。つまり、同じ検査法を評価しても、有病率が高い母集団ではPPVが高く、NPVは低く算出される。PPVが95%

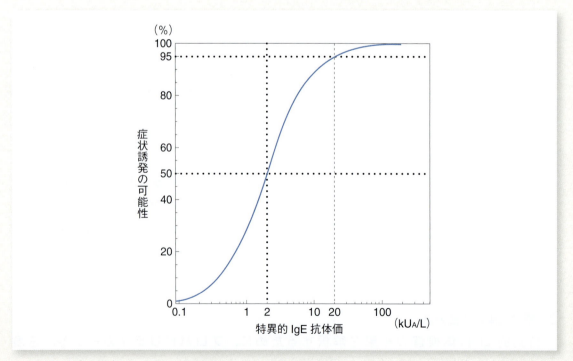

■ 図8-3　プロバビリティーカーブの読み方

（または90％）を示す特異的IgE抗体価は、OFCを行わなくても食物アレルギーと診断してよい基準（decision point）として用いられることがある[11]。

　ROC曲線は、あるカットオフ値における1-特異度を横軸（左下を100％、右下を0％としたプロット）、感度を縦軸にグラフ化したものである。カットオフ値を高めると特異度は上昇（1-特異度は低下）し、感度は低下するため、ROC曲線は左下に向かう（図8-4、左図）。描かれたカーブの曲線下面積（area under the curve, AUC）が大きい（1に近い）ほど診断性能が高く、カーブの左肩にあたるカットオフ値が感度、特異度のバランスの最適値と評価される。

　乳幼児の食物アレルギーは成長・発達とともに自然耐性獲得する例が多いが、並行して特異的IgE抗体も低下していくので、患者の経時的な変化を検討することは有用である[12, 13]。

4）アレルゲンコンポーネント特異的IgE抗体

　粗抗原特異的IgE抗体に加え、アレルゲンコンポーネント特異的IgE抗体を測定することにより、より精度の高い診断が可能となる。卵白のオボムコイド、小麦のω-5グリアジン、ピーナッツのAra h 2などが利用できる。現在、保険適用されているコンポーネントを表8-2に示すが各項目の診断性能は第12章を参照されたい。

5．皮膚プリックテスト（図8-5）
1）皮膚テストの選択
　即時型食物アレルギーの原因を診断するための皮膚テストとしては、SPT[14]が推奨される。

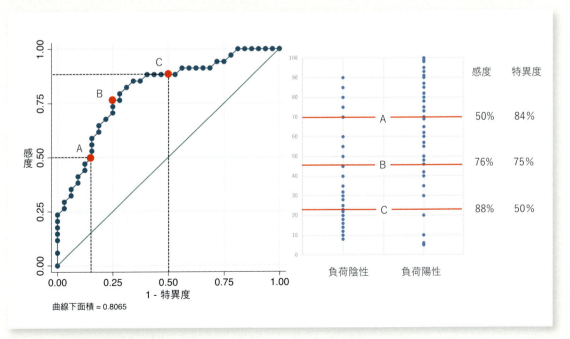

■ 図8-4　ROC曲線の読み方

■ 表8-2 保険収載されている食物アレルゲンコンポーネント特異的IgE抗体検査

粗抗原	コンポーネント
卵白	Gal d 1（オボムコイド）
牛乳	Bos d 4（α-ラクトアルブミン）
	Bos d 5（β-ラクトグロブリン）
	Bos d 8（カゼイン）
小麦	Tri a 19（ω-5グリアジン）
大豆	Gly m 4（PR-10）
ピーナッツ	Ara h 2（2Sアルブミン）
クルミ	Jug r 1（2Sアルブミン）
カシューナッツ	Ana o 3（2Sアルブミン）

PR-10：pathogenesis-related protein-10

スクラッチテストも同様の検査であるが、手技により結果に誤差が生じやすい欠点がある。アレルゲンを皮内注射するテスト（皮内テスト）は偽陽性を起こしやすく、アナフィラキシー誘発の危険性が高いので行わない。食物抗原を皮膚に貼付するアトピーパッチテストが非即時型反応の推定に有用とする報告もあるが[15]、その方法や評価法についてはコンセンサスが得られていない[16]。

2）方法（図8-5）

SPTの抗原液（アレルゲンエキス）（図8-5A）が鳥居薬品から市販されている。市販の抗原液が入手できない場合や、口腔アレルギー症候群の診断などの場合には、新鮮な果汁など食品のエキスそのものを使用するprick-to-prick test（prick-by-prick test, prick-prick testともいう）が有用である（第14章参照）。ただし、使用するエキスの衛生面や刺激性、抗原濃度に十分に注意して実施し、非特異的な反応が疑われる場合は健常者のコントロールをおくことも考慮する。陰性コントロール（アレルゲンスクラッチエキス対照液「トリイ」® または生理食塩水）と、陽性コントロール（アレルゲンスクラッチエキス陽性対照液「トリイ」ヒスタミン二塩酸塩®）も必ず用いて、膨疹が陰性コントロールよりも強く出現するのを確認する。標準的なプリック針は、バイファケイテッドニードル®（Bifurcated needle®, Allergy Laboratories of Ohio, Inc. 輸入販売元：東京エム・アイ商会）、SmartPractice プリックランセット®（SmartPractice Prick Lancets, SmartPractice, Arizona. 輸入販売元：スマートプラクティスジャパン）（図8-5B）が使用されている。プリック針の違いにより感度が異なる可能性があるため、同一患者で経時的な変化を検討するときには同型の針を用いるのがよい[17]。

検査に先立って、ヒスタミンH_1受容体拮抗薬や化学伝達物質遊離抑制薬の内服は3日間以上中止する。消毒した皮膚の上に抗原液を滴下して、その上からプリック針で出血しない程度に軽く押しつける（図8-5C）。陽性コントロールで数mm程度の円形の膨疹が安定して出現

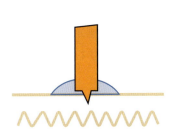
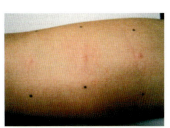

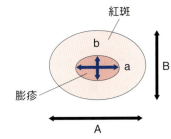

■ 図 8-5　皮膚プリックテストの方法

するように手技を確認する。判定は 15 分後に行う（図 8-5D）。出現した膨疹と紅斑の最大直径と、それに直角に交わる直径を計測して、その平均値で評価する。膨疹径が陰性コントロールより 3 mm 以上大きい場合を陽性とする（図 8-5E）。陽性コントロールをおいた場合は、その膨疹径の 1/2 以上を陽性とする基準もある。なお、日本アレルギー学会が発行している「皮膚テストの手引き」[14]においては、陰性コントロールにより機械性蕁麻疹を認める場合には判定不能と考え、「膨疹径が 3 mm 以上もしくは陽性コントロールの膨疹の半分以上の反応」を陽性としている。即時型食物アレルギーが重症の場合は、SPT であっても全身症状を誘発する危険があるため、注意して行う。

3）診断的意義

　SPT 陽性は特異的 IgE 抗体の存在を示すが、それだけでは食物アレルギーの診断根拠とはならない。乳幼児において SPT は特異的 IgE 抗体検査よりも感度が高い。特に、乳児では特異的 IgE 抗体が陰性であっても鶏卵あるいは牛乳アレルギーと診断される例が少なからず存在するが、その中の半数程度で SPT が陽性となることが報告されている[18, 19]。また、SPT は成長・発達とともに特異度が落ちるため、年齢により特異的 IgE 抗体価との相関関係が異なることに注意が必要である[20]。

6. 好塩基球活性化試験（basophil activation test, BAT）

1）検査法

　IgE依存性の好塩基球活性化を定量する検査である。活性化マーカーであるCD63またはCD203c発現をフローサイトメトリーで測定する。CD203c定量にはAllergenicity kit®（ベックマンコールター）が利用できる。いずれも保険適用はないが、CD203cは検査会社への委託が可能である。

　利点としては、すでに精製されたアレルゲンだけではなく、自家調整をすれば刺激抗原として任意のものが選べること、全血で反応させる系であるためIgG$_4$などの血漿中の抑制因子の作用も反映するので、より生体内の反応に近いことである[21]。non-responderが存在すること、陽性判定基準がまだ確立されていないことが課題である[22]。

2）検査の有用性

　鶏卵、牛乳の自然耐性獲得診断に優れており[23]、皮膚テストや特異的IgE抗体検査が陽性であっても、BATが低下・陰転化した場合には、耐性獲得している可能性が期待できる。臨床経過の追跡や経口免疫療法の効果判定[24]などの有用性の報告もある。特異的IgE抗体検査がない希少アレルゲン感作の探索[25]、アナフィラキシーリスクのために皮膚テストが実施しにくい例での診断に有用である。

7. 特異的IgG（IgG$_4$）抗体検査

　アレルゲン特異的IgG（IgG$_4$）抗体は、健常者や免疫療法後の患者においても検出され得る特異的抗体であり、その病的意義は明らかではない。

　アレルゲン特異的IgG（IgG$_4$）抗体の陽性をもって、「遅延型食物アレルギー」と称する診断が行われる場合があるが、医学的に確立された病態ではない。したがって、アレルゲン特異的IgG（IgG$_4$）抗体の陽性結果を根拠として食物除去を行うと、症状を誘発する原因ではない食品まで除去する可能性があり、多品目に及ぶ場合は健康被害を招くおそれがある[26,27]。日本小児アレルギー学会および日本アレルギー学会から、この問題について注意喚起が出されている[28]。

　なお、ここでいう「遅延型食物アレルギー」は、本ガイドラインで解説する「遅発性IgE依存性食物アレルギー」や、アナフィラキシーの場面で現れる「遅発型反応」（第2章参照）とは無関係なものである。

8. その他の食物アレルギー関連疾患の診断

　新生児・乳児消化管アレルギー、好酸球性消化管疾患、セリアック病などについては第16章を参照されたい。

第8章 診断と検査

参考文献

1) 日本医療研究開発機構（AMED）．研究代表者：海老澤元宏．食物アレルギーの診療の手引き2020．2020．
2) Ebisawa M. Management of food allergy in Japan "food allergy management guideline 2008 (revision from 2005)" and "guidelines for the treatment of allergic diseases in schools". Allergol Int. 2009；58：475-83.
3) Ito K, Urisu A. Diagnosis of food allergy based on oral food challenge test. Allergol Int. 2009；58：467-74.
4) 長尾みづほ，平口雪子，徳田玲子，他．アラスタット3gAllergy とイムノキャップによるアレルゲン特異的IgE 抗体測定値の比較：反復喘鳴を呈した乳幼児における検討．日小ア誌．2013；27：170-8.
5) Yanagida N, Sato S, Asaumi T, et al. Safety and feasibility of heated egg yolk challenge for children with egg allergies. Pediatr Allergy Immunol. 2017；28：348-54.
6) Furuya K, Nagao M, Sato Y, et al. Predictive values of egg-specific IgE by two commonly used assay systems for the diagnosis of egg allergy in young children：a prospective multicenter study. Allergy. 2016；71：1435-43.
7) Yanagida N, Okada Y, Sato S, et al. New approach for food allergy management using low-dose oral food challenges and low-dose oral immunotherapies. Allergol Int. 2016；65：135-40.
8) Horimukai K, Hayashi K, Tsumura Y, et al. Total serum IgE level influences oral food challenge tests for IgE-mediated food allergies. Allergy. 2015；70：334-7.
9) Komata T, Söderström L, Borres MP, et al. The predictive relationship of food-specific serum IgE concentrations to challenge outcomes for egg and milk varies by patient age. J Allergy Clin Immunol. 2007；119：1272-4.
10) Beyer K, Grabenhenrich L, Härtl M, et al. Predictive values of component-specific IgE for the outcome of peanut and hazelnut food challenges in children. Allergy. 2015；70：90-8.
11) Sampson HA. Utility of food-specific IgE concentrations in predicting symptomatic food allergy. J Allergy Clin Immunol. 2001；107：891-6.
12) Wood RA, Sicherer SH, Vickery BP, et al. The natural history of milk allergy in an observational cohort. J Allergy Clin Immunol. 2013；131：805-12.
13) Sicherer SH, Wood RA, Vickery BP, et al. The natural history of egg allergy in an observational cohort. J Allergy Clin Immunol. 2014；133：492-9.
14) 日本アレルギー学会．皮膚テストの手引き．2021．https://www.jsaweb.jp/uploads/files/gl_hifutest.pdf
15) Heine RG, Verstege A, Mehl A, et al. Proposal for a standardized interpretation of the atopy patch test in children with atopic dermatitis and suspected food allergy. Pediatr Allergy Immunol. 2006；17：213-7.
16) Devillers AC, de Waard-van der Spek FB, Mulder PG, et al. Delayed- and immediate-type reactions in the atopy patch test with food allergens in young children with atopic dermatitis. Pediatr Allergy Immunol. 2009；20：53-8.
17) 海老澤元宏，藤原優子，中野富美子，他．アレルギー検査法　皮膚テスト　基礎的検討と手技の実際．アレルギーの領域．1995；2：1285-7.
18) 緒方美佳，宿谷明紀，杉崎千鶴子，他．乳児アトピー性皮膚炎におけるBifurcated Needle を用いた皮膚プリックテストの食物アレルギーの診断における有用性（第1報）　鶏卵アレルギー．アレルギー．2008；57：843-52.
19) 緒方美佳，宿谷明紀，杉崎千鶴子，他．乳児アトピー性皮膚炎におけるBifurcated needle を用いた皮膚プリックテストの食物アレルギーの診断における有用性（第2報）　牛乳アレルギー．アレルギー．2010；59：839-46.
20) Schoos AM, Chawes BL, Følsgaard NV, et al. Disagreement between skin prick test and specific IgE in young children. Allergy. 2015；70：41-8.
21) Nagao M, Hiraguchi Y, Hosoki K, et al. Allergen-induced basophil CD203c expression as a biomarker for rush immunotherapy in patients with Japanese cedar pollinosis. Int Arch Allergy Immunol. 2008；146 Suppl 1：47-53.
22) Valent P, Bettelheim P. The human basophil. Crit Rev Oncol Hematol. 1990；10：327-52.
23) Sato S, Tachimoto H, Shukuya A, et al. Basophil activation marker CD203c is useful in the diagnosis of hen's egg and cow's milk allergies in children. Int Arch Allergy Immunol. 2010；152 Suppl 1：54-61.
24) Jones SM, Pons L, Roberts JL, et al. Clinical efficacy and immune regulation with peanut oral immunotherapy. J Allergy Clin Immunol. 2009；124：292-300.e291-7.
25) Shirao K, Inoue M, Tokuda R, et al. "Bitter sweet"：a child case of erythritol-induced anaphylaxis. Allergol Int. 2013；62：269-71.
26) Stapel SO, Asero R, Ballmer-Weber BK, et al. Testing for IgG$_4$ against foods is not recommended as a diagnostic tool：EAACI Task Force Report. Allergy. 2008；63：793-6.
27) Bock SA. AAAAI support of the EAACI Position Paper on IgG$_4$. J Allergy Clin Immunol. 2010；125：1410.
28) 日本アレルギー学会．血中食物抗原特異的IgG 抗体検査（IgG4などのサブクラス抗体を含む）に関する注意喚起．令和元年12月13日（更新）
https://www.jsaweb.jp/uploads/files/kenkai_IgG4.pdf

Japanese Guidelines for Food Allergy 2021

第9章 食物経口負荷試験（OFC）

[要旨]

1. 食物経口負荷試験（oral food challenge, OFC）は、アレルギーが確定しているか疑われる食品を単回または複数回に分割して摂取させ、症状の有無を確認する検査である。
2. OFCは、試験により得られる患者の利益が症状誘発のリスクより大きいと判断できる場合に、確定診断、安全摂取可能量の決定および耐性獲得の確認を目的として実施する。
3. 食物摂取に関連した誘発症状の詳細な病歴、基礎疾患、合併症、免疫学的検査結果を参考にリスクを評価し、OFCの適用および適切な方法、時期、実施場所を決定する。
4. OFCを実施する医療機関は、実施体制により一般の医療機関、日常的に実施している医療機関、専門の医療機関に区分され、対応可能なリスクのOFCを実施する。
5. OFCでは、アナフィラキシーなど、重篤な症状が誘発される可能性があり、文書による説明と同意のもとで緊急対応が可能な体制を整備して実施する。

1. 食物経口負荷試験の定義

食物経口負荷試験（oral food challenge, OFC）とは、アレルギーが確定しているか、もしくは疑われる食品を単回または複数回に分割して摂取させ、誘発症状の有無を確認する検査である。

2. 食物経口負荷試験の適用

OFCは、試験により得られる患者の利益が症状誘発のリスクより大きいと判断できる場合に、乳児を含めた小児から成人まで全年齢で実施できる[1〜4]。基礎疾患や合併するアレルギー疾患の症状がコントロールされている状態で実施する[5]。

3. 食物経口負荷試験の目的（表9-1）

1) 食物アレルギーの確定診断（原因アレルゲンの同定）

（1）食物アレルギーの関与を疑うアトピー性皮膚炎の病型で除去試験により原因と疑われた食物の診断

食物アレルギーの関与を疑うアトピー性皮膚炎の病型では、スキンケア指導やステロイド外用療法を行っても皮疹が残存する場合に、疑われる食物の摂取を1〜2週間完全に中止して、

第9章 食物経口負荷試験（OFC）

■ 表9-1　食物経口負荷試験の目的[5]

1. 食物アレルギーの確定診断（原因アレルゲンの同定）
①食物アレルギーの関与を疑うアトピー性皮膚炎の病型で除去試験により原因と疑われた食物の診断 ②即時型反応を起こした原因として疑われる食物の診断 ③感作されているが未摂取の食物の診断
2. 安全摂取可能量の決定および耐性獲得の確認
①安全摂取量の決定（少量～中等量） ②耐性獲得の確認（日常摂取量）

※消化管アレルギーの負荷試験に関しては、第16章を参照

（『食物経口負荷試験の手引き2020』より転載）

皮疹の消失の有無を評価する「食物除去試験」を行う。その後、該当する食物が本当に症状を誘発するか否かを確認するために OFC を行う。離乳食を開始していない場合には、先に経母乳負荷試験を行う。患児に直接摂取させる場合、誘発症状は皮疹の悪化だけでなく、IgE 依存性のアレルギー症状として蕁麻疹や呼吸器・消化器症状を伴う可能性がある。

（2）即時型反応を起こした原因として疑われる食物の診断

即時型反応を起こした原因として疑われる食物を確定診断するために行う。複数の食品を摂取した後や複数の食品成分を含む加工食品、食品成分が不明な食品の摂取でアレルギー症状を発症した場合には、再発防止のためにも原因となった食物の同定が重要である。

問診で摂取した食品成分を推定し、その中から日常の食生活で問題なく摂取している食物を除外して、原因と疑われる食物を絞り込む。免疫学的検査で疑われる食物への感作を確認した上で OFC を行う。

（3）感作されているが未摂取の食物の診断

感作が確認されている食物が症状を誘発するか否かを確認するために行う。例えば、アトピー性皮膚炎のために免疫学的検査を受け、未摂取である食物への感作を認めた場合や、食物アレルギーとすでに診断されている患者に原因食物以外で未摂取の食物への感作を認めた場合には、初回摂取を OFC として行う。

2）安全摂取可能量の決定と耐性獲得の確認

（1）安全摂取可能量の決定

症状誘発の閾値は個々の症例で異なる[6,7]。総負荷量の多い OFC では症状が誘発される可能性の高い食物でも、安全摂取可能量を確認するために総負荷量を少量や中等量に調整して OFC を行う[8,9]。段階的に安全摂取可能量を確認するために、少量の総負荷量から OFC を実施する場合もある[10～12]。

（2）耐性獲得の確認

当該食物への耐性を獲得しているかどうかを確認するために行う。総負荷量は年齢に応じた日常摂取量（full dose）を目安の量とする[12]。

4. 食物経口負荷試験の有用性

　OFCは食物アレルギーの最も確実な診断法である。海外ではOFCは原因アレルゲンの同定および耐性獲得の確認のために行われることがほとんどで、症状が誘発されるまで負荷量を増量するプロトコールになっている[1]。さらに研究目的で行われることが多く日常診療の一部として行われている国は非常に少ない。わが国では日常診療として原因アレルゲンの同定、耐性獲得の確認だけでなく、安全摂取可能量の決定を目的に多くの施設でOFCを行っている[13]。その結果を基に、原因食物と確定している食物であっても、症状を誘発しない安全摂取可能量を摂取するように指導している[14,15]。そこで、本ガイドラインではシステマティックレビューにて、わが国特有のアプローチの有用性を検討した（第1章参照）。その結果、エビデンスレベルは低いものの食物アレルギー患者もしくはその疑いのある者においてOFCは鶏卵および牛乳の完全除去回避に有用な検査であることが示された（CQ3、4）[16,17]。

CQ 3	日本のIgE依存性鶏卵アレルギー患者もしくはその疑いのある者において、食物経口負荷試験は完全除去回避に有用か？ 推奨文：完全除去回避目的に食物経口負荷試験を実施することが推奨される。ただし食物経口負荷試験は、安全性に十分配慮して実施する必要がある。 推奨度：1、エビデンスレベル：D（非常に弱い）
CQ 4	日本のIgE依存性牛乳アレルギー患者もしくはその疑いのある者において、食物経口負荷試験は完全除去回避に有用か？ 推奨文：完全除去回避目的に食物経口負荷試験を実施することが推奨される。ただし食物経口負荷試験は、安全性に十分配慮して実施する必要がある。 推奨度：1、エビデンスレベル：D（非常に弱い）

5. 食物経口負荷試験前のリスク評価

　OFCの実施前には、食物摂取に関連した病歴、負荷予定の食物の種類、免疫学的検査の結果と基礎疾患や合併症を基に重篤な症状が誘発されるリスクを評価する。一般的に重篤な症状を誘発しやすい要因について表9-2に示す。リスクが高い場合には、実施時期の延期、総負荷量の減量[10]、加熱やマトリックス効果で低アレルゲン化できる負荷食品の選択など[18]、リスクの低減化を考慮する。

1）食物摂取に関連した病歴

(1) 誘発症状の既往がある場合

　過去の誘発歴におけるアレルゲンを含む食品の摂取量や調理形態、加工食品の種類、症状誘発の時期、症状の重症度は、OFCの時期や総負荷量を決める参考となる。当該食物による即時型反応の既往がある場合は、感作されているが未摂取の場合と比べ、症状を誘発する可能性が高い[19]。アナフィラキシーやアナフィラキシーショック、呼吸器症状などの重篤な誘発症状の既往がある食物のOFCは、強い症状を誘発する可能性がある[20,21]。特に微量の食品摂取によ

表 9-2　重篤な症状を誘発しやすい要因[5]

1. 食物摂取に関連した病歴
　①アナフィラキシー、アナフィラキシーショック、呼吸器症状などの重篤な症状の既往
　②重篤な誘発症状を経験してからの期間が短い
　③微量での誘発症状の既往

2. 食物の種類
　牛乳、小麦、ピーナッツ、クルミ、カシューナッツ、ソバなどの食物

3. 免疫学的検査
　①特異的IgE抗体価高値
　②皮膚プリックテスト強陽性

4. 基礎疾患、合併症
　①喘息
　②喘息、アレルギー性鼻炎、アトピー性皮膚炎の増悪時
　③心疾患、呼吸器疾患、精神疾患などの基礎疾患

（『食物経口負荷試験の手引き2020』より転載）

る誘発歴がある場合には、強い症状を誘発する可能性があり、OFCの目的と安全性を十分に検討して実施の有無を判断する。

(2) 過去に摂取歴がないまたは不明な場合
　当該食物の摂取歴がないかまたは摂取した量が不明な食物のOFCでは、誘発症状の重症度を予測することが難しいが、免疫学的検査をある程度参考にできる[22]。

(3) アレルゲンを含む食品摂取（誤食を含む）により誘発症状を認めないことが確認されている場合
　アレルゲンを含む食品摂取（誤食を含む）により誘発症状を認めなかった病歴がある場合は、当該食品の摂取を開始できる可能性が高い。症状誘発がないことを確認できた量を目安に総負荷量を決定し、積極的にOFCを行う。誤食により日常摂取量を摂取し、誘発症状を認めなかった場合、自宅で当該食物を摂取させることを考慮できる。

2) 食物の種類

(1) 乳幼児期発症の耐性獲得が期待しやすい食物
　乳幼児期に発症し、自然経過で耐性獲得することが多い鶏卵、牛乳、小麦アレルギーは最終の誘発歴（アナフィラキシーを含む）から1年が経過したらOFCの実施を検討する[23]。

(2) 耐性獲得しにくい食物
　耐性獲得する割合が低いピーナッツ、木の実類、ゴマ、ソバについても、完全除去を回避するため安全摂取可能量の決定を目的にOFCの実施を検討する[24〜27]。牛乳、小麦、ピーナッツ、クルミ、カシューナッツ、ソバなどは重篤な症状を来しやすいため[21,24,28〜32]、総負荷量を減らすなど、リスクの低減化を考慮する。

(3) 原則として除去不要な食品

アナフィラキシー既往例を含む即時型牛乳アレルギー小児の多くは乳糖の摂取が可能である[33]。このように原因食物として確定している場合でも、表10-2 に示した食品はおおむね摂取可能である[5]。ただし、一部の重症例では症状が誘発されることがあるため、OFC を実施し、摂取可否を確認してもよい。

3) 免疫学的検査

鶏卵、牛乳、小麦（ω-5グリアジン）、ピーナッツ（Ara h 2）、クルミ（Jug r 1）、カシューナッツ（Ana o 3）、イクラでは、OFC 陽性的中率が 95% を超える特異的 IgE 抗体価が報告されている[34〜42]。大豆、魚、ゴマなどは 95% を超える値は得られていないが、特異的 IgE 抗体価が高値だと陽性的中率が高くなるとされる[43〜45]。鶏卵、牛乳、小麦、ピーナッツでは、特異的 IgE 抗体価が高値であれば重篤な症状が誘発される可能性が高い[21]。また皮膚プリックテスト（skin prick test, SPT）でも高い陽性的中率を示すカットオフ値が報告され[46,47]、膨疹径が大きいと陽性的中率が高くなる[48]。ただし、対象集団や OFC の方法により高い陽性的中率を示すカットオフ値は異なるため、これらの結果がすべての症例に当てはまるとは限らないことに留意すべきである。

一方で、症状なく摂取できていた食物に対する感作陽性のみを根拠に除去されている場合や、原因と疑う食物の特異的 IgE 抗体検査または SPT が陰性の場合には、OFC ではなく、自宅で当該食物を摂取させることを考慮できる[5]。ただし、患者や保護者の不安により自宅で摂取するのが難しい場合には、外来受診時に摂取させることや OFC を考慮する。

4) 基礎疾患、合併症

患者に喘息の合併があれば、その症状がよくコントロールされた状態であっても、重篤な呼吸器症状やアナフィラキシーを誘発するリスクは高まる[49]。喘息、アレルギー性鼻炎、アトピー性皮膚炎の増悪時には症状が誘発されやすく、かつ重篤化しやすい。

心疾患、呼吸器疾患、精神疾患などの基礎疾患の合併は重篤な症状のリスク因子である[1,50,51]。

6. 食物経口負荷試験を行う準備

1) 安全対策および体制の整備

(1) 食物経口負荷試験を施行する医師に求められる条件

実施に伴うリスクを考慮し、下記の条件を満たした医師が実施すべきである[5]。

・食物アレルギー診療に関する知識・経験を有している。
・患者ごとに OFC を行う目的を理解し、その適用および適切な方法を選択できる。
・症状誘発時の対応が十分に行える。

第9章 食物経口負荷試験(OFC)

・負荷試験食を準備または作成方法を説明できる。

(2) 食物経口負荷試験を実施する医療機関の分類

OFCを実施する医療機関の分類と役割を表9-3に示す。安全なOFCの実施には、OFCの経験豊富な医師の人数、救急対応の状況など自施設の体制とOFCのリスクを鑑み、自施設で実施可能かを判断する（図9-1）。食物アレルギーの診療を行っているが、OFCの経験が豊富

■ 表9-3 食物経口負荷試験を実施する医療機関の分類と役割[5]

	医療機関の分類	救急対応	実施可能なOFC（推奨）
①一般の医療機関	食物アレルギーの診療を行っているが、OFCの経験は豊富ではない医療機関	救急対応が可能であり、必要時にはアドレナリン筋肉注射を行える	重篤な誘発症状のリスクが低い負荷試験
②日常的に実施している医療機関	OFCの経験豊富な医師が在籍する医療機関	予期せぬ重篤な誘発症状に適切に対応できる	一部の重症例[*2]を除く食物アレルギー患者に対する負荷試験
③専門の医療機関	中心拠点病院[*1]およびOFCの経験豊富な医師が複数在籍する医療機関	予期せぬ重篤な誘発症状に適切に対応し、入院治療ができる	すべての重症度の食物アレルギー患者に対する負荷試験

OFC：食物経口負荷試験
*1：アレルギー疾患対策基本法に基づくアレルギー中心拠点病院
*2：鶏卵以外のアナフィラキシー既往例

（『食物経口負荷試験の手引き2020』より転載）

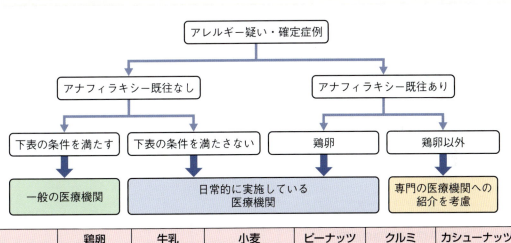

（『食物経口負荷試験の手引き2020』より転載）

■ 図9-1 実施する医療機関の選択（完全除去例の場合）[5]

ではない医療機関（一般の医療機関）では、予期せぬ重篤な誘発症状への対応が困難な可能性があり、重篤な誘発症状のリスクが低いと考えられる OFC を実施することが望ましい。一方、OFC の経験豊富な医師が在籍する医療機関（日常的に実施している医療機関）では、重症例に対する OFC も実施可能である。ただし、牛乳、小麦、ピーナッツは重篤な症状誘発のリスクが高いため[21]、自施設の条件を鑑み専門の医療機関への紹介を考慮する。

(3) 施設内の体制整備

OFC による症状出現時に迅速に対応できる体制の整備が必須である。専任の医師または看護師を配置し、症状出現時の対応についてすべてのスタッフが十分に理解し、症状出現時の対応マニュアルを作成してあることが望ましい。入院施設のない医療機関では、重篤な症状が誘発された場合に備え、救急対応を依頼する二次医療機関とあらかじめ連携するなど、速やかに入院治療へ移行できる体制を整える[52]。

(4) 食物経口負荷試験を実施する場所

自施設での実施体制や OFC のリスクに応じて、OFC を実施する場所を外来、入院から選択する（表 9-4）[53]。入院で行う場合でも多くは日帰り検査が可能である。

(5) 薬剤および医療備品の準備

症状が出現した際に対応するための薬剤および医療備品の準備を行う（第 7 章参照）。

(6) 病院給食の準備

入院で実施する場合には、給食を提供する際の誤食・誤配膳に注意し、入院時の除去食物の確認、調理工程の工夫が必要である。頻度の高い原因食物をすべて使用していない定型のメニューを活用してもよい[54]。

2) 基礎疾患のコントロール

特にコントロール不良の喘息は致死的なアナフィラキシーのリスクとなるため、日頃から適切な長期管理薬を使用してコントロール状態を良好に保つ。喘息やアトピー性皮膚炎の増悪時は OFC の結果の判断が難しく、症状が誘発された場合、より重篤になりやすいため、疾患管理を十分に行う。

■ 表 9-4　外来・入院負荷試験の適用[5]

	必要な救急体制	対象症例の重症度
外来OFC	重篤な誘発症状に対して速やかに入院治療に移行できる体制 （入院可能な医療機関への連携含む）	重篤な誘発症状のリスクが低い症例に限る
入院OFC	予期せぬ重篤な誘発症状に適切に対応できる体制	重篤な誘発症状のリスクがある負荷試験を含むすべての重症度

OFC：食物経口負荷試験

（『食物経口負荷試験の手引き2020』より転載）

3）負荷試験食の準備

医療機関で提供するのか、保護者が準備するのか自施設の方針を決定する。

(1) 医療機関で提供する場合

栄養管理室の協力が得られる場合には、使用頻度が多い食物のレシピと調理方法、総負荷量、分割方法を定型化することにより、定型の負荷試験食を提供できる[55]。その場合には、負荷試験食のレシピなどの情報を患者や保護者に提供し、自宅でも摂取できるように工夫する。OFC用の食品粉末を使用すると、簡便に準備できる[11,56]。

(2) 保護者が準備する場合

総負荷量、調理方法について文書を用いて説明する。加熱など調理方法によりアレルゲン性が変化する負荷食物では、レシピと調理方法を定型化すると均一なOFCが実施できる[5]。

4）説明と同意

OFCの具体的な方法、症状誘発のリスクについて患者および保護者に十分に説明し、文書で同意を得る。本人にもイラストなどを用いてできるだけ分かりやすく説明するように心がける[5,53]。

5）食物経口負荷試験の結果に影響する薬剤

OFCの結果に影響すると考えられる薬剤は事前に一定期間中止する（表9-5）[1]。吸入ステロイド薬、点鼻薬、点眼薬、外用薬については、中止する必要はない。ただし、長時間作用性吸入β_2刺激薬および、吸入ステロイド薬と長時間作用性吸入β_2刺激薬の配合剤、β_2刺激薬の貼付薬は中止する。アレルギー疾患に対する生物学的製剤（オマリズマブなど）は症状誘発の閾値を上昇させる可能性があるため[57]、結果の解釈には注意が必要である。

7. 食物経口負荷試験の方法

1）盲検法の有無

OFCには、オープン法とブラインド法（盲検法）があり、対象年齢、誘発症状の既往、心因

■表9-5 食物経口負荷試験の結果に影響する薬剤[5]

薬剤名	中止する時間
ヒスタミンH_1受容体拮抗薬	72時間
ロイコトリエン受容体拮抗薬	24時間
β_2刺激薬	12時間
Th2サイトカイン阻害薬	12時間
テオフィリン徐放製剤	48時間
経口ステロイド薬	7〜14日

（『食物経口負荷試験の手引き2020』より転載）

反応の関与などによって選択する。

(1) オープン法（open food challenge, OFC）

検者も被検者も負荷食品がわかっている方法である。未就学児の場合には心因反応が関与する可能性は小さいので、オープン法でよいとされている[58~60]。わが国の診療現場では、オープン法が一般に行われている[61]。オープン法は、日常利用している食品を負荷食品として用いることができるため、患者の嗜好に合わせた OFC が可能になり、その結果は食生活の参考にしやすいのが利点である。誘発症状がないまたは客観的に判定できる誘発症状が確認できる場合は判断に迷わないが、主観的な症状のみの場合に、心因反応との鑑別が問題となる。

(2) ブラインド法（blind food challenge, BFC）

学童や成人で心因反応が関与していると疑われる場合や主観的な症状（口腔内違和感、瘙痒感、腹痛、頭痛など）のみを訴えている場合に、負荷食品が何かを被験者がわからない状態で行う。ジュース、ピューレ[62,63]、オートミール、ハンバーグ、カレーなどのマスキング媒体に混ぜて負荷する。プラセボ（媒体だけまたは負荷食品と異なる食品を媒体に混ぜたもの）による OFC を、日を変えて行う。

- 単盲検法（single blind food challenge, SBFC）：検者は負荷食品がわかっているが、被検者にはわからない状態で行う方法である[62,63]。
- 二重盲検プラセボ対照食物負荷試験（double-blind placebo-controlled food challenge, DBPCFC）：被検者だけでなく、検者にも負荷食品がわからない状況で行うプラセボを用いた方法である。負荷食品は症状評価を行う検者とは別のコントローラーが設定する。DBPCFC は正確な症状判定が可能であるが、煩雑であるため研究目的で行われることがほとんどである[64,65]。

2）食品の選択

(1) 代表的な負荷食品

鶏卵は固ゆで全卵（または卵白）または卵焼き・炒り卵、乳製品は牛乳またはヨーグルト、小麦はうどん・食パン（卵や乳を含むため、注意が必要）、大豆は豆腐・煮豆・豆乳、魚は煮魚・焼き魚、ピーナッツ・木の実類は粉末・ピーナッツバターなどを利用するとよい。

(2) 加熱の影響

鶏卵は加熱により低アレルゲン化する[66,67]。非加熱の牛乳 OFC が陽性であっても、オーブンで加熱したマフィンやワッフルを用いて OFC を行うと陰性となることがある[18,68,69]。加熱を利用してアレルゲン性が低い順（マフィン→ピザ→ライスプディング→非加熱牛乳）に OFC を行うことで非加熱乳に反応する牛乳アレルギー患者の多くが 3 年以内に非加熱乳を摂取できるようになることが報告されている[69]。マフィンを用いた鶏卵、牛乳の OFC では重篤な症状がより遅く現れやすく、摂取終了後 1 時間以上経過してからアナフィラキシーを呈することもある[70]。

(3) 加工食品を用いた食物経口負荷試験

加工食品には摂取できると食生活のQOLが大きく向上するものがあり、加工食品を用いたOFCを行うことがある[71]。加工食品は負荷試験食を作成することが難しい施設でも使用できる。用いる食品のタンパク質含有量やアレルゲン性の変化、他のアレルゲン成分の混入などを十分に確認して実施する。加工食品は販売時期ごとのタンパク質含有量の違いにも注意する。

①卵関連食品：焼き菓子類（卵入りのクッキー、カステラ[71]、卵ボーロ[72]など）が利用できる。
②牛乳関連食品：ペプチドミルク、焼き菓子類、牛乳含有のパン類、乳酸菌飲料[55]などを用いる。
③小麦関連食品：クッキーなどを利用することができる[55]。
④魚関連食品：煮魚、焼き魚で症状が誘発される症例でも、缶詰（ツナ缶、サケ缶）などはパルブアルブミンの三次構造が長時間の圧力により変化し、アレルゲン性が低下するとされ[73]、負荷陰性となることがある。

3）総負荷量

OFCで摂取する総量を総負荷量という。総負荷量は少量（low dose）、中等量（medium dose）、日常摂取量（full dose）の3段階に分けられる。一般的な食品の総負荷量の例を表9-6に示す。少量の総負荷量は誤食などで混入する可能性がある量を想定し、日常摂取量は耐性獲得の確認のための目安の量である。日常摂取量は幼児〜小学生の1回の食事量を想定しているが、ピーナッツ・木の実類では学校給食で提供される量を基準としている。最終的にはおおむね年齢に応じた1回の食事量を目安とする。即時型食物アレルギーと診断された例に対し、初めに少量を目標量としたOFCを行い、それが陰性であれば中等量や日常摂取量のOFCを実施することで、比較的安全に摂取可能な量を判定できる[11,12,74,75]。

4）総負荷量の選択

OFCによる症状誘発の可能性は総負荷量を減らすことで低くなる[8,9,11,76,77]。1回のOFCで症状誘発閾値と安全摂取可能量を正確に判定することは困難であり[78,79]、両者を評価するためには総負荷量を変えて複数回にわたりOFCを行うことが望ましい[53,55]。過去のOFCが陽性または即時型反応の既往がある場合には、OFCの陽性確率は高くなる[19]。安全なOFCの実施には、自施設の実施体制を考慮した上で、原因食物の摂取状況、食物摂取に関連した病歴、原則1年以内に測定した特異的IgE抗体価を参考に総負荷量を選択するとよい。

(1) 完全除去例の場合

OFCを安全に実施するためには、OFCのリスクに応じて、自施設で実施可能かを判断することが重要である（図9-1）。

■ 表9-6　総負荷量の例[5]

摂取量	鶏卵	牛乳	小麦	ピーナッツ・クルミ・カシューナッツ・アーモンド
少量 (low dose)	加熱全卵1/32～1/25個相当 加熱卵白1～1.5 g	1～3 mL相当	うどん1～3 g	0.1～0.5 g
中等量 (medium dose)	加熱全卵1/8～1/2個相当 加熱卵白4～18 g	10～50 mL相当	うどん10～50 g	1～5 g
日常摂取量 (full dose)	加熱全卵30～50 g (2/3～1個) 加熱卵白25～35 g	100～200 mL	うどん100～200 g 6枚切り食パン1/2～1枚	10 g

（『食物経口負荷試験の手引き2020』より転載）

①一般の医療機関における総負荷量

　一般の医療機関では予期せぬ重篤な症状に十分に対応できないことがある。そのため、アナフィラキシー既往がなく、1年以内の特異的IgE抗体価が鶏卵（オボムコイド：クラス2以下）、牛乳（ミルク：クラス2以下）、小麦（小麦：クラス1以下かつω-5グリアジン：クラス0）、ピーナッツ（ピーナッツ：クラス1以下かつAra h 2陰性）、クルミ（クルミ：クラス1以下かつJug r 1：クラス0）、カシューナッツ（カシューナッツ：クラス1以下かつAna o 3：クラス0）の条件を満たす場合、自施設にてOFCが実施可能である。
　総負荷量はできるだけ症状誘発リスクが低くなるように、原則として「少量」の総負荷量で実施することが望ましい。

②日常的に実施している医療機関における総負荷量

　日常的に実施している医療機関では予期せぬ重篤な誘発症状に適切に対応できる。そのため、アナフィラキシー既往はないが一般の医療機関では実施できないOFCやアナフィラキシー既往がある患者に対するOFCも実施可能である。ただし、牛乳、小麦、ピーナッツは重篤な症状誘発のリスクが高いため専門の医療機関への紹介を考慮する。
　鶏卵、牛乳、小麦のOFCにおける総負荷量は、即時型反応の既往、アナフィラキシー既往、特異的IgE抗体価を参考に選択する（図9-2～4）。症状誘発のリスクが低いと考えられる場合には、「中等量」の総負荷量での実施が考慮できる。
　ピーナッツ・木の実類のOFCは、重篤な誘発症状のリスクが高いため、原則として「少量」の総負荷量で実施することが望ましく、アナフィラキシーの既往がある場合には、専門の医療機関への紹介を考慮する。

(2) 原因食物の微量・少量が摂取可能な症例の場合

　一般および日常的に実施している医療機関のいずれも、症状なく摂取できる原因食物の量より多い総負荷量を設定する。例えば「微量」が摂取可能であれば、「少量」のOFC、「少量」が摂取可能であれば、「中等量」のOFCを実施する。「中等量」のOFCが陰性であれば、必要に

第9章 食物経口負荷試験（OFC）

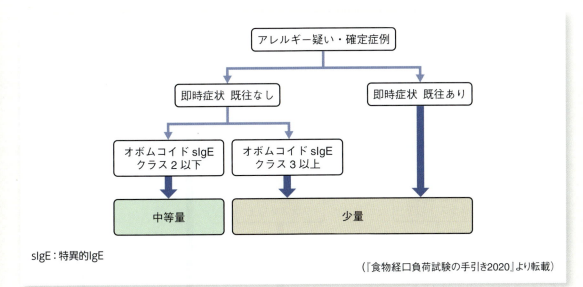

■ 図9-2 総負荷量の選択（鶏卵）[5]

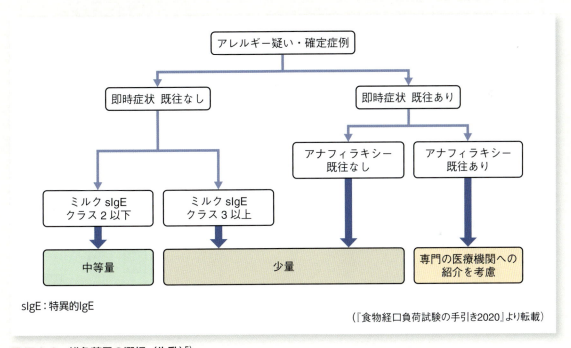

■ 図9-3 総負荷量の選択（牛乳）[5]

応じて「日常摂取量」のOFCを実施する。「中等量」のOFCは、総負荷量をいくつかの段階に設定し、少ない総負荷量から段階的に増量し実施することもできる。

5）摂取間隔と分割方法（図9-5）

　摂取間隔および分割方法の例を図9-5に示す。OFCは単回または2～3回に分割して行

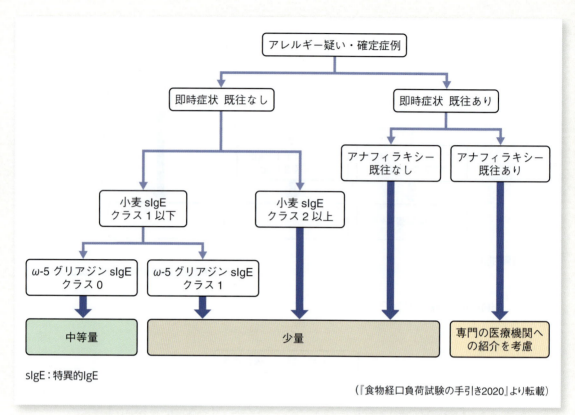

■ 図9-4　総負荷量の選択（小麦）[5]

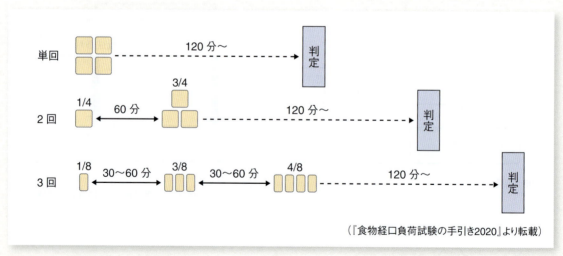

■ 図9-5　摂取間隔および分割方法[5]

い、単回摂取は、安全摂取可能量がすでに明らかな場合や、少量を安全に摂取できるか確認する場合に行う。摂取間隔は20分間隔より40分間隔のほうが症状を観察しやすく[61]、15分間隔に比べて30分間隔はより安全に施行できる可能性が報告されている[80,81]。重症な食物アレ

ルギー児に対して、1時間間隔で安全にOFCができたとされる[8,9]。症状が出現する時間は食物の種類や調理方法の影響を受け、鶏卵は牛乳に比べて症状が現れるのに時間がかかることや[82,83]、マフィンを用いた鶏卵および牛乳のOFCでは症状が現れるのに時間がかかることが報告されている[70]。安全性および患者への負担などを考慮すると、分割して摂取する場合には、摂取間隔は30分以上が望ましく、特に症状出現時間の遅い鶏卵は1時間以上が望ましい。摂取から長時間経ってからの症状誘発の既往がある症例では、摂取間隔の延長を考慮する。

6) 観察時間

最終摂取から原則2時間以上は経過を観察する。一般には2時間以内の即時型反応がほとんどであるが、2時間以降に症状が出現して重症化する例がある。マフィンを用いた鶏卵、牛乳のOFCではアナフィラキシー症例の1/3以上が摂取終了後1時間以上経ってからアナフィラキシーを呈する[70]。ピーナッツ、木の実類などでは二相性反応のリスクが高いため、症状が出現した際には、二相性反応を念頭に置いて対応する[84]。また、多臓器に症状が出現した場合[84]やアドレナリンの投与を要するなど症状が重篤な場合も、二相性反応の出現に注意が必要である。非即時型反応の既往がある場合は翌日まで観察する。

8. 症状誘発時の対応

1) 重症度に基づいた症状に対する治療

OFCにより症状が誘発された場合は、それ以降の摂取を中止し、臓器ごとに重症度を適切に判断し、「食物アレルギーの誘発症状の治療」に準じて治療し、症状が治まるまで観察する（第7章参照）。誘発症状の重症度にはさまざまな要因が影響し、個々の患者の重症度を予測することは困難であり[85,86]、全例を注意深く経過観察する必要がある。急性膵炎は非常に稀な合併症であるが、強い腹痛が遷延するときには念頭に置き、血液検査（アミラーゼ、リパーゼなど）や画像検査を検討すべきである[87,88]。

2) 経過観察の必要性

グレード3（重症）またはアナフィラキシー症状を呈した場合やグレード2（中等症）の症状が遷延した場合、アドレナリンを投与した場合には、十分な観察時間が必要になる。入院施設では宿泊の上、経過観察することを検討する。入院施設を有していない施設では、入院施設のある別の医療機関への搬送を考慮する。

9. 食物経口負荷試験の結果判定

OFCで出現した症状により、陽性、判定保留、陰性のいずれかを判断する。判定保留、陰性の場合には自宅での摂取により症状の再現性を確認する。

1）陽性の判断

OFC で摂取直後から数時間までに明らかな症状が誘発された場合に、OFC の結果を陽性と判定する。症状出現に数時間以上要する場合もあることを考慮し、患者や家族には試験翌日まで症状の有無を観察するように指導し、その結果を加味して最終的に判定する。

2）判定保留の判断

グレード 1（第 7 章参照）に相当するような軽微な症状や主観的な症状の場合は、1 回の OFC で結果判定が難しいことがある[89,90]。OFC 中に咽頭症状を訴えた場合も、最終的に 2/3 は摂取可能であり、咽頭症状のみで OFC を中止すべきではないとされる[91]。このため、判定保留として、再度の OFC または自宅での反復摂取で症状の再現性を確認する。判定保留の 80％は自宅で摂取可能である[90]。

3）陰性例の判断

OFC で陰性であっても、自宅でも OFC で摂取した量を繰り返し摂取して、確実に摂取できることを確認する。ほとんどの陰性例は自宅で摂取可能である[92]。

OFC を行う対象および方法により、反復摂取による症状の出現率は異なると考えられる[56,92,93]。

10. 食物経口負荷試験後の患者指導

OFC 後の指導箋には、負荷食品名、負荷量、結果判定を記入する。陽性の場合は、誘発症状・治療経過を記載し、陰性・判定保留の場合は、それらに加えて、再現性の確認や具体的に摂取してよい量や食品調理法などを記載して家族に渡す。

1）陽性の場合
（1）完全除去例への負荷試験

少量の OFC で陽性の場合には、除去継続とし、1 年後を目安に再度の OFC を検討する。ただし、OFC の結果、微量で客観的な症状が誘発された症例、アナフィラキシーなど重篤な症状が誘発された症例や少量の OFC が繰り返し陽性となる症例は専門の医療機関への紹介を考慮する。

中等量の OFC で陽性の場合には、少量、または症状を誘発した量より少ない総負荷量での中等量の OFC の実施を考慮する。

（2）微量または少量が摂取可能な症例への負荷試験

OFC 実施前までの摂取可能量を継続し、OFC での誘発症状の重症度、症状誘発閾値などを参考にし、おおむね 6 か月～1 年後を目安に、再度の OFC を検討する。再試験の際の陽性症状、症状誘発閾値に再現性はないため、前回の OFC での誘発症状が軽微であっても十分な注

意が必要である[78]。

2) 陰性・判定保留の場合
　総負荷量を超えない範囲までを「食べられる範囲」とし、自宅でも症状が出現しないことを確認する。OFCの結果に基づいて具体的に食べられる食品を示し、生活の質の改善に努める[53,55]。少量の負荷試験で陰性の場合には、自宅でも症状が出現しないことを1〜数か月間確認した後、中等量の負荷試験の実施を考慮する。

3) 除去解除の判断
　耐性獲得の判断は、日常摂取量を自宅で症状なく摂取できることを複数回確認した後に行う[14]。学校給食における除去解除は実際に給食で提供される量を目安とする。はじめは自宅のみで除去解除とするが、原則として体調不良や食後に運動した場合などを含め半年間以上症状が誘発されないことを確認できれば、学校などでも除去解除とする。栄養食事指導の詳細は第10章を参照されたい。

11. 食物経口負荷試験を行うための社会的環境の整備
1) 実施施設の認定と保険診療
　OFCは保険適用となっている。保険診療として実施する場合は、施設基準（表9-7）の認定を受ける。認定を受けるには、「小児食物アレルギー負荷検査の施設基準に係る届出書添付書類」を地方社会保険事務局長に申請する。保険点数は、9歳未満の小児に年2回に限り1,000点が算定される（負荷試験食の費用も含む）。入院ではdiagnosis procedure combination（DPC）対象病院かどうか、算定基準を満たすかどうかで算定方法が異なる（表9-8）。
　複数の原因食物を有する患者や9歳以上の患者を対象にしても、ガイドラインで提示されている段階的なOFCや「安全摂取可能量の決定」を目的としたOFCが行われている。2019年

■ 表9-7　小児食物アレルギー負荷検査の施設基準

1. 小児科を標榜している保険医療機関
2. 小児食物アレルギーの診断および治療の経験を10年以上有する小児科を担当する常勤の医師が1名以上配置されている
3. 急変時などの緊急事態に対応するための体制その他当該検査を行うための体制が整備されている

■ 表9-8　算定基準

算定基準	DPC対象病院	DPC対象外
9歳未満かつ年2回以内	食物アレルギー手術処置等1：あり	短期滞在手術等基本料3
9歳以上または年3回以上	食物アレルギー手術処置等1：なし	出来高

DPC：診断群分類

に厚生労働科学研究費補助金（免疫・アレルギー疾患政策研究事業）にて実施した「食物経口負荷試験実施状況調査」では、9歳以上へのOFC実施が約2割、年間3回以上のOFC実施も約2割に達していた。つまり一部のOFCでは診療点数を請求できていない状況が発生しており、現在の診療状況に見合った保険診療報酬制度の改定は喫緊の解決すべき課題である。

2) 病診連携

食物アレルギーの治療・管理の原則は「正しい診断に基づいた必要最小限の原因食物の除去」であり、OFCを実施し、診断および安全摂取可能量を確認する必要があるが、小児科のアレルギー専門医の約半数はOFCを実施しておらず[94]、OFCを行う施設は充足していないとされる[95]。患者家族の立場からは、専門の医療機関への紹介時期は2歳未満[96]、初回のOFCの時期は3歳未満であると満足度が高い[53]。このため、安易に除去を継続することは避け、自施設でのOFC実施が難しい症例は、近隣の医療機関と病診連携し、早期にOFCを実施できるように配慮する[5]。

食物摂取に関連した病歴、食物の種類、特異的IgE抗体価、原因食物の摂取状況を基に事前にリスクを評価し、自施設での実施が可能であるか判断する。当該食物の完全除去例では、図9-1を参照に医療機関を選択する。原因食物の微量・少量が摂取可能な症例でも、アナフィラキシー既往例は重篤な誘発症状のリスクが高いため、日常的に実施している医療機関または専門の医療機関での実施が望ましい。日本小児科学会専門医研修プログラム基幹施設・連携施設の小児科におけるOFC実施施設は食物アレルギー研究会のWebページ（https://www.foodallergy.jp/ofc/）で調べることが可能である。

参考文献

1) Bird JA, Leonard S, Groetch M, et al. Conducting an oral food challenge：an update to the 2009 adverse reactions to foods committee work group report. J Allergy Clin Immunol Pract. 2020；8：75-90.e17.
2) 﨑原徹裕, 川満 豊. 0歳児における20分ゆで卵白経口負荷試験の安全性の検討. 日小ア誌. 2019；33：106-16.
3) 山田慎吾, 鈴木尚史, 星みゆき, 他. 乳児期の食物経口負荷試験の安全性と有用性. 日小ア誌. 2019；33：726-37.
4) Bird JA, Groetch M, Allen KJ, et al. Conducting an oral food challenge to peanut in an infant. J Allergy Clin Immunol Pract. 2017；5：301-11.e1.
5) 厚生労働科学研究班. 研究代表者：海老澤元宏. 食物経口負荷試験の手引き2020. 2020.
6) Fukuie T, Nishiura H, Miyaji Y, et al. Effect of specific IgE on eliciting dose in children with cow's milk allergy. J Allergy Clin Immunol Pract. 2020；8：3660-2.e2.
7) Blankestijn MA, Remington BC, Houben GF, et al. Threshold dose distribution in walnut allergy. J Allergy Clin Immunol Pract. 2017；5：376-80.
8) Okada Y, Yanagida N, Sato S, et al. Better management of wheat allergy using a very low-dose food challenge：A retrospective study. Allergol Int. 2016；65：82-7.
9) Okada Y, Yanagida N, Sato S, et al. Better management of cow's milk allergy using a very low dose food challenge test：A retrospective study. Allergol Int. 2015；64：272-6.
10) Yanagida N, Minoura T, Kitaoka S, et al. A three-level stepwise oral food challenge for egg, milk, and wheat allergy. J Allergy Clin Immunol Pract. 2018；6：658-60.e10.
11) Yanagida N, Sato S, Takahashi K, et al. Stepwise single-dose oral egg challenge：a multicenter prospective study. J Allergy Clin Immunol Pract. 2019；7：716-8.e6.
12) Yanagida N, Okada Y, Sato S, et al. New approach for food allergy management using low-dose oral food challenges and

low-dose oral immunotherapies. Allergol Int. 2016；65：135-140.
13) Ebisawa M, Nishima S, Ohnishi H, et al. Pediatric allergy and immunology in Japan. Pediatr Allergy Immunol. 2013；24：704-14.
14) 厚生労働科学研究班．研究代表者：海老澤元宏．食物アレルギーの栄養食事指導の手引き 2017．2017．
15) 日本医療研究開発機構（AMED）．研究代表者：海老澤元宏．食物アレルギーの診療の手引き 2020．2020．
16) Murai H, Irahara M, Sugimoto M, et al. Is oral food challenge useful to avoid complete elimination in Japanese patients diagnosed with or suspected of having IgE dependent hen's egg allergy? A systematic review. Allergol Int. 2021 Oct 15：S1323-8930(21)00125-8. doi：10.1016/j.alit.2021.09.005. Epub ahead of print.
17) Maeda M, Kuwabara Y, Tanaka Y, et al. Is oral food challenge test useful for avoiding complete elimination of cow's milk in Japanese patients with or suspected of having IgE-dependent cow's milk allergy? Allergol Int. 2021 Sep 27：S1323-8930（21）00105-2. doi：10.1016/j.alit.2021.09.001. Online ahead of print.
18) Nowak-Wegrzyn A, Bloom KA, Sicherer SH, et al. Tolerance to extensively heated milk in children with cow's milk allergy. J Allergy Clin Immunol. 2008；122：342-7, 347.e1-2.
19) Yanagida N, Sato S, Asaumi T, et al. Safety and feasibility of heated egg yolk challenge for children with egg allergies. Pediatr Allergy Immunol. 2017；28：348-54.
20) Sugiura S, Matsui T, Furuta T, et al. Development of a prediction model for severe wheat allergy. Pediatr Allergy Immunol. 2018；29：93-6.
21) Yanagida N, Sato S, Asaumi T, et al. Risk factors for severe reactions during double-blind placebo-controlled food challenges. Int Arch Allergy Immunol. 2017；172：173-82.
22) Yanagida N, Sato S, Takahashi K, et al. Increasing specific immunoglobulin E levels correlate with the risk of anaphylaxis during an oral food challenge. Pediatr Allergy Immunol. 2018；29：417-24.
23) Sampson HA, Scanlon SM. Natural history of food hypersensitivity in children with atopic dermatitis. J Pediatr. 1989；115：23-7.
24) Inoue T, Ogura K, Takahashi K, et al. Risk factors and clinical features in cashew nut oral food challenges. Int Arch Allergy Immunol. 2018；175：99-106.
25) Sato S, Yamamoto M, Yanagida N, et al. Jug r 1 sensitization is important in walnut-allergic children and youth. J Allergy Clin Immunol Pract. 2017；5：1784-6.e1.
26) Peters RL, Allen KJ, Dharmage SC, et al. Natural history of peanut allergy and predictors of resolution in the first 4 years of life：A population-based assessment. J Allergy Clin Immunol. 2015；135：1257-66.e51.
27) Yanagida N, Sato S, Takahashi K, et al. Reactions of buckwheat-hypersensitive patients during oral food challenge are rare, but often anaphylactic. Int Arch Allergy Immunol. 2017；172：116-22.
28) Cianferoni A, Khullar K, Saltzman R, et al. Oral food challenge to wheat：a near-fatal anaphylaxis and review of 93 food challenges in children. World Allergy Organ J. 2013；6：14.
29) Worm M, Moneret-Vautrin A, Scherer K, et al. First European data from the network of severe allergic reactions (NORA). Allergy. 2014；69：1397-404.
30) Vazquez-Ortiz M, Alvaro-Lozano M, Alsina L, et al. Safety and predictors of adverse events during oral immunotherapy for milk allergy：severity of reaction at oral challenge, specific IgE and prick test. Clin Exp Allergy. 2013；43：92-102.
31) Maruyama N, Sato S, Yanagida N, et al. Clinical utility of recombinant allergen components in diagnosing buckwheat allergy. J Allergy Clin Immunol Pract. 2016；4：322-3.e3.
32) 今井孝成，杉崎千鶴子，海老澤元宏．消費者庁「食物アレルギーに関連する食品表示に関する調査研究事業」平成 23 年即時型食物アレルギー全国モニタリング調査．アレルギー．2016；65：942-6.
33) 竹井真理，柳田紀之，浅海智之，他．牛乳アレルギー児に対する食品用乳糖の食物経口負荷試験の検討．日小ア誌．2015；29：649-54.
34) Ando H, Moverare R, Kondo Y, et al. Utility of ovomucoid-specific IgE concentrations in predicting symptomatic egg allergy. J Allergy Clin Immunol. 2008；122：583-8.
35) Komata T, Soderstrom L, Borres MP, et al. The predictive relationship of food-specific serum IgE concentrations to challenge outcomes for egg and milk varies by patient age. J Allergy Clin Immunol. 2007；119：1272-4.
36) Ebisawa M, Shibata R, Sato S, et al. Clinical utility of IgE antibodies to omega-5 gliadin in the diagnosis of wheat allergy：a pediatric multicenter challenge study. Int Arch Allergy Immunol. 2012；158：71-6.
37) Ebisawa M, Moverare R, Sato S, et al. Measurement of Ara h 1-, 2-, and 3-specific IgE antibodies is useful in diagnosis of peanut allergy in Japanese children. Pediatr Allergy Immunol. 2012；23：573-81.
38) Kukkonen AK, Pelkonen AS, Makinen-Kiljunen S, et al. Ara h 2 and Ara 6 are the best predictors of severe peanut allergy：a double-blind placebo-controlled study. Allergy. 2015；70：1239-45.
39) Leo SH, Dean JM, Jung B, et al. Utility of Ara h 2 sIgE levels to predict peanut allergy in Canadian children. J Allergy Clin

Immunol Pract. 2015. 3；968-9.
40) Sato S, Moverare R, Ohya Y, et al. Ana o 3-specific IgE is a predictive marker for cashew oral food challenge failure. J Allergy Clin Immunol Pract. 2019；7：2909-11.e4.
41) 佐藤さくら，福家辰樹，伊藤浩明，他．クルミアレルギー診断におけるアレルゲンコンポーネント Jug r 1 特異的 IgE 抗体測定の有用性．日小ア誌．2019；33：692-701.
42) Yanagida N, Minoura T, Takahashi K, et al. Salmon roe-specific serum IgE predicts oral salmon roe food challenge test results. Pediatr Allergy Immunol. 2016；27：324-7.
43) Komata T, Soderstrom L, Borres MP, et al. Usefulness of wheat and soybean specific IgE antibody titers for the diagnosis of food allergy. Allergol Int. 2009；58：599-603.
44) Maloney JM, Rudengren M, Ahlstedt S, et al. The use of serum-specific IgE measurements for the diagnosis of peanut, tree nut, and seed allergy. J Allergy Clin Immunol. 2008；122：145-51.
45) Yanagida N, Ejiri Y, Takeishi D, et al. Ses i 1-specific IgE and sesame oral food challenge results. J Allergy Clin Immunol Pract. 2019；7：2084-6.e4.
46) Sporik R, Hill DJ, Hosking CS. Specificity of allergen skin testing in predicting positive open food challenges to milk, egg and peanut in children. Clin Exp Allergy. 2000；30：1540-6.
47) Sindher S, Long AJ, Purington N, et al. Analysis of a large standardized food challenge data set to determine predictors of positive outcome across multiple allergens. Front Immunol. 2018；9：2689.
48) Yanagida N, Sato S, Takahashi K, et al. Skin prick test is more useful than specific IgE for diagnosis of buckwheat allergy：A retrospective cross-sectional study. Allergol Int. 2018；67：67-71.
49) Bird JA, Lack G, Perry TT. Clinical management of food allergy. J Allergy Clin Immunol Pract. 2015；3：1-11；quiz 12.
50) Muraro A, Roberts G, Worm M, et al. Anaphylaxis：guidelines from the European Academy of Allergy and Clinical Immunology. Allergy. 2014；69：1026-45.
51) Turner PJ, Jerschow E, Umasunthar T, et al. fatal anaphylaxis：Mortality rate and risk factors. J Allergy Clin Immunol Pract. 2017；5：1169-78.
52) 川田康介．開業外来における食物経口負荷試験 -2010 年実施症例のまとめ -．日小ア誌．2011；25：785-93.
53) 柳田紀之，佐藤さくら，今井孝成，他．食物経口負荷試験の理論と実践．日小ア誌．2014；28：320-8.
54) 柳田紀之．定型除去食メニューは誤配膳を減少させる．日小ア誌．2013；27：580-4.
55) 柳田紀之，佐藤さくら，真部哲治，他．食物経口負荷試験（即時型）．日小ア誌．2014；28：835-45.
56) 柳田紀之，佐藤さくら，海老澤元宏．全卵粉末入りジュースを用いた食物経口負荷試験の検討．アレルギー．2016；65：193-9.
57) Sampson HA, Gerth van Wijk R, Bindslev-Jensen C, et al. Standardizing double-blind, placebo-controlled oral food challenges：American Academy of Allergy, Asthma & Immunology-European Academy of Allergy and Clinical Immunology PRACTALL consensus report. J Allergy Clin Immunol. 2012；130：1260-74.
58) Oole-Groen CJ, Brand PL. Double-blind food challenges in children in general paediatric practice：useful and safe, but not without pitfalls. Allergol Immunopathol (Madr). 2014；42：269-74.
59) Venter C, Pereira B, Voigt K, et al. Comparison of open and double-blind placebo-controlled food challenges in diagnosis of food hypersensitivity amongst children. J Hum Nutr Diet. 2007；20：565-79.
60) Muraro A, Roberts G, Clark A, et al. The management of anaphylaxis in childhood：position paper of the European academy of allergology and clinical immunology. Allergy. 2007；62：857-71.
61) 伊藤浩明，二村昌樹，高岡有理，他．当科におけるオープン法による牛乳・鶏卵・小麦負荷試験．アレルギー．2008；57：1043-52.
62) 小俣貴嗣，宿谷明紀，今井孝成，他．ブラインド法乾燥食品粉末食物負荷試験に関する検討（第 1 報）－非加熱全卵・卵黄負荷試験 -．アレルギー．2009；58：524-36.
63) 小俣貴嗣，宿谷明紀，今井孝成，他．ブラインド法乾燥食品粉末食物負荷試験に関する検討（第 2 報）－牛乳負荷試験 -．アレルギー．2009；58：779-89.
64) Brand PL, Landzaat-Berghuizen MA. Differences between observers in interpreting double-blind placebo-controlled food challenges：a randomized trial. Pediatr Allergy Immunol. 2014；25：755-9.
65) Venter C, Maslin K, Patil V, et al. The prevalence, natural history and time trends of peanut allergy over the first 10 years of life in two cohorts born in the same geographical location 12 years apart. Pediatr Allergy Immunol. 2016；27：804-11.
66) Mehr S, Turner PJ, Joshi P, et al. Safety and clinical predictors of reacting to extensively heated cow's milk challenge in cow's milk-allergic children. Ann Allergy Asthma Immunol. 2014；113：425-9.
67) Bloom KA, Huang FR, Bencharitiwong R, et al. Effect of heat treatment on milk and egg proteins allergenicity. Pediatr Allergy Immunol. 2014；25：740-6.
68) Bartnikas LM, Sheehan WJ, Hoffman EB, et al. Predicting food challenge outcomes for baked milk：role of specific IgE and

skin prick testing. Ann Allergy Asthma Immunol. 2012；109：309-13.e1.
69) Nowak-Wegrzyn A, Lawson K, Masilamani M, et al. Increased tolerance to less extensively heat-denatured (baked) milk products in milk-allergic children. J Allergy Clin Immunol Pract. 2018；6：486-95.e5.
70) Yonkof JR, Mikhail IJ, Prince BT, et al. Delayed and severe reactions to baked egg and baked milk challenges. J Allergy Clin Immunol Pract. 2021；9：283-9.e2.
71) 林　大輔，鈴木寿人，森下直樹，他．鶏卵アレルギー児に対するカステラ経口負荷試験の有用性に関するアンケート調査．日小ア誌．2015；29：99-107.
72) 楠　隆，三國貴康，木村暢佑，他．3歳未満の卵白・卵黄特異的IgE陽性例に対する卵製品負荷試験の検討．日児誌．2007；111：1035-41.
73) Pecoraro L, Tenero L, Pietrobelli A, et al. Canned tuna tolerance in children with IgE-mediated fish allergy：an allergological and nutritional view. Minerva Pediatr. 2020；72：408-15.
74) 二瓶真人，佐藤大記，北沢　博，他．加熱鶏卵の段階的な食物経口負荷試験に関する検討．日小ア誌．2018；32：776-84.
75) 二瓶真人，佐藤大記，堀野智史，他．うどんの段階的な食物経口負荷試験に関する安全性の検討．日小ア誌．2019；33：129-38.
76) Taylor SL, Hefle SL, Bindslev-Jensen C, et al. A consensus protocol for the determination of the threshold doses for allergenic foods：how much is too much? Clin Exp Allergy. 2004；34：689-95.
77) Yanagida N, Minoura T, Kitaoka S, et al. A three-level stepwise oral food challenge for egg, milk, and wheat allergy. J Allergy Clin Immunol Pract. 2018；6：658-60.e10.
78) Glaumann S, Nopp A, Johansson SG, et al. Oral peanut challenge identifies an allergy but the peanut allergen threshold sensitivity is not reproducible. PLoS One. 2013；8：e53465.
79) Blom WM, Vlieg-Boerstra BJ, Kruizinga AG, et al. Threshold dose distributions for 5 major allergenic foods in children. J Allergy Clin Immunol. 2013；131：172-9.
80) Yanagida N, Imai T, Sato S, et al. Do longer intervals between challenges reduce the risk of adverse reactions in oral wheat challenges? PLoS One. 2015；10：e0143717.
81) 柳田紀之，今井孝成，佐藤さくら，他．食物経口負荷試験による摂取方法の検討．日小ア誌．2015；29：181-91.
82) Yanagida N, Minoura T, Kitaoka S. Allergic reactions to milk appear sooner than reactions to hen's eggs：a retrospective study. World Allergy Organ J. 2016；9：12.
83) Yanagida N, Sato S, Takahashi K, et al. Time of initial symptom appearance during low-dose milk and egg challenges. Pediatr Allergy Immunol. 2021；32：612-5.
84) Kraft M, Scherer Hofmeier K, Rueff F, et al. Risk factors and characteristics of biphasic anaphylaxis. J Allergy Clin Immunol Pract. 2020；8：3388-95.e6.
85) Pettersson ME, Koppelman GH, Flokstra-de Blok BMJ, et al. Prediction of the severity of allergic reactions to foods. Allergy. 2018；73：1532-40.
86) Dubois AEJ, Turner PJ, Hourihane J, et al. How does dose impact on the severity of food-induced allergic reactions, and can this improve risk assessment for allergenic foods?：Report from an ILSI Europe Food Allergy Task Force Expert Group and Workshop. Allergy. 2018；73：1383-92.
87) Ogura K, Iikura K, Yanagida N, et al. Two patients with acute pancreatitis after undergoing oral food challenges. J Allergy Clin Immunol Pract. 2016；4：984-6.
88) 清水麻由，阿部祥英，渡邊佳孝，他．ピーナッツアレルギーが関与した急性膵炎の3歳男児例．日小ア誌．2015；29：255-9.
89) Niggemann B. When is an oral food challenge positive? Allergy. 2010；65：2-6.
90) Miura T, Yanagida N, Sato S, et al. Follow-up of patients with uncertain symptoms during an oral food challenge is useful for diagnosis. Pediatr Allergy Immunol. 2018；29：66-71.
91) Nachshon L, Zipper O, Levy MB, et al. Subjective oral symptoms are insufficient predictors of a positive oral food challenge. Pediatr Allergy Immunol. 2021；32：342-8.
92) Yanagida N, Sato S, Takahashi K, et al. Safe egg yolk consumption after a negative result for low-dose egg oral food challenge. Pediatr Allergy Immunol. 2021；32：170-6.
93) Niggemann B, Lange L, Finger A, et al. Accurate oral food challenge requires a cumulative dose on a subsequent day. J Allergy Clin Immunol. 2012；130：261-3.
94) 二村昌樹，伊藤浩明，有田昌彦，他．アレルギー専門医による食物経口負荷試験の実施状況．日小ア誌．2009；23：279-86.
95) 今井孝成，海老澤元宏．全国経口食物負荷試験実施状況　-平成23年度即時型食物アレルギー全国モニタリング調査から-．アレルギー．2013；62：681-8.
96) 柳田紀之，佐藤さくら，浅海智之，他．食物アレルギー児の紹介時期に関する検討．医療．2016；70：149-53.

第10章 食物アレルギー患者の管理

[要旨]

1. 食物アレルギー管理の原則は、正しい診断に基づいた必要最小限の原因食物の除去である。
2. 患者や家族に対して、誤食などによる誘発症状を防止するための注意点を指導する。
3. 摂取している食事全体を評価し、必要に応じて管理栄養士による栄養摂取状況の評価および栄養食事指導を行う。
4. 食物経口負荷試験などで原因食物の食べられる範囲を確認し、安全性を確保できる範囲の摂取を指導する。
5. 合併するアレルギー疾患を十分にコントロールする。

1. 管理の原則

　食物アレルギー管理の原則は、「正しい診断に基づいた必要最小限の原因食物の除去」といえる。患者指導を行うためには、医師の指示に基づいて管理栄養士による栄養食事指導を提供できることが望ましく、9歳未満の患者では栄養食事指導料を算定できる。そうでない場合は医師および看護師などによって食事指導を行うことが求められる。
　患者管理のポイントは、次の6項目に整理される（表10-1）。

1）正しい診断に基づいた除去

　明らかな誘発歴、または食物経口負荷試験（oral food challenge, OFC）陽性を確認して、食物アレルギーの確定診断に基づく除去を行う（第8章、第9章）。

2）症状を誘発しない範囲のアレルゲン摂取

　原因食物は安全のために除去することが原則である。しかし、日常的な摂取機会が多く、将来の耐性獲得が期待できる食物（鶏卵、牛乳、小麦、大豆など）については、症状を誘発しない範囲の量、または加熱・調理により反応性が低下して摂取できる範囲を見極めて、摂取する指導を行うことを目指す。含有タンパク量がごく少量であるため、完全除去を指示している場合であっても一般的に除去が不要な食品が存在する（表10-2）[1~3]。これらの食品の除去に関しては個別の評価が必要である。

■ 表 10-1　管理の原則

①正しい診断に基づいた除去
　食べると症状が誘発される食物（原因食物）だけを除去する。

②症状を誘発しない範囲のアレルゲン摂取
　原因食物によっては、症状が誘発されない"食べられる範囲"までは食べることを目指す。

③安全の確保
　十分な誤食防止対策を行う。そのために周囲の人たちの理解も促す。

④必要な栄養摂取
　食物除去に伴う栄養摂取不足を未然に防ぐ。

⑤QOLの向上
　生活上の負担や不安を軽減し、生活の質（QOL）を高めることを目指す。

⑥誘発症状への対応
　症状が誘発されても適切に対応できるようにする。

■ 表 10-2　原則として除去不要の食品[12]

	除去不要の食品
鶏卵アレルギー	卵殻カルシウム
牛乳アレルギー	乳糖、牛肉
小麦アレルギー	醤油、酢、麦茶
大豆アレルギー	大豆油、醤油、味噌
ゴマアレルギー	ゴマ油
魚アレルギー	かつおだし、いりこだし
肉類アレルギー	エキス

※重症者では上記食品の一部で症状が認められたという報告もある。

（『食物アレルギーの診療の手引き2020』より引用改変）

3）安全の確保

　食事の場面に限らず、生活の中での誤食防止を指導する。アレルゲンを含む食品を摂取する際には、患者の体調変化や摂取後の運動に伴いアレルギー症状が出現する可能性に注意を促す。

4）必要な栄養摂取

　食物除去に伴う栄養素の不足を、他の食品で補う指導をする。そのためには、不必要な食物制限をしていないか、患者と家族の食事全体に目を配る（図10-1）[4]。中でも牛乳を除去した場合はカルシウム不足になる可能性が高く[5]、特に意識して指導を行う。小麦や大豆を除去した場合には、代替となる特別な食材の情報が必要となるため、管理栄養士の協力を得られるとよい（第12-3章参照）。

5）QOLの向上

　食物アレルギーは、家族全体の生活の質（quality of life, QOL）に少なからず影響を与え

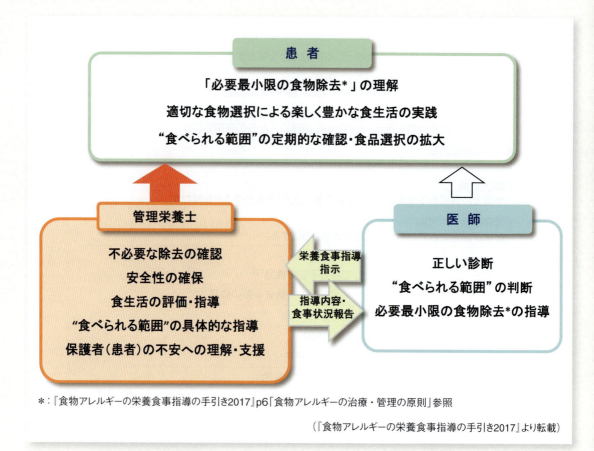

■ 図10-1　管理栄養士との連携[4]

る。その内容や程度は、患者の年齢や重症度、きょうだいを含む家庭状況、家族全体の食習慣などによる個別性がある。その状況をよく把握して、有効かつ実現可能なアドバイスが求められる。

6）誘発症状への対応

これまでの病歴や想定される重症度を参考に、誤食などによりアレルギー症状が誘発された場合の対応に関して十分に説明する（第7章）。

2. 安全の確保

1）誤食防止対策

誤食防止対策には、摂取する食品へのアレルゲン混入を防ぐことと、アレルゲンを含む食品を摂取しないことの2つがある。患者の年齢や重症度に応じて、過不足のない範囲の対策を指導する。

(1) 摂取する食品へのアレルゲン混入防止
①調理の過程でアレルゲンが混入しないように、調理の手順を工夫する。
②調理器具や食器の洗浄、調理台の清潔管理を工夫する。
③食事中、料理の取り分け時の混入に気を付ける。
(2) アレルゲンを含む食品の摂取防止
①加工食品のアレルゲン表示制度を理解し、正しく読み取ることができるよう指導する（第17章）。
②低年齢の患者が知らずに口にすることがないように、食べ物の片付けや置き場所に配慮する。
③年齢や理解力に応じて、患者本人に説明する。
④親戚や友人など周囲の人にも患者の食物アレルギーに対する理解を促す。
⑤食事の場面以外にも、食物を扱う授業やイベントなど日常生活の中に誤食の危険性があることに目を向ける。

2) 誤食以外による症状誘発回避

食物アレルギーは、アレルゲンの接触、吸入などによっても症状が誘発される可能性がある。そうした経験がある、またはごく微量でも症状を認める場合には、皮膚に触れる机や椅子、工作や教材で使う食品の容器、室内に揮発したアレルゲン、皮膚に塗布する外用薬や化粧品などにも配慮が必要である。

3. 必要な栄養摂取

食物除去を開始した後は医原性に栄養不良とならないように、定期的に栄養面の評価と指導を行う。

1) 身体的成長による評価

食事摂取状況のアセスメントには、BMIや体重変化量を用いる。小児の場合、一時点だけでは栄養量の過不足を十分に評価できないため、身長と体重を成長曲線に照らし合わせて経時的に評価する。

2) 食事量による評価

摂取している食事量から栄養計算を行う方法は、目安量記録法、24時間思い出し法、食品摂取頻度調査法などがあり、目的や状況に応じて適宜選択する。これを「日本人の食事摂取基準（2020年版）」などに照らし合わせて過不足を評価する。特に鶏卵や牛乳を除去した場合にはカルシウムや脂質の不足[5]、魚を除去するとビタミンDの不足が発生しやすい[6]。

3）異常所見の確認

極端な食物除去を行っている患者では、鉄・亜鉛などの微量元素やカルシウム、ビタミンの不足が生じ、鉄欠乏性貧血、亜鉛欠乏症、くる病や骨粗鬆症を発症する場合がある[7]。除去食物の多い患者では、ヘモグロビンやアルブミン、アルカリフォスファターゼなどを測定する。さらに、栄養素の欠乏が疑われる患者には鉄、フェリチン、亜鉛、25（OH）Dを測定し、くる病を疑ったら副甲状腺ホルモンの測定や、骨のエックス線撮影、骨密度測定などを実施する。

4）栄養食事指導

除去が必要な食物に代替する食品について、具体的に指導する。食品ごとの指導ポイントは、第12章を参照されたい。除去が必要な食物だけ注目せず、その他に不必要な除去が継続されたり、食物が未摂取のままとなっていないかを確認し、アレルギーの正しい診断に基づいて摂取指導を行うことが、栄養食事指導の基本となる。

鶏卵・牛乳・小麦・大豆など、献立の中心となる食物を除去する場合は、必要に応じて管理栄養士が具体的な献立などによって栄養食事指導を行うことが望ましい。主な栄養素に関する代替食品の栄養素の目安を表10-3に示す。多くの料理や加工食品に使われる小麦・大豆の除去が必要な場合は、それらを含まない調理法や商品を具体的に紹介することが望ましい。牛乳除去に伴うカルシウム摂取不足は骨密度や成長にも影響することが報告されており[8,9]、栄養強化食品の併用を含む指導が必要な場合もある。

4. 患者・家族のQOL維持

子どもが食物アレルギーを持つ場合、安全のため家族全体でアレルゲンを避けた食事をするか、本人だけアレルゲンを含まない料理を食べるかなど、患者の年齢や重症度、きょうだいの有無など各家庭の状況に配慮したアドバイスを行う。患児が0～2歳の間は、家庭内の安全・安心のため家族全体の除去を選択することが多い。自分と周囲の違いを理解し始める3歳ごろからは、本人の自覚を促すことも含めて、誤食に十分注意した上で周囲はアレルゲンを含む料理や食品を食べる場面を作ることを考慮する。

果物、大豆、木の実類などでは、アナフィラキシーのリスクを伴う即時型か口腔アレルギー症候群かの病型診断が、適切な食事指導の基本となる。前者の場合は、微量のアレルゲン混入にも注意を払う必要があるのに対して、後者の場合は症状を感じない範囲で摂取可能であることを繰り返し確認し、患者が過剰な不安を持たない指導を行う。

出汁や調味料、ゴマ、スパイス類、甘味料、食品添加物などの除去が必要な場合、加工食品の各商品における含有の有無について正確な情報が必要となる。外食・中食を含む患者のQOLが大きく低下するため、具体的な情報提供と生活指導を心がける。

微量でもアナフィラキシーを誘発する食物を持つ患者は、特定の料理や食品だけでなく、あらゆる食事の場面で不安と緊張感を強いられ、QOLが大きく低下している[10]。食生活における

第10章 食物アレルギー患者の管理

■ 表10-3 代替食品の栄養素の目安[4]　　　　　　　　※量の換算は「食品成分表 2015」に基づく

エネルギー 160 kcalの目安		
ごはん	おにぎり中1個	100 g
食パン	6枚切1枚	60 g
米粉パン	約1枚	65 g
うどん(ゆで)	約2/3玉	150 g
さつまいも(蒸し)	小1本	120 g
じゃがいも(蒸し)	小2個	190 g

タンパク質 6 gの目安		
鶏卵	M玉1個	50 g
肉	薄切り2枚	30～40 g
魚	1/2切	30～40 g
豆腐(絹ごし)	1/2丁	130 g
牛乳	コップ1杯	180 mL

ビタミンD 1 μgの目安		
焼き鮭(べにざけ)	1口	2.5 g
しらす干し	小さじ1	2 g
ツナ缶(水煮)	1/2缶	50 g
卵黄	1個	17 g
乾燥きくらげ	1片	1 g
干しいたけ	2本	8 g

カルシウム 100 mgの目安		
普通牛乳	コップ1/2杯	90 mL
アレルギー用ミルク	コップ1杯	180 mL
調整豆乳	コップ2杯弱	320 mL
豆腐(木綿)	1/3丁	80 g
しらす干し	2/3カップ	50 g
さくらえび(素干し)	大さじ1～2杯	5 g
干しひじき	−	10 g
切干大根(乾)	−	19 g
まいわし(丸干し)	1/4尾	22 g
ごま	大さじ1杯	9 g
小松菜(ゆで)	2株	70 g

鉄 1 mgの目安		
豚レバー	1切れ	8 g
鶏レバー	1/4羽分	11 g
牛モモ肉(赤身)	薄切り2枚	35 g
あさりむきみ	6～7個	30 g
鶏卵	M～L玉1個	55 g
豆腐(木綿)	1/2丁	120 g
オートミール	1/4カップ	25 g
ほうれんそう(ゆで)	2株	110 g
小松菜(ゆで)	1.5株	50 g

(『食物アレルギーの栄養食事指導の手引き2017』より改変)

除去解除を目指せないまでも、症状誘発閾値量の上昇が得られるとQOLが大きく改善することも期待できる[11]。患者の要望や意欲に応じて、経口免疫療法(第11章)の臨床研究を実施している専門医療機関を紹介して情報提供の機会を作るなど、QOLを改善する指導を心がける。

5. 食べることを目指した食事指導

　日常的な摂取機会が多く、将来の耐性獲得が期待できる食物(鶏卵、牛乳、小麦、大豆など)にアレルギーのある乳幼児に対しては、食物除去を必要最小限に留めて、可能な範囲で原因食物を摂取する指導を行う。摂取許容量が増えるとアレルゲンの微量混入による症状誘発が防止され、患者家族のQOLが改善する。さらに、症状を誘発しない範囲の摂取を継続的に行い、摂取許容量が徐々に増加することで、将来的な耐性獲得が促進される可能性もある[12]。

1）摂取可能量評価後の食事指導

　OFCや問診によって、患者が一定量の原因食物を摂取できると判断した場合、単にその量を提示するのではなく、摂取可能な料理や食品などの具体例を提示するように心がける。

　主要な加工食品に含まれる抗原量を把握して、患者へ説明できるようにしておくとよい[13]。患者家族は家庭での料理に原因食物を使わないことに慣れていることが多く、原因食物を料理に使用する方法や、原因食物を含む加工食品を選択することについて、具体的な指導が必要な場合もある。

　ただし、体調不良や食物摂取後の運動、食品の成分変更などによっては、アナフィラキシーを含めたアレルギー症状が誘発される恐れがあるため、安全係数を考慮した指導が必要である。

2）食物経口負荷試験後の食事指導

　OFCを行った場合は、その結果を受けて以後の摂取量について食事指導を行う（第9章、図10-2）。

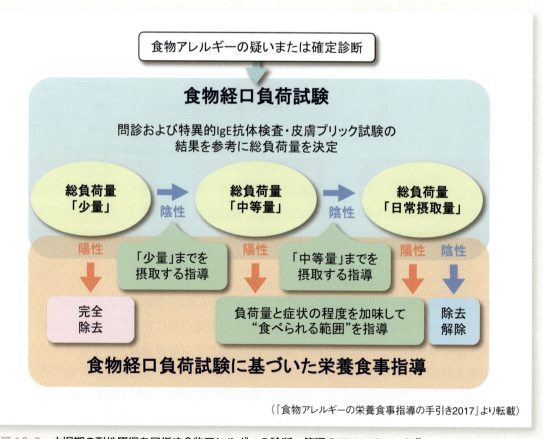

■ 図10-2　小児期の耐性獲得を目指す食物アレルギーの診断・管理のフローチャート[4]

(1) 食物経口負荷試験陰性の場合

少量の OFC が陰性であった場合は、その総負荷量を超えない範囲で繰り返し摂取させて安全性を確認する。OFC で摂取した食品そのものを計量して摂取し、その摂取量や誘発症状を記録してもらうようにすると確実に安全性を確認することができる。

少量を安全に摂取できる場合には、中等量の OFC を実施する。その際の総負荷量は、患者の既往歴や摂取可能な量、摂取時の安全性などを考慮して設定する。その結果が陰性であれば、そこで確認された安全量までを繰り返し自宅で摂取することを指導する。

中等量の OFC は、総負荷量を増量しながら数回繰り返して実施することにより、摂取可能量を確認しながら摂取量を増やす指導を行う場合がある。摂取可能な量と同時に、それを超えない範囲で摂取できる料理や加工食品なども指導することで、食生活の幅を広げて QOL を改善することと、本人の意欲を高めることも心がける。

日常摂取量は患者の年齢によって変化するが、小学生の場合は加熱鶏卵 1 個、牛乳 200 mL、うどん 200 g が目安となる。家庭における摂取量の問診、または OFC によって日常摂取量の摂取が可能であることが確認されれば、食生活における除去の解除を考慮できる。その場合でも、異なる加工食品や調理法、摂取後の運動、体調不良時などに症状が誘発される場合があるため、それらを含めて確認した上で除去解除を許可する。

学校給食では、牛乳と小麦の日常摂取量を超える献立があり、摂取直後に運動する場面も多いため、それらを考慮して給食の解除を許可する。

(2) 食物経口負荷試験陽性の場合

少量の OFC が陽性の場合は、原則として原因食物の除去を継続する。ここで摂取を開始することは経口免疫療法(oral immunotherapy, OIT)の開始に相当するリスクを伴うため、専門の医療機関に紹介を考慮する。

中等量の OFC が陽性だった場合、出現した症状の重症度と総負荷量を加味して、一定量までの摂取を指導できることがある。摂取可能量の設定についてはいくつかの報告があるものの、コンセンサスのある判断基準はなく、患者の既往歴や年齢、家庭の状況、本人や保護者の意志などを考慮して決定する。

いずれの場合でも、一定量の摂取を継続する期間やその先の OFC を含むスケジュールなど、解除に向けての道筋を示しながら指導することが望ましい。

(3) 閾値量を超えた摂取

軽症の乳幼児においては、患者が日常生活の中で摂取している量を把握して、それを徐々に増加させることで耐性獲得に至ることが期待できる。十分な問診や摂取記録表などを用いて、日常生活で安全に摂取可能なアレルゲン量やその再現性を定期的に評価する。必要に応じて OFC を行い、より多い量が摂取可能かどうかを判断する。

中等量の摂取が可能な患者に日常摂取量に至る指導を行う場合、食物アレルギーに習熟した専門医と管理栄養士が摂取記録表などを用いて摂取可能な量を正確に評価して、それを計画的

に増量していく指導を行う場合もある[14〜17]。

　早期の耐性獲得が期待しにくい重症者に対して閾値量を超えた摂取を指導することは、OITに相当する（第11章参照）。

3）食事指導の最終目標

　解除を目指した食事指導の最終目標は、患者がアレルゲンであったものでもその他の食品と同じように日常的に摂取できるようにすることである。しかし、かつて症状を誘発したアレルゲンを含む食品が医学的には摂取可能となった後、すべての患者が好んで摂取するとは限らない。その理由は個人によって異なり、わずかな口腔症状を感じる、匂いや味を受け入れられない、原因食物を除去する生活に慣れてしまっている、以前の誘発症状を思い出してしまうなどがある[18]。

　患者の幼少時からの経験に基づく嗜好を変えることは容易ではなく、無理に摂取することが患者の目指すゴールとは言い切れない。少なくとも、過去の原因食物を含む料理を食べることへの不安感や、外食などを含むQOLの低下を残していないことを確認する。日常的な摂取頻度や量に関して問診し、継続的な摂取ができていなければその理由を評価し、調理や摂取における工夫などを提案することで摂取が継続できるよう支援を行う。

　こうした解除の仕上げに関する指導は、解除が可能になってから行うだけでは目標を達成しにくい。患者が除去を継続している時期から、解除のゴールに向けた見通しを患者・保護者に伝えること、特に患者本人にも年齢に応じた理解を促すことを心がける。

6. 合併するアレルギー疾患の管理

　食物アレルギー以外のアレルギー疾患のコントロール状態はより良いことが望ましい。特にアレルゲンとなる食物を摂取する場合、合併疾患のコントロールが不良だと症状誘発リスクが高まり、閾値量の上昇も得られにくい。

1）喘息

　喘息は重症アナフィラキシーのリスクとなる[19]。また食物アレルギーの合併は重症喘息発作のリスクであることも報告されている[20]。特に十分にコントロールされていない喘息は危険とされており、食物アレルギーに合併する喘息のコントロール状態には特に注意を払う必要がある。

2）アトピー性皮膚炎

　アトピー性皮膚炎は、皮膚のバリア機能を低下させてアレルゲンの侵入を促進し、感作の成立に関与する[21]。成人の手湿疹は、職業的に接触する食物成分の感作を促進し、食物アレルギーの発症に関与する[22]。また、アトピー性皮膚炎のコントロール状態が悪いと症状が誘発されやすい[23]、もしくは抗原摂取による症状と区別することが困難になるため[24]、良好なコント

ロールが望まれる。

3）アレルギー性鼻炎・結膜炎など

治療が不十分なアレルギー性鼻炎は喘息のコントロール状態の悪化と関連している[25]ことや花粉によりアトピー性皮膚炎が悪化する[26]ことが報告されている。これらの影響も含め、アレルギー性鼻炎・結膜炎の症状のコントロールが不良な場合には、食物アレルギーの重症症状が誘発されやすいとされている[23]。

7. 食物アレルゲンを含む薬剤・ワクチン

医療用医薬品や一般用医薬品または生活用品（口腔ケア製品、化粧品、入浴剤、石鹸など）に、食物由来の成分が含まれていることがある（表10-4）。

1）鶏卵由来

卵白由来の塩化リゾチームはグラム陽性菌の細胞壁を構成するグリコサミノグリカンを分解する作用があるとして、外用薬や一般用医薬品などに用いられている。

2）牛乳由来

タンニン酸アルブミンはタンニン酸とカゼインより合成され、止痢薬として用いられている。一部の乳酸菌製剤は菌の培地にカゼインが含まれている。その他、経腸栄養剤はカゼインが原材料として使われているものが多い。

乳糖はブドウ糖とガラクトースからなる二糖類であるが、牛乳を原材料として作成されており、乳糖1gに対して数μgと微量であるが牛乳タンパク質が含まれている。乳糖は散剤調合に用いられたり、各種薬剤（吸入薬、カプセル、錠剤、散剤、静注用製剤など）に添加されており、稀に非常に感受性の高い牛乳アレルギー患者に対して症状を誘発することがある。内服により重症症状を誘発することはほとんどないが、静注用製剤（ソル・メドロール®静注用40 mg[26]）やドライパウダー式吸入薬（吸入ステロイド薬やインフルエンザ治療薬[27]）では重症症状を誘発した報告がある。

また、歯科医療でカゼインホスホペプチド・非結晶リン酸カルシウム複合体（casein-phosphopeptide-amorphous calcium phosphate, CPP-ACP）が虫歯予防の効果を高めるために使用されるが、これは人工的に作り出したカゼイン由来の化学合成物で、リカルデント®の商品名で口腔ケア製品やガムに含まれていることがある。

3）その他

ゼラチンは添加剤あるいはカプセルや坐剤の原材料として医薬品に使用されていることがある。また、漢方薬の中には小麦（該当生薬：小麦）、ゴマ（生薬名：胡麻）、モモ（該当生薬：

■ 表10-4　食物アレルギー患者が注意を要する医薬品[12]

投与禁忌の医療用医薬品

	含有成分	商品名	薬効分類
鶏卵	リゾチーム塩酸塩	ムコゾーム点眼液、リフラップシート、リフラップ軟膏	酵素製剤
牛乳	タンニン酸アルブミン	タンナルビンなど	止瀉剤、整腸剤
	耐性乳酸菌	エンテロノン-R散、ラックビーR散、耐性乳酸菌散	活性生菌製剤
	カゼイン	アミノレバンEN配合散、イノラス配合経腸用液、エネーボ配合経腸用液、エンシュア・H、エンシュア・リキッド、ラコールNF配合経腸用半固形剤、ラコールNF配合経腸用液	タンパクアミノ酸製剤
		ミルマグ錠	制酸剤、下剤
ゼラチン	ゼラチン	エスクレ坐剤	催眠鎮静剤、抗不安剤

投与禁忌の一般用医薬品など

	含有成分	商品名/品目数*	薬効分類（　）は品目数
鶏卵	塩化リゾチーム（リゾチーム塩酸塩）	55品目	かぜ薬（20）、鼻炎用内服薬（15）、鎮咳去痰薬（11）、口腔咽頭薬（トローチ剤）（7）、一般点眼薬（1）、歯痛・歯槽膿漏薬（1）
牛乳	タンニン酸アルブミン	8品目	止瀉薬
	CPP-ACP（リカルデント）	ジーシーMIペースト	口腔ケア用塗布薬
		リカルデントガム	特定保健用食品

*：2020年11月現在の品目数

乳糖を含有する吸入治療薬

	商品名	分類
喘息治療薬	アズマネックスツイストヘラー100μg/200μg アニュイティ100μg/200μgエリプタ フルタイド50/100/200ディスカス フルタイド50/100/200ロタディスク	ICS
	アテキュラ吸入用カプセル低用量/中用量/高用量 アドエア100/250/500ディスカス シムビコートタービュヘイラー ブデホル吸入粉末剤「JG」/「MYL」/「ニプロ」 レルベア100/200エリプタ	ICS/LABA
	エナジア吸入用カプセル中用量/高用量 テリルジー100/200エリプタ	ICS/LABA/LAMA
	セレベント25/50ロタディスク セレベント50ディスカス	LABA
	メプチンスイングヘラー10μg吸入	SABA
インフルエンザ治療薬	イナビル吸入粉末剤20mg リレンザ	抗ウイルス薬

ICS：吸入ステロイド薬、LABA：長時間作用性吸入β_2刺激薬、LAMA：長時間作用性抗コリン薬、SABA：短時間作用性吸入β_2刺激薬

■インフルエンザワクチン接種：
添付文書には、「本剤の成分又は鶏卵、鶏肉、その他鶏由来のものに対して、アレルギーを呈するおそれのある者」は「接種要注意者」、「本剤の成分によってアナフィラキシーを呈したことが明らかな者」は「接種不適当者」と記載されている。しかしながら、接種後の鶏卵アレルギーによる重篤な副反応の報告はなく、鶏卵アレルギー患者であっても接種可能である。インフルエンザワクチン接種後のアナフィラキシーは鶏卵由来のタンパクではなく、インフルエンザHA（ヘマグルチニン）抗原によるものであることが報告されている。いずれのワクチンでも接種可否の判断が困難な症例は専門施設へ紹介する（『予防接種ガイドライン2021年度版』）。

■各薬剤の添付文書情報は「医療用医薬品　情報検索ホームページ」より検索が可能である。
https://www.pmda.go.jp/PmdaSearch/iyakuSearch/

（『食物アレルギーの診療の手引き2020』より改変）

桃仁)、ヤマイモ（生薬名：山薬)、ゼラチン（生薬名：阿膠）などを含むものも存在する。特に消風散（胡麻を含む）と紫雲膏（胡麻を含む）は湿疹治療に使用されることがある。

一方、大豆油や大豆レシチンなど、薬剤成分や薬剤添加物として大豆関連物質を含有している医薬品は多数あるにもかかわらず、大豆アレルギー患者に対して禁忌となっている薬剤はなく、添付文書に大豆アレルギーに関する慎重投与の記載があるものもアムビゾーム®点滴静注用 50 mg（抗真菌性抗生物質製剤）やドキシル®注 20 mg（抗悪性腫瘍剤）などと限られている。しかし、大豆をタンパク源とした経腸栄養剤は多く、稀ではあるが、大豆油を含む成分栄養剤でアレルギーを起こしたと思われる症状の報告もある[28]。大豆アレルギー患者に対して大豆油や大豆関連物質を含有している医薬品を使用して問題ないかどうかは慎重に評価する必要がある。

参考文献

1) 海老澤元宏，田知本寛，池松かおり，他．卵殻未焼成カルシウムのアレルゲン性について．アレルギー．2005；54：471-7.
2) 竹井真理，柳田紀之，浅海智之，他．牛乳アレルギー児に対する食品用乳糖の食物経口負荷試験の検討．日小ア誌．2015；29：649-54.
3) 古林万木夫，田辺創一，谷内昇一郎．醤油醸造における小麦アレルゲンの分解機構．日小ア誌．2007；21：96-101.
4) 厚生労働科学研究班．研究代表者：海老澤元宏．食物アレルギーの栄養食事指導の手引き 2017．2017.
5) 長谷川実穂，今井孝成，林 典子，他．食物アレルギー児に対する半定量食物摂取頻度調査票による食事評価システムの構築．日本栄養士会雑誌．2012；55：496-505.
6) 森川みき，藤原幾磨．魚肉アレルギー患児におけるビタミン D およびカルシウム摂取についての検討．日小ア誌．2009；23：287-94.
7) 櫻井嘉彦，高塚英雄，佃 宗紀．下肢 X 線像にて著明な異常がみられなかった魚肉制限に伴うビタミン D 欠乏性くる病の 1 例．日小ア誌．2012；26：622-8.
8) Robbins KA, Wood RA, Keet CA. Persistent cow's milk allergy is associated with decreased childhood growth：A longitudinal study. J Allergy Clin Immunol. 2020；145：713-6.e4.
9) Mailhot G, Perrone V, Alos N, et al. Cow's milk allergy and bone mineral density in prepubertal children. Pediatrics. 2016；137：e20151742.
10) Cummings AJ, Knibb RC, King RM, et al. The psychosocial impact of food allergy and food hypersensitivity in children, adolescents and their families：a review. Allergy. 2010；65：933-45.
11) Itoh-Nagato N, Inoue Y, Nagao M, et al. Desensitization to a whole egg by rush oral immunotherapy improves the quality of life of guardians. Allergol Int. 2018；67：209-16.
12) 日本医療研究開発機構（AMED).研究代表者：海老澤元宏．食物アレルギーの診療の手引き 2020．2020.
13) 近藤康人，小倉和郎，成瀬徳彦，他．食物アレルギー 経口負荷試験結果に基づいた食事療法の患者へのアドバイス．日小ア誌．2012；26：131-7.
14) 小林貴江，漢人直之，羽根田泰宏，他．鶏卵経口負荷試験陽性者に対する除去解除を目指した食事指導（第 2 報).日小ア誌．2013；27：692-700.
15) 小林貴江，漢人直之，羽根田泰宏，他．食物経口負荷試験の結果に基づくアレルゲン食品摂取指導（第 1 報).日小ア誌．2013；27：179-87.
16) 小田奈穂，楳村春江，小林貴江，他．牛乳アレルギーにおける除去解除のための食事指導（第 3 報).日小ア誌．2013；27：701-9.
17) 楳村春江，小田奈穂，小林貴江，他．タンパク質換算を用いた小麦アレルギー患者への除去解除指導（第 4 報).日小ア誌．2013；27：710-20.
18) 楳村春江，和泉秀彦，小田奈穂，他．鶏卵・牛乳アレルギー児における除去解除後の食生活実態調査（第 5 報).日小ア誌．2015；29：691-700.
19) Cardona V, Ansotegui IJ, Ebisawa M, et al. World Allergy Organization anaphylaxis guidance 2020. World Allergy Organ J. 2020；13：100472.

20) di Palmo E, Gallucci M, Cipriani F, et al. Asthma and Food Allergy：Which Risks? Medicina (Kaunas). 2019；55：509.
21) Brough HA, Liu AH, Sicherer S, et al. Atopic dermatitis increases the effect of exposure to peanut antigen in dust on peanut sensitization and likely peanut allergy. J Allergy Clin Immunol. 2015；135：164-70.
22) Sano A, Yagami A, Suzuki K, et al. Two cases of occupational contact urticaria caused by percutaneous sensitization to parvalbumin. Case Rep Dermatol. 2015；7：227-32.
23) 厚生労働科学研究版．研究代表者：海老澤元宏．厚生労働科学研究班による食物経口負荷試験の手引き 2020．2020．
24) Pajno GB, Fernandez-Rivas M, Arasi S, et al. EAACI Allergen Immunotherapy Guidelines Group. EAACI Guidelines on allergen immunotherapy：IgE-mediated food allergy. Allergy. 2018；73：799-815.
25) Togias A, Gergen PJ, Hu JW, et al. Rhinitis in children and adolescents with asthma：Ubiquitous, difficult to control, and associated with asthma outcomes. J Allergy Clin Immunol. 2019；143：1003-11.e10.
26) Eda A, Sugai K, Shioya H, et al. Acute allergic reaction due to milk proteins contaminating lactose added to corticosteroid for injection. Allergol Int. 2009；58：137-9.
27) 森川みき，金光祥臣，塚本宏樹，他．イナビル®添加乳糖中のβ-ラクトグロブリンおよびその糖鎖付加体が原因と推察されたアナフィラキシーの1例．アレルギー．2016；65：200-5.
28) 岡藤郁夫，木村光明，吉田隆實．大豆油を含む成分栄養剤で症状が悪化した慢性下痢症の2例．日児誌．2003；107：489-94.

第10章 食物アレルギー患者の管理

第11章 経口免疫療法

[要旨]

1. 経口免疫療法（oral immunotherapy, OIT）とは「自然経過では早期に耐性獲得が期待できない症例に対して、事前の食物経口負荷試験（oral food challenge, OFC）で症状誘発閾値を確認した後に原因食物を医師の指導のもとで継続的に経口摂取させ、脱感作状態や持続的無反応の状態とした上で、究極的には耐性獲得を目指す治療」とする。

2. 本ガイドラインでは、OITを食物アレルギーの一般診療として推奨しない。

3. 症状誘発の閾値が不明、もしくは低い症例に、OITとしてではなく、自宅で増量を指導することは症状誘発リスクが高いため、安易に行うべきではない。

4. 脱感作状態とは、原因食物を摂取し続けていれば症状が出現しない状態を指し、持続的無反応とは、数週から数か月の除去後に摂取しても症状が誘発されない状態を指す。

5. 治療中の副反応の頻度は高く、治療中断後の摂取や摂取後の運動により症状が誘発されることや稀に予期せずにアナフィラキシーを含む重篤な症状を誘発することがある。

6. 日常的にOFCを実施し、症状誘発時に迅速に対応できる食物アレルギー診療を熟知した専門医が臨床研究として倫理委員会の承認を得て、患者および保護者に十分なインフォームドコンセントを行い、症状出現時の救急対応に万全を期した上で慎重に実施すべきである。

1. 経口免疫療法の方法

1) 経口免疫療法とは

　本ガイドラインでは、経口免疫療法（oral immunotherapy, OIT）とは「自然経過では早期に耐性獲得が期待できない症例に対して、事前の食物経口負荷試験（oral food challenge, OFC）で症状誘発閾値を確認した後に原因食物を医師の指導のもとで継続的に経口摂取させ、脱感作状態や持続的無反応の状態とした上で、究極的には耐性獲得を目指す治療」とする。

2) 方法の概要

　OITの方法の概要を図11-1に示す。OITは適用判定のためのOFC、増量期、維持期から構成される[1]。最初に適用判定のためのOFCを行い、症状誘発閾値を確認する。増量期では、症状誘発閾値よりも少ない量から、摂取量を目標量まで漸増していく[1]。維持期では目標量を長期間摂取し、原因食物を摂取し続けていれば症状が現れない状態（脱感作状態）を維持す

第11章 経口免疫療法

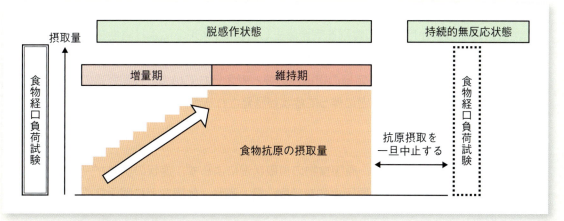

■ 図 11-1　経口免疫療法の概要
・適用判定の食物経口負荷試験、増量期、維持期から構成される。
・一定期間の脱感作状態の後、数週から数か月間原因食物を除去し、食物経口負荷試験で持続的無反応到達を評価する。

る。脱感作状態を一定期間継続した後に、数週から数か月の除去後に摂取しても症状が現れない状態（持続的無反応：sustained unresponsiveness, SU）をOFCで確認する。

2. 用語の定義（表 11-1）

1）脱感作

脱感作（desensitization）とは、原因食物を継続的に摂取することにより反応閾値が上昇し、一定の量を症状なく摂取可能な状態を指す。摂取頻度の低下、運動[2〜4]、体調不良などの要因が加わると症状が誘発されることがある。脱感作により、誤食による症状誘発頻度の減少および軽症化が期待できる[1]。

2）持続的無反応

脱感作状態での摂取（維持期）を一定期間継続すると、摂取を一定期間中止した後に再開し

■ 表 11-1　経口免疫療法に関する用語の定義

用語	定義	原因食物の摂取頻度	期待される効果
脱感作 （desensitization）	原因食物の継続的な摂取により反応閾値が上昇し、一定の量を症状なく摂取可能な状態	継続的な摂取が必要	偶発的摂取の際の症状誘発の予防および軽症化
持続的無反応 （sustained unresponsiveness, SU）	一定期間摂取を中止した後に再開しても、症状の誘発がない状態	中止可能な期間は個別に評価が必要	断続的に摂取すれば状態を維持できる
耐性獲得 （tolerance）	原因食物に対する症状の誘発が完全にない状態	継続的な摂取は不要	摂取状況によらず、原因食物を制限なく摂取可能

脱感作または持続的無反応に至っても、運動や疲労などの要因が加わると症状が誘発されることがある。

ても症状の誘発がない状態に到達できる場合がある。これを持続的無反応（SU）と呼ぶ[1,5]。通常、数週間から数か月間原因食物を完全除去した上で、OFCにより陰性を確認する。しかし、確認された期間を超えて除去が続いた場合の安全性は担保できない。SUの状態を維持するためには、一定頻度以上の一定量の摂取が必要と考えられている。長期経過の中では、摂取頻度の低下、運動、体調不良などに伴って症状が誘発される可能性がある[6]。

3）耐性獲得

耐性獲得（tolerance）とは、原因食物の摂取状況によらず、症状の誘発が完全に消失した状態を指す[1]。この状態では、原因食物を頻度、量、運動、体調などに関係なく、制限なく摂取可能である。

3. 対象と実施の条件

1）対象

世界的にOITは、自然に耐性獲得しにくいIgE依存性食物アレルギー患者に対して、家族や医師の適切なサポートを得て、十分な説明と同意の下で実施するべきとされる[7]。本ガイドラインでは、現時点での日本におけるOITの対象者を①OFCで診断された即時型食物アレルギーで、②自然経過で早期に耐性獲得が期待できない症例とした。一方、感作のみで診断が確定していない症例や中等量以上を摂取できる症例は対象とならない。乳幼児期発症の多くの症例はOFCに基づく食事指導（第10章参照）を適切に行うことにより、予後の改善が期待できる[8]。そのため、OITの対象者は適切に選択する必要がある。

2）医師と施設に求められる条件

本ガイドラインがOITを実施する医師と施設に求める条件を表11-2に示す。施設の条件としては、臨床研究として倫理委員会の承認を得られること、日常的にOFCを実施し、重篤な症状に速やかに救急対応できることである。一方、医師の条件としては患者および保護者に副反応のリスクやその回避方法、緊急時の対応を含む十分なインフォームドコンセントを行えること、OITに関する知識も含めて食物アレルギー診療を熟知していることである。

4. 治療効果と副反応

海外のメタ解析でOITの脱感作に対する効果が示されている[9,10]。本ガイドラインでは、食物アレルギーの原因食物として日本で頻度の高い鶏卵[11]と牛乳[12]について、OITの治療効果に関するCQをそれぞれ作成してシステマティックレビューを行った（第1章参照）。

1）治療効果について

鶏卵と牛乳のいずれも、OITを実施した群は、対照とした完全除去（またはプラセボ）群と

第11章 経口免疫療法

■ 表11-2　経口免疫療法実施施設および医師に求められる条件

実施施設の条件	医師の条件
1) 経口免疫療法により発生する重篤な症状に24時間速やかに対応可能である。 2) 日常的に食物経口負荷試験を実施している。 3) 臨床研究として倫理委員会の承認を得ている。	1) 誘発症状に迅速に対応できる。 2) 食物アレルギー診療を熟知し、経口免疫療法について知識・経験がある。 3) 患者および保護者に副反応のリスクや緊急時の対応を含む十分な説明ができる。

比較して、介入後に摂取可能な量が増加した人数の割合や、日常摂取量まで到達した人数の割合が高かった。これらの結果から、完全除去と比較して鶏卵と牛乳のOITは有用であることが示された。しかし今回検討した介入試験におけるOITのプロトコルは統一されておらず、対象年齢、介入に用いた食品、併用薬、治療期間などはさまざまであった。

2) 副反応について

副反応については、有害事象の報告がある介入試験のみでの検討ではあるが、OIT実施群の有害事象の発生リスクは、完全除去（またはプラセボ）群と比較して有意に高かった。また、薬物療法を必要とした有害事象、アドレナリン筋肉注射を要する有害事象についても、OIT実施群で有意に多く発生していた。

3) 本ガイドラインでの推奨

OITは、症状誘発閾値の上昇や脱感作といった効果を期待できるものの、短期間で耐性獲得に至る可能性は低い。一方、実施に伴う副反応の危険性は高く、副反応にはアドレナリン筋肉注射を必要とする症状も含まれることから、患者および家族には十分に説明と指導を行い、その積極的な治療意欲を確認することが必要である。ピーナッツをはじめとして、鶏卵や牛乳以外の食物についてもOITの効果を示唆する研究結果は報告されているが、いずれも熟練した専門施設で綿密な研究計画の元に倫理審査委員会の承認を得て慎重に行われたものであり、一般診療に求められる有効性と安全性を両立できる方法は確立していない。

このように、OITは耐性獲得が難しいIgE依存性食物アレルギーの治療選択の一つとして期待されるが、患者や家族の負担も大きく、OITを選択できる患者・施設は限定される。

本ガイドラインでは、OITはその注意点や治療の限界、安全性への配慮などの専門的な知識を有する医師が臨床研究として実施することを提案し、食物アレルギーの一般診療としては推奨しない。

CQ 1	IgE依存性鶏卵アレルギー患者において、経口免疫療法は完全除去の継続と比較して有用か？ 推奨文：完全除去の継続と比較して、経口免疫療法は有用であり提案される。ただし経口免疫療法に精通した医師が実施し、安全性に十分に配慮する必要がある。 推奨度：2、エビデンスレベル：D（非常に弱い）
CQ 2	IgE依存性牛乳アレルギー患者において、経口免疫療法は完全除去の継続と比較して有用か？ 推奨文：完全除去の継続と比較して、経口免疫療法は有用であり提案される。ただし経口免疫療法に精通した医師が実施し、安全性に十分配慮する必要がある。 推奨度：2、エビデンスレベル：B（中）

5. 機序

OITのメカニズムは現時点では不明であるが、抗原特異的IgG・IgG_4抗体の上昇、皮膚プリックテスト（skin prick test, SPT）膨疹径の縮小、特異的IgE抗体値の低下などの変化が順次起こる。

1）液性免疫応答

抗原特異的IgE抗体は、治療開始後に一過性に上昇する場合もあるが、長期的には低下傾向となる[13〜16]。抗原特異的IgG・IgG_4抗体[17]は、治療開始1か月後には上昇する[14, 18〜21]。

2）マスト細胞・好塩基球の反応抑制

OITでは、マスト細胞や好塩基球の反応が抑制される[22]。SPTの膨疹径は皮膚のマスト細胞の反応を反映し、治療開始数か月後に縮小する[16, 22〜26]。末梢血好塩基球については、抗原刺激を受けた好塩基球上のCD63発現量[23, 25, 26]、およびCD203c発現量[24]は治療開始数か月後に低下し、自然遊離ヒスタミン量および抗原刺激によるヒスタミン遊離率も低下する[27]。

3）制御性リンパ球

Th2サイトカイン産生の低下およびIL-10、TGF-β産生の増加、アレルゲン特異的T細胞の不応答性誘導[28]、制御性T細胞[29]、制御性B細胞[30]の誘導の報告がある[15, 19, 23, 27, 31, 32]。

6. 経口免疫療法の現状と問題点

わが国では諸外国と比較して、OITが広く行われている。2015年の全国調査では、日本小児科学会認定小児科専門医研修施設360施設のうち102施設（28%）がOITを実施していた[33]。しかしここには、OIT自体の問題点と診療体制（施設、医師）の問題点がある（表11-3）。

第11章 経口免疫療法

■ 表 11-3 経口免疫療法の問題点

経口免疫療法自体の問題点	診療体制の問題点
①標準的な治療法として確立していない。 ②重篤な症状を含む副反応が多くの症例で起こり得る。 ③経口免疫療法の終了後でも、摂取により症状が誘発される場合がある。	①倫理委員会未承認で実施する施設がある。 ②安全対策が不十分な施設がある。 ③経口免疫療法に該当する指導を、食事指導と称して行っている施設がある。

1) 経口免疫療法自体の問題点

　OIT 自体は治療効果が示されているが、重篤な副反応も多く、全国調査でも自宅での高頻度の誘発症状が明らかになっている[33]。また、SU が確認されても、約 40％が長期的には中等症以上の症状を経験するとされる[6]。

2) 診療上の問題点

　診療体制の問題点は、OIT を行う十分な体制が整備されていないことである。入院で行う施設の 11％、外来のみで行う施設の 61％が倫理委員会の承認なしに行われており、多くの問題がある[33]。症状の誘発閾値が不明、もしくは症状の誘発閾値が低い症例に「食事指導」として自宅で増量を進める施設がある。このような増量は症状誘発のリスクが高いため、OIT としての条件が整っていない中で安易に行うべきではない。

7. 今後の展望

　現時点で OIT は重篤な副反応が多いなど課題が多いが[34]、それを改善する取り組みが行われており[35]、一部を紹介する。

1) 目標量の減量

　目標摂取量の設定は治療効果、副反応に関連する[36]。少量の OIT でも、その維持量を超える閾値上昇[37]や SU[38]が得られることが報告されている。少量を目標量とする OIT は、日常摂取量を目指した OIT と比較して、中等症以上の誘発症状の頻度が有意に低かったという報告がある[39,40]。また、日々の摂取量が多いと脱落のリスクになることも知られている[41]。ピーナッツの OIT において 300 mg（タンパク量）の維持群は 3,000 mg 維持群と治療効果が同等であり、有意差はないものの脱落は少なかった[42]。鶏卵、牛乳、小麦の OIT において、患者の年齢に応じた日常摂取量の 25％目標量と 100％目標量で比較した RCT では治療効果に統計学的有意差を認めなかった[43]。

2) 製剤化

　OIT に用いる食物の製品化が進んでいる。AR101（Palforzia®）は 2020 年 1 月に米国食品医薬品局（FDA）に承認された唯一の OIT 用の治療薬である[44]。ピーナッツにアレルギー反

応がある小児、青年を対象に実施した OIT により、摂取可能なピーナッツタンパク量を増やし、ピーナッツ曝露時の症状の重症度を低下させた[45, 46]。

3）抗体製剤

抗ヒト IgE 抗体（オマリズマブ）併用の OIT は、牛乳に関して治療効果に有意差はないものの、副反応を減らすことが報告されている[47]。ピーナッツに関しては脱感作の割合を有意に増やすことが報告されている[48]。複数抗原に対する OIT での併用も報告されている[49]。オマリズマブ併用の OIT は有望な治療法であるが、薬剤のコストとオマリズマブ中止に伴う症状再燃が課題である[50]。

抗ヒト IL-4/13 受容体抗体（デュピルマブ）による治療効果を示した症例報告[51]があり、現在複数の臨床研究が行われている。さらに、他の生物学的製剤についても治験が行われている。

4）経皮免疫療法

経皮免疫療法が安全に症状誘発閾値を上げることに有効であったとする報告はあるが[52]、SU は評価されておらず、治療効果は限定的である。さらに、アナフィラキシーの既往がない対象に行った研究においても、アナフィラキシーが 3.4％に発生している[53]。

参考文献

1) Burks AW, Sampson HA, Plaut M, et al. Treatment for food allergy. J Allergy Clin Immunol. 2018；141：1-9.
2) 佐藤大記，堀野智史，二瓶真人，他．経口免疫療法後における食物負荷後運動誘発試験の特徴〜食物依存性運動誘発アナフィラキシーとの比較〜．アレルギー．2020；69：34-9.
3) Furuta T, Tanaka K, Tagami K, et al. Exercise-induced allergic reactions on desensitization to wheat after rush oral immunotherapy. Allergy. 2020；75：1414-22.
4) Kubota S, Kitamura K, Matsui T, et al. Exercise-induced allergic reactions after achievement of desensitization to cow's milk and wheat. Pediatr Allergy Immunol. 2021；32：1048-55.
5) Pajno GB, Fernandez-Rivas M, Arasi S, et al. EAACI Guidelines on allergen immunotherapy：IgE-mediated food allergy. Allergy. 2018；73：799-815.
6) Manabe T, Sato S, Yanagida N, et al. Long-term outcomes after sustained unresponsiveness in patients who underwent oral immunotherapy for egg, cow's milk, or wheat allergy. Allergol Int. 2019；68：527-8.
7) Pepper AN, Assa'ad A, Blaiss M, et al. Consensus report from the Food Allergy Research & Education (FARE) 2019 Oral Immunotherapy for Food Allergy Summit. J Allergy Clin Immunol. 2020；146：244-9.
8) Nowak-Węgrzyn A, Lawson K, Masilamani M, et al. Increased tolerance to less extensively heat-denatured (baked) milk products in milk-allergic children. J Allergy Clin Immunol Pract. 2018；6：486-95.e5.
9) Chu DK, Wood RA, French S, et al. Oral immunotherapy for peanut allergy (PACE)：a systematic review and meta-analysis of efficacy and safety. Lancet. 2019；393：2222-32.
10) Nurmatov U, Dhami S, Arasi S, et al. Allergen immunotherapy for IgE-mediated food allergy：a systematic review and meta-analysis. Allergy. 2017；72：1133-47.
11) 北沢　博，山出晶子，山本貴和子，他．食物アレルギー委員会報告：CQ1　IgE 依存性鶏卵アレルギー患者において，経口免疫療法は完全除去の継続と比較して有用か？　日小ア誌．2021；35：273-303.
12) 川本典生，房安直子，佐藤幸一郎，他．食物アレルギー委員会報告：CQ2　IgE 依存性牛乳アレルギー患者において，経口免疫療法は完全除去の継続と比較して有用か？　日小ア誌．2021；35：304-18.
13) Longo G, Barbi E, Berti I, et al. Specific oral tolerance induction in children with very severe cow's milk-induced reactions. J Allergy Clin Immunol. 2008；121：343-7.
14) Pajno GB, Caminiti L, Ruggeri P, et al. Oral immunotherapy for cow's milk allergy with a weekly up-dosing regimen：a

randomized single-blind controlled study. Ann Allergy Asthma Immunol. 2010；105：376-81.
15) Vickery BP, Pons L, Kulis M, et al. Individualized IgE-based dosing of egg oral immunotherapy and the development of tolerance. Ann Allergy Asthma Immunol. 2010；105：444-50.
16) Narisety SD, Frischmeyer-Guerrerio PA, Keet CA, et al. A randomized, double-blind, placebo-controlled pilot study of sublingual versus oral immunotherapy for the treatment of peanut allergy. J Allergy Clin Immunol. 2015；135：1275-82.e1-6.
17) Hoh RA, Joshi SA, Liu Y, et al. Single B-cell deconvolution of peanut-specific antibody responses in allergic patients. J Allergy Clin Immunol. 2016；137：157-67.
18) Martorell A, De la Hoz B, Ibáñez MD, et al. Oral desensitization as a useful treatment in 2-year-old children with cow's milk allergy. Clin Exp Allergy. 2011；41：1297-304.
19) Varshney P, Jones SM, Scurlock AM, et al. A randomized controlled study of peanut oral immunotherapy：clinical desensitization and modulation of the allergic response. J Allergy Clin Immunol. 2011；127：654-60.
20) Meglio P, Bartone E, Plantamura M, et al. A protocol for oral desensitization in children with IgE-mediated cow's milk allergy. Allergy. 2004；59：980-7.
21) Nozawa A, Okamoto Y, Movérare R, et al. Monitoring Ara h 1, 2 and 3-sIgE and sIgG4 antibodies in peanut allergic children receiving oral rush immunotherapy. Pediatr Allergy Immunol. 2014；25：323-8.
22) Lewis A, MacGlashan DW Jr, Suvarna SK, et al. Recovery from desensitization of IgE-dependent responses in human lung mast cells. Clin Exp Allergy. 2017；47：1022-31.
23) Jones SM, Pons L, Roberts JL, et al. Clinical efficacy and immune regulation with peanut oral immunotherapy. J Allergy Clin Immunol. 2009；124：292-300.e1-97.
24) Keet CA, Frischmeyer-Guerrerio PA, Thyagarajan A, et al. The safety and efficacy of sublingual and oral immunotherapy for milk allergy. J Allergy Clin Immunol. 2012；129：448-55.e1-5.
25) Burks AW, Jones SM, Wood RA, et al. Oral immunotherapy for treatment of egg allergy in children. N Engl J Med. 2012；367：233-43.
26) Anagnostou K, Islam S, King Y, et al. Assessing the efficacy of oral immunotherapy for the desensitisation of peanut allergy in children (STOP II)：a phase 2 randomised controlled trial. Lancet. 2014；383：1297-304.
27) Gorelik M, Narisety SD, Guerrerio AL, et al. Suppression of the immunologic response to peanut during immunotherapy is often transient. J Allergy Clin Immunol. 2015；135：1283-92.
28) Ryan JF, Hovde R, Glanville J, et al. Successful immunotherapy induces previously unidentified allergen-specific CD4+ T-cell subsets. Proc Natl Acad Sci U S A. 2016；113：E1286-95.
29) Palomares F, Gomez F, Bogas G, et al. Immunological changes induced in peach allergy patients with systemic reactions by Pru p 3 sublingual immunotherapy. Mol Nutr Food Res. 2018；62.
30) Satitsuksanoa P, van de Veen W, Akdis M. B-cell responses in allergen immunotherapy. Curr Opin Allergy Clin Immunol. 2019；19：632-9.
31) Blumchen K, Ulbricht H, Staden U, et al. Oral peanut immunotherapy in children with peanut anaphylaxis. J Allergy Clin Immunol. 2010；126：83-91.e1.
32) Syed A, Garcia MA, Lyu SC, et al. Peanut oral immunotherapy results in increased antigen-induced regulatory T-cell function and hypomethylation of forkhead box protein 3 (*FOXP3*). J Allergy Clin Immunol. 2014；133：500-10.
33) Sato S, Sugizaki C, Yanagida N, et al. Nationwide questionnaire-based survey of oral immunotherapy in Japan. Allergol Int. 2018；67：399-404.
34) Duca B, Patel N, Turner PJ. GRADE-ing the benefit/risk equation in food immunotherapy. Curr Allergy Asthma Rep. 2019；19：30.
35) Sampath V, Sindher SB, Alvarez Pinzon AM, et al. Can food allergy be cured? What are the future prospects? Allergy. 2020；75：1316-26.
36) Yanagida N, Sato S, Asaumi T, et al. Comparisons of outcomes with food immunotherapy strategies：efficacy, dosing, adverse effects, and tolerance. Curr Opin Allergy Clin Immunol. 2016；16：396-403.
37) Sugiura S, Kitamura K, Makino A, et al. Slow low-dose oral immunotherapy：Threshold and immunological change. Allergol Int. 2020；69：601-9.
38) Nagakura K, Yanagida N, Sato S, et al. Low-dose oral immunotherapy for children with anaphylactic peanut allergy in Japan. Pediatr Allergy Immunol. 2018；29：512-8.
39) Yanagida N, Okada Y, Sato S, et al. New approach for food allergy management using low-dose oral food challenges and low-dose oral immunotherapies. Allergol Int. 2016；65：135-40.
40) Yanagida N, Sato S, Asaumi T, et al. Safety and efficacy of low-dose oral immunotherapy for hen's egg allergy in children. Int Arch Allergy Immunol. 2016；171：265-8.

41) Nachshon L, Goldberg MR, Katz Y, et al. Long-term outcome of peanut oral immunotherapy-Real-life experience. Pediatr Allergy Immunol. 2018；29：519-26.
42) Vickery BP, Berglund JP, Burk CM, et al. Early oral immunotherapy in peanut-allergic preschool children is safe and highly effective. J Allergy Clin Immunol. 2017；139：173-81.e8.
43) Ogura K, Yanagida N, Sato S, et al. Evaluation of oral immunotherapy efficacy and safety by maintenance dose dependency：A multicenter randomized study. World Allergy Organ J. 2020；13：100463.
44) Bird JA, Spergel JM, Jones SM, et al. Efficacy and safety of AR101 in oral immunotherapy for peanut allergy：Results of ARC001, a randomized, double-blind, placebo-controlled phase 2 clinical trial. J Allergy Clin Immunol Pract. 2018；6：476-85.e3.
45) Vickery BP, Vereda A, Casale TB, et al. AR101 Oral immunotherapy for peanut allergy. N Engl J Med. 2018；379：1991-2001.
46) O'B Hourihane J, Beyer K, Abbas A, et al. Efficacy and safety of oral immunotherapy with AR101 in European children with a peanut allergy (ARTEMIS)：a multicentre, double-blind, randomised, placebo-controlled phase 3 trial. Lancet Child Adolesc Health. 2020；4：728-39.
47) Wood RA, Kim JS, Lindblad R, et al. A randomized, double-blind, placebo-controlled study of omalizumab combined with oral immunotherapy for the treatment of cow's milk allergy. J Allergy Clin Immunol. 2016；137：1103-10.e11.
48) MacGinnitie AJ, Rachid R, Gragg H, et al. Omalizumab facilitates rapid oral desensitization for peanut allergy. J Allergy Clin Immunol. 2017；139：873-81.e8.
49) Andorf S, Purington N, Block WM, et al. Anti-IgE treatment with oral immunotherapy in multifood allergic participants：a double-blind, randomised, controlled trial. Lancet Gastroenterol Hepatol. 2018；3：85-94.
50) Martorell-Calatayud C, Michavila-Gómez A, Martorell-Aragonés A, et al. Anti-IgE-assisted desensitization to egg and cow's milk in patients refractory to conventional oral immunotherapy. Pediatr Allergy Immunol. 2016；27：544-6.
51) Rial MJ, Barroso B, Sastre J. Dupilumab for treatment of food allergy. J Allergy Clin Immunol Pract. 2019；7：673-4.
52) Sampson HA, Shreffler WG, Yang WH, et al. Effect of varying doses of epicutaneous immunotherapy vs placebo on reaction to peanut protein exposure among patients with peanut sensitivity：A randomized clinical trial. JAMA. 2017；318：1798-809.
53) Fleischer DM, Greenhawt M, Sussman G, et al. Effect of epicutaneous immunotherapy vs placebo on reaction to peanut protein ingestion among children with peanut allergy：The PEPITES randomized clinical trial. JAMA. 2019；321：946-55.

第11章 経口免疫療法

第12-1章　鶏卵アレルギー

[要旨]

1. 鶏卵アレルギーは、小児の即時型食物アレルギーの中で最も多い。

2. 耐性化率に関連する主な因子として鶏卵やオボムコイド特異的IgE抗体価や皮膚プリックテストの膨疹径、全身の誘発症状の既往などが挙げられる。

3. 鶏卵アレルゲンは、Gal d 1（オボムコイド）、Gal d 2（オボアルブミン）、Gal d 3（オボトランスフェリン）、Gal d 4（リゾチーム）などからなる。ウズラ卵やアヒル卵との交差抗原性が報告されている。オボアルブミンは加熱により凝固しやすいが、オボムコイドは加熱や消化酵素に安定である。

4. 診断に関しては、問診にて病歴を確認し、オボムコイドや卵白特異的IgE抗体価を参考にして、食物経口負荷試験の判断を行う。乳児アトピー性皮膚炎で、卵白特異的IgE抗体価が陽性で摂取歴のない場合は、抗体価の数字のみで除去を続けることのないようにする。陽性の予測にはプロバビリティカーブを参考にする。

5. 栄養指導では、調理条件（加熱温度と加熱時間）により抗原性が変わることに注意して具体的な指導を行う。加熱卵白が摂取できなくても加熱卵黄は摂取できることがある。

6. 卵殻カルシウムにはごく微量の抗原が含まれているが、通常は摂取可能なことが多い。

1. 発症年齢・臨床型分類

鶏卵アレルギーは、乳幼児期に発症する即時型食物アレルギーの中で最も多い[1]。主に乳児期のアトピー性皮膚炎児に引き続いて発症する[2]（第5章参照）。

2. 予後

1）耐性化率（表12-1）

わが国における報告では、乳幼児期に発症した鶏卵アレルギーの耐性化率は3歳までに30％、6歳までに66％だった[3]。1歳で診断された患児の調査でも、耐性化率は3歳で30.9％だった[4]。一方、6歳まで持続している患児は、12歳までに60.5％が耐性獲得した[5]。

オーストラリアの出生コホート調査では、加熱鶏卵は1歳で80％、非加熱卵も2歳で47％と高い耐性化率を報告している[6]。米国のコホート調査では、月齢72の時点で耐性化率49.3％と報告している[7]。その一方で、米国からは耐性化率が4歳で4％、6歳でも12％と低い報告もある[8]。

第12-1章 鶏卵アレルギー

■ 表12-1 鶏卵アレルギーの自然歴（主なもの）

文献	国（年）	n	診断方法	診断年齢	観察期間または評価年齢	耐性化率
3	日本（2016）	226	病歴・OFC（加熱）	乳児	6歳	2歳：14% 3歳：30% 4歳：49% 5歳：59% 6歳：66%
4	日本（2006）	136	OFC（加熱）	16.9±1.9か月	3歳	30.9%
5	日本（2021）	137	病歴・OFC（加熱） 6歳まで遷延している児	6歳	12歳	7歳：14.6% 9歳：40.8% 12歳：60.5%
6	オーストラリア（2014）	5,276（コホート）	病歴・OFC（非加熱）	乳児	1歳	加熱卵80%
					2歳	非加熱卵47%
7	米国（2014）	512（コホート）	病歴・OFC（非加熱）	3〜15か月	平均72か月	49.3%
8	米国（2007）	881	病歴 特異的IgE陽性	平均14か月（10〜23）	平均59か月（5〜285）	4歳：4% 6歳：12% 8歳：26% 10歳：37% 16歳：68%
9	韓国（2020）	171	病歴・OFC 特異的IgE陽性	乳児	23.4か月（6〜207）	5.6歳：50%

OFC：食物経口負荷試験

2）耐性化に関わる因子

耐性化に影響する因子の解析では、特異的IgE抗体価と皮膚プリックテスト（skin prick test, SPT）膨疹径が、各報告に共通して指摘されている。

卵白特異的IgE抗体価について、経過中のピークが高いほど耐性化率が低い[8]、10 U_A/mL以上の患者は2〜10 U_A/mLの患者と比較してハザード比2.064（1.19〜3.59）を示す[7]、1.7 U_A/mLをカットオフ値としてオッズ比29.46（8.86〜97.92）[6]、などとする報告がある。6歳以上の患児において、オボムコイド特異的IgE抗体価の高値もリスク因子と報告されている[5]。

鶏卵SPT膨疹径について、5 mm未満、5〜10 mm、10 mm以上の3群で比較して大きいほど耐性化率が低い[7]、4 mmをカットオフ値としてオッズ比3.34（1.52〜7.38）[9]、6 mmをカットオフ値としてハザード比3.74（1.60〜8.74）[10]などの報告がある。

誘発症状の既往が皮膚症状のみではなく全身症状であることのハザード比について、1.862（1.23〜2.82）[7]または50.95（6.94〜374）[10]とする報告がある。アナフィラキシー歴と少量の鶏卵に反応することがリスク因子との報告もある[5]。

その他耐性化の遅れに関連する因子として、性別が男性、アトピー性皮膚炎の重症度が高

い、特異的IgG$_4$抗体価が高いことを示した報告[7]もある。一方、鶏卵の摂取については、加熱鶏卵を月に5回以上食べた群は、全く食べなかった群と比較してオッズ比3.51（1.38〜8.98）で耐性化が進んだという報告[6]がある。

湿疹の有無やフィラグリン遺伝子変異の有無[6]、年齢、人種、母乳栄養、他の食物アレルギー、喘息やアレルギー性鼻炎の有無[7]は耐性化に影響しないと報告されている。

3. アレルゲンコンポーネント

1）構成するタンパク質

ニワトリ（*Gallus domesticus*）の卵白に含まれる主なアレルゲンコンポーネントを**表12-2**に示す。オボアルブミン（Gal d 2）は分子量45 kDaの糖タンパク質で、卵白タンパク質の半分を占める。卵白の優れた調理特性である起泡性と熱凝固性はオボアルブミンによるところが大きく、加熱により凝固しやすいことが抗原性の低下に大きく関わっている。オボムコイド（Gal d 1）は分子量28 kDaの糖タンパク質で、トリプシンインヒビター活性を持ち、卵白タンパク質の約11％を占める。熱や消化酵素に対して安定である[11]。オボトランスフェリン（Gal d 3）は分子量78 kDaと大きく、卵白タンパク質の約12％を占める。卵白タンパク質中で最も熱変性を受けやすい。オボトランスフェリンは鉄イオンを結合することで、抗菌活性を持つ。細菌の代謝に鉄が利用できないようにすることで特定の細菌や真菌の増殖を抑制する[12]。リゾチーム（Gal d 4）は分子量14 kDaの塩基性タンパク質で、一部はオボムコイドなど他のタンパク質と結合して存在し、熱に対して安定である。

卵黄に含まれるアレルゲンは、血清アルブミン（α-リベチン、Gal d 5）が報告されている。Gal d 5は鳥類の羽根や糞にも存在し、bird-egg症候群の原因アレルゲンとして知られている（第14-3章参照）[13]。

2）交差抗原性を示す食物

ウズラやアヒルの卵は鶏卵と交差抗原性を示し、鶏卵アレルギー52人のSPTの結果では、ウズラ卵で69％、アヒル卵で66％に感作がみられたと報告されている[14]。

■ 表12-2 主な鶏卵（卵白）アレルゲン

タンパク質	アレルゲン	含有量(%)	分子量(kDa)	機能	アレルゲン性
オボムコイド	Gal d 1	11	28	トリプシンインヒビター	+++
オボアルブミン	Gal d 2	54	45	セリンプロテアーゼインヒビター	++
オボトランスフェリン（コンアルブミン）	Gal d 3	12	78	鉄結合	+
リゾチーム	Gal d 4	3〜4	14	ムコ多糖類加水分解作用 抗炎症・抗感染作用	+

4. 診断

1) 診断手順

　鶏卵摂取に伴う即時型症状が明らかに認められた場合、特異的IgE抗体検査が陽性であれば診断を確定することができる。しかし、乳児アトピー性皮膚炎患者では、卵白特異的IgE抗体価が陽性というだけでは診断をせず、湿疹のコントロールを行った上で食物経口負荷試験（oral food challenge，OFC）を考慮する（第8章参照）。

　卵黄摂取数時間後に嘔吐などの消化器症状を中心とする症状がみられる場合は、food protein-induced enterocolitis syndrome（FPIES）を疑って精査を行う[15]（第16章参照）。

2) 特異的IgE抗体検査とプロバビリティカーブ

　卵白およびオボムコイド特異的IgE抗体について、国内から多くのプロバビリティカーブの報告がある（表12-3）。各報告における対象者の年齢、臨床的背景、OFCに用いた負荷食品や負荷量などを勘案して、患者に当てはまる報告の予測値を参照するとよい[16〜21]。

　加熱卵の摂取可否の診断にはオボムコイドが優れている[19]。血清総IgE値を加味した判定方法[20]や、誘発症状の重症度別の検討[21]などの報告もある。

5. 食事指導

1) 必要最小限の除去

　食べることを目指した食事指導を行う。特異的IgE抗体価が陽性であっても、すでに摂取している範囲がわかっていれば、摂取をやめる必要はない。特に乳児アトピー性皮膚炎児では、湿疹がコントロールされている状況であれば6か月からごく少量の鶏卵成分を摂取したほうが発症予防となる報告[22]があるため、特異的IgE抗体検査の結果のみで安易に除去とはしない。

　OFCなどで摂取可能な範囲がわかっている場合、摂取量に加えて、加熱・調理方法や摂取可能な加工食品についても指導するとよい[23]。マヨネーズに含まれる鶏卵は加熱されていないが、加熱鶏卵1個が摂取可能な患者では摂取可能であるという報告もある[24]。

2) 低アレルゲン化の方法

　卵白は、加熱による凝固・変性によって摂取時の症状誘発力が低下する。その程度は、加熱温度や時間、鶏卵の濃度、調理方法、小麦とのマトリックス効果（第3章参照）などさまざまな因子の影響を受けることを考慮し、患者の症状誘発経験をよく把握して食事指導を行う。

　即時型の鶏卵アレルギーでは、加熱卵黄は摂取できる児も多く存在するため、安全性の点から摂取開始時に用いやすい[25]。ただし、卵黄を取り分けるときには少量の卵白成分が混入すること[26]、固ゆで卵黄もゆでてから時間がたつと卵白成分が染み込むこと[27]から、重症の鶏卵アレルギー患者では卵黄であっても卵白による症状が誘発されることがある。

■ 表12-3 プロバビリティカーブ報告のまとめ：鶏卵

文献(報告年)	n	対象 年齢	適用	食物経口負荷試験 負荷食品	食物経口負荷試験 負荷量	特異的IgE抗体 測定法	特異的IgE抗体 アレルゲン	特異的IgE抗体 90%予測値[*1]
16(2017)	436	平均2.4歳	診断/経過	カップケーキ	全卵半分	CAP	卵白	N.E.
						アラスタット	卵白	466.1
17(2007)	764	中央値1.3歳(0.2〜14.6)	診断/経過	記載なし	記載なし	CAP	卵白	0歳：6 1歳：10 ≧2歳：15
18(2016)	433	中央値1.9歳(1〜5)	診断/経過	加熱卵粉末	1歳：1/2個 2〜5歳：1個	CAP	卵白	N.E.
						CAP	OVM	1歳：N.E. 2〜5歳：50.0
						アラスタット	卵白	1歳：N.E. 2〜5歳：355
						アラスタット	OVM	1歳：N.E 2〜5歳：211
				非加熱卵粉末	1/4個	CAP	卵白	1歳：18.7 2〜5歳：11.5
						CAP	OVM	1歳：5.7 2〜5歳：6.1
						アラスタット	卵白	1歳：63.2 2〜5歳：37.7
						アラスタット	OVM	1歳：20.6 2〜5歳：24.5
19(2012)	100	1歳	診断	ゆで卵白	18g	CAP	卵白	50
						CAP	OVM	22
20(2015)	337	中央値3.6歳(1〜8)	診断/経過	ゆで卵白	3.5g	CAP	OVM	血清総IgE値区分(IU/mL) ：50%予測値 ＜193：9 193〜1068：16 ＞1068：42
21(2014)	156	中央値1歳(0〜6)	診断/経過	ゆで卵白	31g	CAP	OVM	[*2]グレード1：17.9 グレード2：60 グレード3：N.E.

[*1]：数値の一部は著者に確認して、元データから算出した
[*2]：グレードは『食物アレルギー診療ガイドライン2012』による
N.E.：not estimated、OVM：オボムコイド、CAP：イムノキャップ®(U_A/mL)、アラスタット：アラスタット® 3gAllergy(IU_A/mL)

3）除去で不足する栄養素

鶏卵は安価かつアミノ酸バランスが理想的な食品であるが、栄養面では複数の動物性、植物性タンパク質食品の組み合わせによって代替可能である。

4) 微量を含む食品

　卵殻カルシウムは菓子類に使用されることが多いが、ほとんど卵タンパク質を含まないため焼成、未焼成ともに摂取可能である[28]（第17章参照）。卵殻で作られて高濃度のオボアルブミンが検出されたグラウンド用白線粉で蕁麻疹と喘鳴を起こした例が報告されている[29]。

5) 交差反応性を認める食品

　鶏卵アレルギーでは、ウズラ卵、アヒル卵にも症状を呈することが多いが、稀に鶏卵摂取が可能であるにもかかわらずウズラの卵のみアレルギー反応を示す例がある[30]。鶏肉、魚卵は基本的には臨床的な交差反応性はみられないため、除去の必要はない。

6) 注意が必要な機会

　リゾチーム塩酸塩は処方内服薬ではなくなったが、一部の市販の感冒薬には含まれていることがある（第10章参照）。

参考文献

1) 今井孝成, 杉崎千鶴子, 海老澤元宏. 消費者庁「食物アレルギーに関連する食品表示に関する調査研究事業」平成29 (2017) 年即時型食物アレルギー全国モニタリング調査結果報告. アレルギー. 2020；69：701-5.
2) 伊藤浩明, 森下雅史, 伊藤朱美, 他. 小児アトピー性皮膚炎に合併する即時型食物アレルギーに関する検討. アレルギー. 2004；53：24-33.
3) Ohtani K, Sato S, Syukuya A, et al. Natural history of immediate-type hen's egg allergy in Japanese children. Allergol Int. 2016；65：153-7.
4) 池松かおり, 田知本寛, 杉崎千鶴子, 他. 乳児期発症食物アレルギーに関する検討（第2報）卵・牛乳・小麦・大豆アレルギーの3歳までの経年的変化. アレルギー. 2006；55：533-41.
5) Taniguchi H, Ogura K, Sato S, et al. Natural history of allergy to hen's egg：A prospective study in children aged 6 to 12 years. Int Arch Allergy Immunol. 2021 sep 1；1-11. doi：10.1159/000518522. Online ahead of print.
6) Peters RL, Dharmage SC, Gurrin LC, et al. The natural history and clinical predictors of egg allergy in the first 2 years of life：a prospective, population-based cohort study. J Allergy Clin Immunol. 2014；133：485-91.
7) Sicherer SH, Wood RA, Vickery BP, et al. The natural history of egg allergy in an observational cohort. J Allergy Clin Immunol. 2014；133：492-9.
8) Savage JH, Matsui EC, Skripak JM, et al. The natural history of egg allergy. J Allergy Clin Immunol. 2007；120：1413-7.
9) Kim M, Lee JY, Yang HK, et al. The natural course of immediate-type cow's milk and egg allergies in children. Int Arch Allergy Immunol. 2020；181：103-10.
10) Boyano-Martinez T, Garcia-Ara C, Diaz-Pena JM, et al. Prediction of tolerance on the basis of quantification of egg white-specific IgE antibodies in children with egg allergy. J Allergy Clin Immunol. 2002；110：304-9.
11) Urisu A, Ando H, Morita Y, et al. Allergenic activity of heated and ovomucoid-depleted egg white. J Allergy Clin Immunol. 1997；100：171-6.
12) Bezkorovainy A. Antimicrobial properties of iron-binding proteins. Adv Exp Med Biol. 1981；135：139-54.
13) Mandallaz MM, de Weck AL, Dahinden CA. Bird-egg syndrome. Cross-reactivity between bird antigens and egg-yolk livetins in IgE-mediated hypersensitivity. Int Arch Allergy Appl Immunol. 1988；87：143-50.
14) Moghtaderi M, Nabavizadeh SH, Hosseini Teshnizi S. The frequency of cross-reactivity with various avian eggs among children with hen's egg allergy using skin prick test results：fewer sensitizations with pigeon and goose egg. Allergol Immunopathol (Madr). 2020；48：265-9.
15) Toyama Y, Ishii T, Morita K, et al. Multicenter retrospective study of patients with food protein-induced enterocolitis syndrome provoked by hen's egg. J Allergy Clin Immunol Pract. 2021；9：547-9.e1.
16) Sato S, Ogura K, Takahashi K, et al. Usefulness of antigen-specific IgE probability curves derived from the 3gAllergy assay

in diagnosing egg, cow's milk, and wheat allergies. Allergol Int. 2017；66：296-301.
17) Komata T, Soderstrom L, Borres MP, et al. The predictive relationship of food-specific serum IgE concentrations to challenge outcomes for egg and milk varies by patient age. J Allergy Clin Immunol. 2007；119：1272-4.
18) Furuya K, Nagao M, Sato Y, et al；investigators IPg. Predictive values of egg-specific IgE by two commonly used assay systems for the diagnosis of egg allergy in young children：a prospective multicenter study. Allergy. 2016；71：1435-43.
19) Haneda Y, Kando N, Yasui M, et al. Ovomucoids IgE is a better marker than egg white-specific IgE to diagnose boiled egg allergy. J Allergy Clin Immunol. 2012；129：1681-2.
20) Horimukai K, Hayashi K, Tsumura Y, et al. Total serum IgE level influences oral food challenge tests for IgE-mediated food allergies. Allergy. 2015；70：334-7.
21) Nomura T, Kanda Y, Kato T, et al. Probability curves focusing on symptom severity during an oral food challenge. Ann Allergy Asthma Immunol. 2014；112：556-7. e2.
22) Natsume O, Kabashima S, Nakazato J, et al. Two-step egg introduction for prevention of egg allergy in high-risk infants with eczema (PETIT)：a randomised, double-blind, placebo-controlled trial. Lancet. 2017；389：276-86.
23) 小林貴江，漢人直之，羽根田泰宏，他．鶏卵経口負荷試験陽性者に対する除去解除を目指した食事指導（第2報）．日小ア誌．2013；27：692-700.
24) 小池由美，柳田紀之，今井孝成，他．加熱鶏卵1個が摂取可能になった児に対する全卵マヨネーズ負荷試験．日小ア誌．2016；30：562-6.
25) Yanagida N, Sato S, Asaumi T, et al. Safety and feasibility of heated egg yolk challenge for children with egg allergies. Pediatr Allergy Immunol. 2017；28：348-54.
26) 松井照明，杉浦至郎，中川朋子，他．ゆで卵白1.0gの摂取が可能な鶏卵アレルギー児に対する生の状態で取り分け加熱した卵黄1個の経口負荷試験．日小ア誌．2017；31：63-71.
27) 坂井堅太郎，松岡　葵，牛山　優，他．ゆで卵の作成と放置に伴うオボムコイドの卵黄への浸透．アレルギー．1998；47：1176-81.
28) 海老澤元宏，田知本寛，池松かおり，他．卵殻未焼成カルシウムのアレルゲン性について．アレルギー．2005；54：471-7.
29) 五十嵐瑞穂，鈴木大地，秋山聡香，他．卵殻を含有するグラウンド用白線粉によるアナフィラキシーの小児例．日小ア誌．2020；34：366-9.
30) 原田　晋，森山達哉，上塚　弘．鶏卵との交叉反応性を認めなかったウズラの卵によるアレルギーの1例．皮膚科の臨床．2019；61：1257-62.

第12-2章 牛乳アレルギー

[要旨]

1. 牛乳アレルギーは、多くは乳児期に発症し、小児の即時型食物アレルギーの中で2番目に多い。
2. 耐性化率に関連する主な因子として牛乳特異的IgE抗体価や皮膚プリックテストの膨疹径が挙げられる。
3. 牛乳タンパクは、カゼインと乳清タンパク質に分けられる。カゼインは加熱変性を受けにくく強いアレルゲン性を持つ。乳清タンパク質には、α-ラクトアルブミン、β-ラクトグロブリン、血清アルブミンなどが含まれる。
4. 問診にて病歴を確認し、牛乳特異的IgE抗体価を参考にして、食物経口負荷試験の判断を行う。陽性の予測にはプロバビリティカーブを参考にする。
5. 食べることを目指した食事指導では、乳製品によってタンパク質の含有量が異なることも考慮して摂取可能な範囲を指定する。
6. マフィンやパンなど、小麦と混ぜて高温で焼かれた食品では、反応性の低下が認められる。
7. 牛乳除去によりカルシウムが不足しやすいため、カルシウム豊富な食品の摂取や、牛乳アレルゲン除去調製粉乳などの摂取を推奨する。
8. 乳糖にはごく微量の抗原が含まれているが、通常は摂取可能なことが多い。
9. 乳成分が含まれる薬剤に注意を払う。

1. 発症年齢・臨床型分類

牛乳アレルギーは、即時型としてはわが国の小児で2番目に多く[1]、多くは乳児アトピー性皮膚炎に合併して発症する[2]（第5章参照）。

2. 予後

1）耐性化率

牛乳アレルギーの自然歴について**表12-4**に示す[3〜9]。

わが国では、乳児期発症の牛乳アレルギー患者の3歳時での耐性化率が60.4％[3]、乳児期発症のコホートでは3歳32.6％、5歳64.1％、6歳84.8％[4]という報告がある。

イスラエルからは4〜6歳で耐性化率57.4％[5]という報告がある一方、米国からは4歳で

■ 表12-4　牛乳アレルギーの自然歴（主なもの）

文献	国(年)	n	診断方法	診断年齢	観察期間 または評価年齢	耐性化率
3	日本 (2006)	106	OFC	13.2±1.6か月	3歳	60.4%
4	日本 (2018)	コホート 92	OFC・病歴	0歳	6歳	3歳：32.6% 5歳：64.1% 6歳：84.8%
5	イスラエル (2012)	コホート (13,019)	OFC・IgE・SPT	乳児期	48〜60か月	57.4%
6	米国 (2007)	807	病歴・IgE・SPT	平均13か月 (1〜209)	平均54か月 (4〜285)	4歳：5% 6歳：12% 8歳：21% 10歳：29% 16歳：55%
7	欧州 (2015)	コホート (12,049)	DBPCFC	2歳	1年後	58.2%
8	米国 (2013)	244	病歴・SPT	3〜15か月	平均63か月	52.6%
9	韓国 (2020)	189	OFC・病歴・IgE	乳児	32.4か月 (6.0〜150.5)	8.7歳：50%

SPT：皮膚プリックテスト、OFC：食物経口負荷試験、DBPCFC：二重盲検プラセボ対照食物負荷試験、AD：アトピー性皮膚炎

5%、6歳で12%、16歳でも55%とする報告もある[6]。欧州の多国間解析では、2歳時に診断されている患者の1年後の耐性化率は58.2%であったが、国別に見ると0%（リトアニア）から80%（オランダ）と、大きく異なっていた[7]。

2）耐性化に関わる因子

牛乳特異的IgE抗体価のピーク値が高いほど、耐性化率が低くなる傾向が示されている[6]。特異的IgE抗体価が10 U_A/mL以上の患者では、2〜10 U_A/mLの患者と比較したハザード比が2.66（1.56〜4.54）、<2 U_A/mLの患者とでは5.74（3.48〜9.46）と報告されている[8]。耐性獲得が進む症例では抗体価が次第に低下する傾向があるのに対して、遷延例の抗体価は高値が持続する[10]。

牛乳のSPTについて、膨疹径10 mm以上の患者は5〜10 mmの患者と比較したハザード比が1.86（1.22〜2.82）、<5 mmの患者とでは3.65（2.42〜5.51）とする報告[8]や、膨疹径6 mm以上が耐性化阻害指標とする報告がある[5]。

牛乳アレルギーの経過として、初発症状の経験が日齢30未満と日齢30以上でハザード比3.3、診断時のOFCにおける症状誘発閾値が10 mL未満と10 mL以上でハザード比が2.9との報告がある[5]。

合併するアレルギー疾患との関連も指摘されている。中等症以上のアトピー性皮膚炎を持つ

患者は、アトピー性皮膚炎がない、または軽症の患者と比較してハザード比 2.09（1.48〜2.94）[8]という報告がある。喘息やアレルギー性鼻炎の合併や調製粉乳の授乳歴との関連も示唆されている[3]。

一方、年齢や性別、人種、母乳の授乳状況、他の食物アレルギー、喘息またはアレルギー性鼻炎の合併は耐性化率に影響しないとする報告もある[8]。

3. コンポーネント

1）構成するタンパク質（表12-5）

主なアレルゲンコンポーネントは、カゼイン（Bos d 8）と乳清タンパク質（ホエイ）中のβ-ラクトグロブリン（Bos d 5）である。

カゼイン（Bos d 8）は主要なアレルゲンである（第3章参照）。αs1-カゼイン（Bos d 9）はジスルフィド結合を持たずに強固な三次構造をとらないため、加熱による変性を受けにくく、多くのIgEエピトープを持つなどの性質のために、強い抗原性を持つ[11]。

β-ラクトグロブリン（Bos d 5）は球状の三次構造を特徴とするリポカリンタンパク質スーパーファミリーに属しており、αs2-カゼインとともにヒトの乳汁には存在しないタンパク質である。加熱によってゲル状に凝集して、反応性が低下する[12]。

α-ラクトアルブミン（Bos d 4）は、ヒトの乳汁と70％以上の相同性を持つタンパク質である。

2）交差抗原性を示す食物

牛乳とヤギやラクダなどの哺乳類の乳汁とは交差抗原性がある[13]。ホエイ中の血清アルブミン（Bos d 6）は牛肉アレルギーの主要抗原でもある[14]が、加熱によりアレルゲン活性が失われるため、加熱調理した牛肉の摂取が問題となることはほとんどない。

■ 表12-5　主な牛乳アレルゲン

タンパク質	アレルゲン	含有量(%)	分子量(kDa)	アレルゲン性
カゼイン	Bos d 8	80		
αs1-カゼイン	Bos d 9	30	23.6	
αs2-カゼイン	Bos d 10	9	25.2	+++
β-カゼイン	Bos d 11	29	24	
κ-カゼイン	Bos d 12	10	19	
乳清タンパク質		20		
α-ラクトアルブミン	Bos d 4	4	14.2	+
β-ラクトグロブリン	Bos d 5	10	18.3	++
血清アルブミン	Bos d 6	1	66.4	+
免疫グロブリン	Bos d 7	2	160	+

4. 診断

1) 診断手順

乳製品によって誘発されるアレルギー症状の多くはIgE依存性の即時型反応である。牛乳特異的IgE抗体価が陽性でも症状の確認ができていない場合は、確定診断としてOFCが必要である（第9章参照）。

一方で牛乳は、新生児・乳児期に発症する非IgE依存性消化管アレルギーの主な原因アレルゲンとなる（第16章参照）。

2) 特異的IgE抗体検査とプロバビリティカーブ（表12-6）

牛乳特異的IgE抗体価と症状の有無の関連について、国内から複数のプロバビリティカーブが報告されている。負荷食品や負荷量を中心に、年齢などを考慮して報告を選び、参考とする[15〜20]。

カゼイン特異的IgE抗体価は牛乳と同等、もしくはそれよりも優れた感度と特異度を持つが、β-ラクトグロブリン、α-ラクトアルブミン特異的IgE抗体は感度、特異度ともに劣る[21]。

■ 表12-6　プロバビリティカーブ報告のまとめ：牛乳

文献（報告年）	対象		適用	食物経口負荷試験 負荷食品・量	測定法	特異的IgE抗体		
	n	年齢				アレルゲン	90%予測値[*1]	50%予測値[*1]
15 (2007)	764	中央値1.3歳 (0.2〜14.6)	診断/経過	記載なし	CAP	牛乳	0歳：3 1歳：20 ≧2歳：30	0歳：0.8 1歳：3 ≧2歳：6
16 (2015)	266	中央値4.4歳 (1.0〜8.8)	診断/経過	生牛乳3.1 mL	CAP	牛乳	N.E.	血清総IgE値区分 (IU/mL) <269：9 269〜1,149：20 >1,149：42
17 (2015)	153	0〜2歳	診断/経過	生牛乳38 mL	CAP	牛乳	[*2]グレード1：138.6 グレード2：42 グレード3：N.E.	グレード1：N.E. グレード2：15 グレード3：72
18 (2016)	217	中央値6.0歳 (95%CI：3.8〜9.3)	診断/経過	牛乳3 mL入りかぼちゃケーキ	CAP	牛乳	N.E.	16.9
						カゼイン	N.E.	15.5
19 (2016)	68	中央値3.9歳 (IQR：2.1〜7.2)	経過のみ	牛乳25 mL入りかぼちゃケーキ	CAP	牛乳	62.2	8.5
20 (2017)	499	平均1.8歳	診断/経過	牛乳25 mL入りカップケーキまたはヨーグルト48 g	CAP	牛乳	27.7	4.2
					アラスタット	牛乳	53.1	5.4

[*1]：数値の一部は著者に確認して、元データから算出した
[*2]：グレードは『食物アレルギー診療ガイドライン2012』による
IQR：四分位範囲(interquartile range)、N.E.：not estimated、CAP：イムノキャップ®(IU_A/mL)、アラスタット：アラスタット®3gAllergy(IU_A/mL)

5. 食事指導

1) 必要最小限の除去

　牛乳アレルギーと診断された患者に対しても、できる限り食べることを目指した食事指導を行う。牛乳特異的IgE抗体が陽性でも、問診によって摂取できる範囲が把握できていれば、それを中止する必要はない。

　OFCなどで摂取できる量が確認できた場合、乳製品のタンパク質含有率を考慮して、摂取できる乳製品の種類と量を指示することができる[22]。例えば、日本食品標準成分表2020年版（八訂）[23]によると、普通牛乳のタンパク質の割合3.3％に対して、有塩バター0.6％、プロセスチーズ22.7％となる。

2) 低アレルゲン化の方法

　牛乳を小麦粉と混ぜて高温で加熱するパンやマフィンでは反応性の低下がみられ、生乳の症状誘発閾値量よりも多く摂取できることがある[24]。しかし、重症者ではこれらの食品でも強い症状を誘発することがあるため、患者ごとに慎重な指導が求められる。

　部分加水分解乳（ペプチドミルクE赤ちゃん®）は、牛乳アレルゲン除去調製粉乳よりも分子量の大きいペプチドが含まれているため、牛乳アレルギー患者用とは位置付けられていない。

3) 除去で不足する栄養素

　牛乳は主要なカルシウム源であり、除去によりカルシウム不足になりやすい[25]。牛乳アレルギーの患者には、牛乳アレルゲン除去調製粉乳や調製粉末大豆乳をはじめ、カルシウムを含む食品を積極的に摂取するように指導する必要がある[26]。

　調製粉乳を必要とする乳児では、ミルクアレルゲン除去食品（加水分解乳、アミノ酸乳、または調製粉末大豆乳）を使用する（表12-7）。加水分解乳では、ペプチドの最大分子量が小さければ症状を誘発しにくいが、アミノ酸独特の風味が強くなる。アミノ酸乳はその風味が強いこと、脂質含有量が少ないこと、通常の調乳条件では高浸透圧のため下痢を来しやすいことなどに留意する。調製粉末大豆乳は、軽度に消化した大豆タンパク質が主原料で、溶解性や風味も良く料理にも使用しやすい。

　微量元素としてビオチンやカルニチンが添加されているが、一部のミルクにはセレンが添加されていない。

4) アレルギー表示

　乳糖は二糖類でタンパク質を含まないが、製造過程において乳清タンパクが混入する可能性がある。しかし、過去に乳糖による誘発症状が確認された一部の重症患者を除いて、乳糖を含む食品は摂取可能である[27]（第17章参照）。

　なお、乳やバターと名前のつく食品で、実際には乳製品ではない食品（乳化剤、乳酸カルシ

■ 表12-7　ミルクアレルゲン除去食品

分類		加水分解乳		アミノ酸乳	調製粉末大豆乳
商品名		ミルフィーHP®	ニューMA-1®	エレメンタルフォーミュラ®	和光堂ボンラクト®i
メーカー		明治	森永乳業	明治	アサヒグループ食品
標準調乳濃度		14.5%	15%	17%	14%
最大分子量(Da)		3,500	1,000	アミノ酸	–
浸透圧(mOsm/kg/H$_2$O)		280	320	400	290
原材料		乳清分解物	カゼイン分解物	精製結晶L-アミノ酸	分離大豆タンパク
栄養素（標準調乳100 mLの含有量）	エネルギー(kcal)	67.0	69.9	66.5	67.2
	タンパク質(g)	1.7	2.0	2.0	1.8
	脂質(g)	2.5	2.7	0.4	2.9
	炭水化物(g)	9.6	9.5	13.4	8.7
	ビオチン(μg)	1.6	2.3	1.6	1.4
	亜鉛(mg)	0.4	0.5	0.5	0.5
	カルシウム(mg)	53.7	60.0	64.6	53.2
	セレン(μg)	0.0	0.9	0.0	1.0*
	鉄(mg)	0.9	0.9	1.1	1.0
	カルニチン(mg)	1.3	1.8	1.3	0.84

＊：社内分析値

ウム、乳酸菌、カカオバター、ココナッツミルク、乳酸など）がある。一方乳酸菌飲料は、乳などを乳酸菌または酵母で発酵させた飲料で、主原料が乳となる。

5) 交差反応性を認める食品

　牛乳アレルギー患者は、ヤギ乳やヒツジ乳の摂取でも症状を呈する可能性が高いが、これらの乳はアレルギー表示における「乳」の範囲に含まれないため注意する。

6) 注意が必要な機会

　筋肉増強のためのサプリメントとして市販されているプロテインは、主にホエイやカゼイン、大豆を成分として製造されており、食事から摂取するよりも大量のタンパク質が含まれている。したがって、普段の食生活では症状の現れない軽症の牛乳アレルギーであっても症状が誘発されることがある[28]。

　乳成分を含む医薬品などについては、第10章を参照のこと。乳成分は、石鹸や入浴剤などの日用品においても使用されていることがある。

参考文献

1) 今井孝成，杉崎千鶴子，海老澤元宏．消費者庁「食物アレルギーに関連する食品表示に関する調査研究事業」平成29

第12-2章 牛乳アレルギー

(2017) 年即時型食物アレルギー全国モニタリング調査結果報告. アレルギー. 2020；69：701-5.
2) 伊藤浩明, 森下雅史, 伊藤朱美, 他. 小児アトピー性皮膚炎に合併する即時型食物アレルギーに関する検討. アレルギー. 2004；53：24-33.
3) 池松かおり, 田知本寛, 杉崎千鶴子, 他. 乳児期発症食物アレルギーに関する検討（第2報）卵・牛乳・小麦・大豆アレルギーの3歳までの経年的変化. アレルギー. 2006；55：533-41.
4) Koike Y, Sato S, Yanagida N, et al. Predictors of persistent milk allergy in children：A retrospective cohort study. Int Arch Allergy Immunol 2018；175：177-80.
5) Elizur A, Rajuan N, Goldberg MR, et al. Natural course and risk factors for persistence of IgE-mediated cow's milk allergy. J Pediatr. 2012；161：482-7. e1.
6) Skripak JM, Matsui EC, Mudd K, et al. The natural history of IgE-mediated cow's milk allergy. J Allergy Clin Immunol. 2007；120：1172-7.
7) Schoemaker AA, Sprikkelman AB, Grimshaw KE, et al. Incidence and natural history of challenge-proven cow's milk allergy in European children--EuroPrevall birth cohort. Allergy. 2015；70：963-72.
8) Wood RA, Sicherer SH, Vickery BP, et al. The natural history of milk allergy in an observational cohort. J Allergy Clin Immunol. 2013；131：805-12.
9) Kim M, Lee JY, Yang HK, et al. The natural course of immediate-type cow's milk and egg allergies in children. Int Arch Allergy Immunol. 2020；181：103-10.
10) 高岡有理, 二村昌樹, 坂本龍雄, 他. 遷延する牛乳アレルギーの予後に関連する因子の検討. アレルギー. 2010；59：1562-71.
11) Chatchatee P, Järvinen KM, Bardina L, et al. Identification of IgE- and IgG-binding epitopes on alpha (s_1) -casein：differences in patients with persistent and transient cow's milk allergy. J Allergy Clin Immunol. 2001；107：379-83.
12) Bloom KA, Huang FR, Bencharitiwong R, et al. Effect of heat treatment on milk and egg proteins allergenicity. Pediatr Allergy Immunol. 2014；25：740-6.
13) Restani P, Gaiaschi A, Plebani A, et al. Cross-reactivity between milk proteins from different animal species. Clin Exp Allergy. 1999；29：997-1004.
14) Martelli A, De Chiara A, Corvo M, et al. Beef allergy in children with cow's milk allergy；cow's milk allergy in children with beef allergy. Ann Allergy Asthma Immunol. 2002；89 (6 Suppl 1)：38-43.
15) Komata T, Söderström L, Borres MP, et al. The predictive relationship of food-specific serum IgE concentrations to challenge outcomes for egg and milk varies by patient age. J Allergy Clin Immunol. 2007；119：1272-4.
16) Horimukai K, Hayashi K, Tsumura Y, et al. Total serum IgE level influences oral food challenge tests for IgE-mediated food allergies. Allergy. 2015；70：334-7.
17) Yoneyama M, Nomura T, Kato T, et al. Probability curves for predicting symptom severity during oral food challenge with milk. Ann Allergy Asthma Immunol. 2015；115：251-3.
18) Yanagida N, Okada Y, Sato S, et al. New approach for food allergy management using low-dose oral food challenges and low-dose oral immunotherapies. Allergol Int. 2016；65：135-40.
19) Yanagida N, Minoura T, Kitaoka S. Erratum：Butter tolerance in children allergic to cow's milk. Allergy Asthma Immunol Res. 2016；8：178.
20) Sato S, Ogura K, Takahashi K, et al. Usefulness of antigen-specific IgE probability curves derived from the 3gAllergy assay in diagnosing egg, cow's milk, and wheat allergies. Allergol Int. 2017；66：296-301.
21) Ito K, Futamura M, Moverare R, et al. The usefulness of casein-specific IgE and IgG_4 antibodies in cow's milk allergic children. Clin Mol Allergy. 2012；10：1.
22) 小田奈穂, 楳村春江, 小林貴江, 他. 牛乳アレルギーにおける除去解除のための食事指導（第3報）. 日小ア誌. 2013；27：701-9.
23) 日本食品標準成分表2020年版（八訂）. https://fooddb.mext.go.jp/history.pl
24) Bavaro SL, De Angelis E, Barni S, et al. Modulation of milk allergenicity by baking milk in foods：A proteomic investigation. Nutrients. 2019；11. 1536.
25) 池田有希子, 今井孝成, 杉崎千鶴子, 他. 食物アレルギー除去食中の保護者に対する食生活のQOL調査および食物アレルギー児の栄養評価. 日小ア誌. 2006；20：119-26.
26) Mailhot G, Perrone V, Alos N, et al. Cow's milk allergy and bone mineral density in prepubertal children. Pediatrics. 2016；137. e20151742.
27) 竹井真理, 柳田紀之, 浅海智之, 他. 牛乳アレルギー児に対する食品用乳糖の食物経口負荷試験の検討. 日小ア誌. 2015；29：649-54.
28) 竹村豊, 井上徳浩, 有馬智之, 他. 小児用プロテイン製剤によりアナフィラキシーを呈した1男児例. 小児科. 2017；58：715-8.

第12-3章 小麦アレルギー

[要旨]

1. 本章では、主として小児の即時型小麦アレルギーについて解説する。成人に多い小麦依存性運動誘発アナフィラキシーについては、第13章を参照のこと。
2. 即時型小麦アレルギーの多くは乳児期に発症し、乳幼児期の即時型食物アレルギーの中で3番目に多い。
3. 耐性化率に関連する主な因子として、小麦特異的IgE抗体価や小麦プリックテストの膨疹径が挙げられる。
4. 小麦タンパク質は、塩可溶性のアルブミン・グロブリン画分と、塩不溶性のグルテンに大別される。グルテンはさらに、アルコール可溶性のグリアジンと、不溶性のグルテニンに分けられる。大麦やライ麦との交差抗原性がみられる。
5. 小麦アレルギーの診断において、小麦特異的IgE抗体検査は特異度が低い。一方、ω-5グリアジン特異的IgE抗体検査は、特異度が高いが感度が低いため、両者を組み合わせて判断を行う。
6. 醤油の醸造過程で使用される小麦タンパク質はほとんどがアミノ酸まで分解されており、大部分の小麦アレルギー患者は摂取可能である。

1. 発症年齢・臨床型分類

わが国では、小麦アレルギーは乳児期に発症する食物アレルギーの中で3番目に多く[1]、乳児アトピー性皮膚炎に合併することが多い[2]。成人では食物依存性運動誘発アナフィラキシー（food-dependent exercise-induced anaphylaxis, FDEIA）の臨床型が多い（第13章参照）が、本章では主として小児の即時型症状について解説する。

2. 予後

1）耐性化率（表12-8）

わが国の報告で、乳児期発症の小麦アレルギー患者の耐性化率は3歳時で63.2%[3]、別の報告では3歳20.5%、5歳54.2%、6歳66.3%とされている[4]。

諸外国からの報告として、米国における耐性化率は4歳29%、8歳56%、12歳65%[5]、フィンランドからは4歳59%、8歳76%、16歳96%[6]、ポーランドからは4歳20%、8歳52%、18歳76%[7]などがある。

表12-8 小麦アレルギーの自然歴（主なもの）

文献	国(年)	n	診断方法	観察開始	耐性化率
3	日本(2006)	38	OFC	12.4±1.9(月齢)	3歳：63.2%
4	日本(2018)	83	OFC・病歴	不明	3歳：20.5% 5歳：54.2% 6歳：66.3%
5	米国(2009)	103	病歴・感作	2歳	4歳：29% 8歳：56% 12歳：65%
6	フィンランド(2010)	28	OFC・除去試験・感作	不明	4歳：59% 6歳：69% 8歳：76% 10歳：84% 16歳：96%
7	ポーランド(2014)	50	OFC・感作	3歳	4歳：20% 8歳：52% 12歳：66% 18歳：76%

OFC：食物経口負荷試験

2）耐性化に関わる因子

耐性化に影響する因子の解析では、小麦特異的 IgE 抗体価が高いほど、耐性化率が低い[4,7]。小麦特異的 IgE 抗体価のピーク値を<20、20～50、≧50 U_A/mL に分類して、高値群ほど耐性化率が低いことを示した報告もある[5]。小麦 SPT 膨疹径が 5 mm 以上は耐性化を阻害したという報告もある[6]。

3. コンポーネント

1）構成するタンパク質（表12-9）

小麦はイネ目イネ科コムギ属に属する一年草である。小麦タンパク質は、中性塩溶液に対する溶解性によって、塩可溶性のアルブミン・グロブリン画分と、塩不溶性のグルテンに分けられる。グルテンを構成するタンパク質のうち、アルコールに溶解するものをグリアジン、溶解しないものをグルテニンという。グリアジンとグルテニンは、水を加えて練り合わせると分子間ジスルフィド結合により高分子化して、不溶性のグルテンとなる。グルテンの持つ特有の粘りは、その調理特性から多くの加工食品に使用される。それらは加熱して食べる場面しかないため、加熱による変化が問題になることは少ない[8]。

グルテンを構成するタンパク質は、小児の即時型小麦アレルギーや、成人の小麦依存性運動誘発アナフィラキシーの主要なアレルゲンであり、代表的なコンポーネントとしてω-5 グリアジン（Tri a 19）[9]や高分子量グルテニン（Tri a 26）が報告されている[10]。

塩可溶性画分には、α-アミラーゼインヒビター（Tri a 15）や脂質輸送タンパク質（lipid

■ 表12-9 主な小麦アレルゲン

タンパク質			アレルゲン	分子量(kDa)	関連する病型
水・塩溶性タンパク質*					
	α-アミラーゼインヒビター				
		単量体	Tri a 15	13	baker's asthma
		二量体	Tri a 28	13	
		四量体CM1/CM2	Tri a 29	13	
		四量体CM3	Tri a 30	16	
	プロフィリン		Tri a 12	14	
	脂質輸送タンパク質(ns-LTP)		Tri a 14	9	
	チオレドキシン		Tri a 25	13	
	セルピン		Tri a 33	40	
水・塩不溶性タンパク質(グルテン)					
	グリアジン(アルコール可溶性)				
		α/β-グリアジン	Tri a 21	30〜45	HWP-WDEIA
		γ-グリアジン	Tri a 20	35〜38	HWP-WDEIA
		ω-5グリアジン	Tri a 19	65	An、WDEIA
	グルテニン(アルコール不溶性)				
		高分子量グルテニン	Tri a 26	88	An、WDEIA
		低分子量グルテニン	Tri a 36	40	An、WDEIA

＊：この他にも多くのコンポーネントが報告されている
HWP：hydrolized wheat protein、WDEIA：wheat-dependent exercise-induced anaphylaxis、An：anaphylaxis、ns-LTP：non-specific lipid transfer protein

transfer protein, LTP)（Tri a 14）をはじめとして、多くのアレルゲンタンパク質が同定されている[8]。これらのタンパク質は、小児の即時型小麦アレルギー患者の多くが感作されていると同時に、小麦粉の吸入により職業性喘息を起こすbaker's asthmaの主要アレルゲンでもある。

2）交差抗原性を示す食品など

大麦やライ麦には、ω-5グリアジンと交差反応するタンパク質が存在するため[11]、ω-5グリアジン高値例では、大麦に症状を呈する割合が高い[12]。イネ科花粉からの交差反応によって小麦アレルギーを発症する可能性も示唆されている[13]。

加水分解小麦含有石鹸を感作源とした小麦アレルギー[14,15]では、強い酸性条件でグルタミンが脱アミド化されてグルタミン酸になることにより、アレルゲン性が強化された可能性が示唆されている（第13章参照）。

4. 診断

1) 診断手順

特異的 IgE 抗体価や病歴などから即時型小麦アレルギーが疑われる場合は、慎重に OFC を行う（第 9 章参照）。

2) 特異的 IgE 抗体検査とプロバビリティカーブ（表 12-10）

小麦およびω-5 グリアジン特異的 IgE 抗体検査は、両者を組み合わせて判断することで診断精度が向上する。その評価には、プロバビリティカーブの報告が参考になる[16〜20]。

小麦特異的 IgE 抗体検査は、感度が高いものの特異度は低く、クラス 6（≧100 U$_A$/mL）であっても OFC の陽性的中率は 75％に留まると報告されている[16]。一方、ω-5 グリアジン特異的 IgE 抗体検査は特異度が高く、3.5 U$_A$/mL で陽性的中率 90％と報告されているが[18]、感度は必ずしも高くなく、陰性であっても小麦アレルギーを否定できない[21]。自然耐性獲得に伴って抗体価が低下するため、経過観察の指標にも有用である[22]。

少量の OFC を行う指標として、うどん 2 g を総負荷量とした OFC において、ω-5 グリアジン特異的 IgE 抗体価の 50％陽性予測値は 3.9 U$_A$/mL、90％陽性予測値は 88.1 U$_A$/mL[20] との報告がある。

5. 食事指導

1) 必要最小限の除去

小麦は食生活の根幹にある食物のため、できる限り食べることを目指した食事指導を行う。

■表 12-10 プロバビリティカーブ報告のまとめ：小麦

文献 (報告年)	対象			食物経口 負荷試験		特異的IgE抗体			
	n	年齢	適用	負荷食品・量	測定法	アレルゲン	90%予測値	50%予測値
16 (2009)	301	平均1.3歳 (0.5〜14.6)	診断/経過	うどん 100 g	CAP	小麦	0歳：7 ≧1歳：N.E.	0歳：1.4 ≧1歳：19
17 (2011)	233	中央値3.6歳 (0.5〜17.5)	診断/経過	うどん 38 g	CAP	小麦	N.E.	18.5
						ω-5グリアジン	3.3	1
18 (2012)	331	中央値2.3歳 (0〜20.4)	診断/経過	記載なし	CAP	ω-5グリアジン	<2歳：2.2 ≧2歳：3.5	<2歳：0.35 ≧2歳：0.6
19 (2017)	626	平均1.1歳	診断/経過	うどん 15〜100 g	CAP	小麦	N.E.	10.4
					アラスタット		50.6	4.7
20 (2016)	68	中央値6.8歳 (95%CI： 3.3〜9.3)	経過	うどん 2 g	CAP	小麦	N.E.	42.5
						ω-5グリアジン	88.1	3.9

数値の一部は著者に確認して、元データから算出した
CAP：イムノキャップ®（U$_A$/mL）、アラスタット：アラスタット®3gAllergy（IU$_A$/mL）、N.E.：not estimated

OFCを行って食べられる範囲を判断し、摂取することを指導する。小麦の食べられる範囲は加熱・加工による変動を受けにくいため、それぞれの小麦製品に含まれるタンパク質量を換算して、摂取できる小麦製品の種類と量を指示することができる[23]。その一例として、日本食品標準成分表2020年版（八訂）[24]に基づいてタンパク質含有量を換算すると、うどん50g摂取可能であれば、食パン14g、ゆでたスパゲティ25gまで食べられる可能性がある[25]。

2）低アレルゲン化の方法

小麦は未加熱で摂取する場面がほとんどないため、加熱による低アレルゲン化は考慮されない。

3）除去で不足する栄養素

小麦は、主食、副食ともに幅広く使用されるため、それに代替する手段として、米粉や片栗粉、他の雑穀粉などを使用する。雑穀粉や米粉で作られた麺やパン、ケーキミックス粉、餃子の皮などが購入できるが、製造過程において小麦粉の混入防止に配慮された商品かどうか、確認する必要がある。「グルテンフリー」と表記される商品の注意点については、第17章を参照されたい。

ホームベーカリーでも、米粉のみでパンを作れるものがある。しかし、これらの代替調理を上手く行うためには、使用する粉の選択や水分量、調理手順にコツがいるため、経験を積んだ管理栄養士が指導できることが望ましい。

4）微量を含む食品

醤油は醸造過程で抗原性が消失しており、基本的には摂取可能である[26]。大麦由来の麦茶、小麦や大麦由来の麦味噌、醸造酢においても、含まれる抗原は微量であるため、ほとんどの場合摂取可能である（第17章参照）。

5）交差反応性を認める食品について

交差反応性が臨床的に問題になることが多いのは、学校給食でも使用される大麦である[27]。必要に応じてOFCを行い、摂取可否を判断する。なお、大麦は表示義務ではない上に、原材料の名称も、押し麦、もち麦、丸麦、はったい粉などさまざまである。ハト麦やオート麦との交差反応は、大麦よりも少ない[28]。

6）注意が必要な機会

市販の米粉パンには小麦グルテンが添加されていることもあり、誤食の原因となりやすいため注意が必要である[29]。

原材料として使用していなくても同一空間で小麦粉を使用している場合、室内に浮遊して調

第12-3章 小麦アレルギー

理の過程で混入することがある[30]。重症の小麦アレルギーでは、店頭販売や外食、粉類を使用した輸入品では混入する可能性を考慮する。

園や学校生活においては、小麦粘土や乾燥したマカロニなどを工作に用いることがあるので注意が必要である。

参考文献

1) 今井孝成，杉崎千鶴子，海老澤元宏．消費者庁「食物アレルギーに関連する食品表示に関する調査研究事業」 平成29 (2017) 年即時型食物アレルギー全国モニタリング調査結果報告．アレルギー．2020；69：701-5.
2) 伊藤浩明，森下雅史，伊藤朱美，他．小児アトピー性皮膚炎に合併する即時型食物アレルギーに関する検討．アレルギー．2004；53：24-33.
3) 池松かおり，田知本寛，杉崎千鶴子，他．乳児期発症食物アレルギーに関する検討（第2報） 卵・牛乳・小麦・大豆アレルギーの3歳までの経年的変化．アレルギー．2006；55：533-41.
4) Koike Y, Yanagida N, Sato S, et al. Predictors of persistent wheat allergy in children：A retrospective cohort study. Int Arch Allergy Immunol. 2018；176：249-54.
5) Keet CA, Matsui EC, Dhillon G, et al. The natural history of wheat allergy. Ann Allergy Asthma Immunol. 2009；102：410-5.
6) Kotaniemi-Syrjänen A, Palosuo K, Jartti T, et al. The prognosis of wheat hypersensitivity in children. Pediatr Allergy Immunol. 2010；21 (2 Pt 2)：e421-8.
7) Czaja-Bulsa G, Bulsa M. The natural history of IgE mediated wheat allergy in children with dominant gastrointestinal symptoms. Allergy Asthma Clin Immunol. 2014；10：12.
8) Mäkelä M. Wheat allergy. In：Matricardi PM, Kleine-Tebbe J, Hoffmann HJ, et al. Ed. EAACI Molecular Allergology User's Guide. Pediatr Allergy Immunol. 2016：27 Suppl 23：213-23.
9) Morita E, Matsuo H, Mihara S, et al. Fast omega-gliadin is a major allergen in wheat-dependent exercise-induced anaphylaxis. J Dermatol Sci. 2003；33：99-104.
10) Matsuo H, Kohno K, Niihara H, et al. Specific IgE determination to epitope peptides of omega-5 gliadin and high molecular weight glutenin subunit is a useful tool for diagnosis of wheat-dependent exercise-induced anaphylaxis. J Immunol. 2005；175：8116-22.
11) Palosuo K, Alenius H, Varjonen E, et al. Rye gamma-70 and gamma-35 secalins and barley gamma-3 hordein cross-react with omega-5 gliadin, a major allergen in wheat-dependent exercise-induced anaphylaxis. Clin Exp Allergy. 2001；31：466-73.
12) 坪谷尚季，長尾みづほ，亀田桂子，他．小麦アレルギー患児における大麦アレルギー合併を予測する因子の検討．日小ア誌．2017；31：683-91.
13) Ogino R, Chinuki Y, Yokooji T, et al. Identification of peroxidase-1 and beta-glucosidase as cross-reactive wheat allergens in grass pollen-related wheat allergy. Allergol Int. 2021；70：215-22.
14) Fukutomi Y, Itagaki Y, Taniguchi M, et al. Rhinoconjunctival sensitization to hydrolyzed wheat protein in facial soap can induce wheat-dependent exercise-induced anaphylaxis. J Allergy Clin Immunol. 2011；127：531-3.e1-3.
15) Yokooji T, Kurihara S, Murakami T, et al. Characterization of causative allergens for wheat-dependent exercise-induced anaphylaxis sensitized with hydrolyzed wheat proteins in facial soap. Allergol Int. 2013；62：435-45.
16) Komata T, Soderstrom L, Borres MP, et al. Usefulness of wheat and soybean specific IgE antibody titers for the diagnosis of food allergy. Allergol Int. 2009；58：599-603.
17) 尾辻健太，二村昌樹，漢人直之，他．ω-5グリアジン特異的IgE抗体検査の臨床的有用性について．アレルギー．2011；60：971-82.
18) Ebisawa M, Shibata R, Sato S, et al. Clinical utility of IgE antibodies to omega-5 gliadin in the diagnosis of wheat allergy：a pediatric multicenter challenge study. Int Arch Allergy Immunol. 2012；158：71-6.
19) Sato S, Ogura K, Takahashi K, et al. Usefulness of antigen-specific IgE probability curves derived from the 3gAllergy assay in diagnosing egg, cow's milk, and wheat allergies. Allergol Int. 2017；66：296-301.
20) Yanagida N, Okada Y, Sato S, et al. New approach for food allergy management using low-dose oral food challenges and low-dose oral immunotherapies. Allergol Int. 2016；65：135-40.
21) Ito K, Futamura M, Borres MP, et al. IgE antibodies to omega-5 gliadin associate with immediate symptoms on oral wheat challenge in Japanese children. Allergy. 2008；63：1536-42.
22) Shibata R, Nishima S, Tanaka A, et al. Usefulness of specific IgE antibodies to omega-5 gliadin in the diagnosis and follow-

up of Japanese children with wheat allergy. Ann Allergy Asthma Immunol. 2011；107：337-43.
23) 楳村春江，小田奈穂，小林貴江，他．タンパク質換算を用いた小麦アレルギー患者への除去解除指導（第 4 報）．日小ア誌．2013；27：710-20.
24) 日本食品標準成分表 2020 年版（八訂）https://fooddb.mext.go.jp/history.pl
25) 厚生労働科学研究班（研究代表者：海老澤元宏）．食物アレルギーの栄養食事指導の手引き 2017．
26) Kobayashi M, Hashimoto Y, Taniuchi S, et al. Degradation of wheat allergen in Japanese soy sauce. Int J Mol Med. 2004；13：821-7.
27) Cox AL, Eigenmann PA, Sicherer SH. Clinical relevance of cross-reactivity in food allergy. J Allergy Clin Immunol Pract. 2021；9：82-99.
28) Pourpak Z, Mesdaghi M, Mansouri M, et al. Which cereal is a suitable substitute for wheat in children with wheat allergy? Pediatr Allergy Immunol. 2005；16：262-6.
29) 消費者庁．米粉製品の例とチェックポイント．https://www.caa.go.jp/policies/policy/food_labeling/food_sanitation/allergy/pdf/syokuhin1549.pdf.
30) 橋本博行，吉光真人，清田恭平．小麦粉ふるい操作後の小麦アレルゲンの飛散動態の解析．アレルギー．2017；66：209-21.

第12-4章　ピーナッツアレルギー

[要旨]

1. ピーナッツアレルギーは即時型症状で発症することが多い。耐性化は約20％とする報告が多い。
2. アレルゲンコンポーネントのうちAra h 2（2Sアルブミン）は、即時型アレルギー症状誘発と関連がある。
3. Ara h 2特異的IgE抗体検査は、4.0 U_A/mL以上で95％陽性的中率を示す。
4. ピーナッツは豆類であり、木の実類とまとめて除去する必要はない。

1. 発症年齢・臨床型分類

　ピーナッツはマメ目マメ科ラッカセイ属の一年草である。即時型症状の病型で発症することが多く、米国では発症年齢の中央値は1歳であった[1]。

　ピーナッツアレルギーの有症率は欧米諸国では1.4～3.0％と報告されている[2～4]。メタ解析では欧州におけるOFCに基づく食物アレルギーの原因食物として第4位であった[5]。わが国での即時型食物アレルギー調査では、原因食物として第5位（5.1％）であり、アナフィラキシーショックの原因となる食物の7.3％を占めていた[6]。

2. 予後

　ピーナッツアレルギーの自然歴に関する報告は少ないが、一般的に耐性化率は低いと考えられている。オーストラリアのコホート研究では、1歳時にOFCでピーナッツアレルギーと診断された症例を対象に4歳時に再度OFCを実施した耐性獲得率は22％であった[4]。英国の出生コホート研究では、4歳時に診断されたピーナッツアレルギー児の10歳時の耐性化率は17％であった[7]。米国の研究では、4～20歳の耐性化率は21.5％であった[8]（表12-11）。

　耐性獲得に影響する因子に関しては、ピーナッツ特異的IgE抗体価、SPT膨疹径、アレルギー症状の重症度などが報告されている[9,10]。オーストラリアのコホート研究では、1歳時のSPT膨疹径13 mm以上、特異的IgE抗体価5.0 U_A/mL以上が4歳時にピーナッツアレルギーが持続するリスク因子であった[4]。

3. コンポーネント

　ピーナッツのアレルゲンは17種類（Ara h 1～17）が同定されており、主要アレルゲンは貯蔵タンパク質のAra h 1、Ara h 2、Ara h 3である[11～13]（第3章、表3-4）。中でも2Sア

■ 表12-11 ピーナッツアレルギーの自然歴

文献	国（年）	n	対象	診断年齢	観察期間 または評価年齢	耐性化率
4	オーストラリア （2015）	5,276 （コホート）	特異的IgE抗体陽性 かつOFC陽性	1歳	4歳	22%
7	英国 （2014）	1,456 （コホート）	SPT陽性 かつ即時型症状	4歳	10歳	17%
8	米国 （2001）	223	特異的IgE抗体陽性 かつ即時型症状	2か月〜15歳 （中央値1.5歳）	4〜20歳 （中央値6.5歳）	21.5%

SPT：皮膚プリックテスト、OFC：食物経口負荷試験

ルブミンであるAra h 2の臨床症状との関連が報告されており[13〜17]、メタ解析ではAra h 2特異的IgE抗体検査の診断有用性が最も高く、地域差もなかったと報告されている[18]。同様に2SアルブミンであるAra h 6も臨床症状と関連することが報告されている[19,20]。Ara h 2特異的IgE抗体陰性のピーナッツアレルギー児の一部ではAra h 6特異的IgE抗体価が陽性であったとの報告がある[21]。LTPによる重篤な果物アレルギーの多い地中海地方では、LTPであるAra h 9が重要な役割を果たしていると報告されている[22]。

4. 診断

病歴とピーナッツおよびAra h 2特異的IgE抗体検査の組み合わせで診断を行うことが重要である[23]。

SPTに関しては、メタ解析で膨疹径3mm以上は感度94.7%と報告されている[24]。オーストラリアでのコホート研究では、1歳時の診断における95%陽性的中率（positive predictive value, PPV）を膨疹径8mm以上と報告している[25]。ただし、SPTの特異度は低いため[23]、診断の際には病歴を踏まえ、必要に応じてOFCを行う。英国のコホート研究ではSPTが陽性となった児（ピーナッツ感作児）は幼児期以降から徐々に増加して思春期にピークに達したが、大半は無症候性で花粉感作と関連していた。学童期以降に出現するピーナッツ感作は症状誘発とは無関係な可能性が高い[7]。

血液検査（表12-12）に関して、わが国ではピーナッツ粗抗原とAra h 2に対する特異的IgE抗体検査が保険収載されている。オーストラリアでの1歳児を対象とした研究ではピーナッツ特異的IgE抗体価34 U_A/mL以上がピーナッツアレルギーの診断における95% PPVと報告されている[25]。ピーナッツ特異的IgE抗体検査は特異度が低く[23]、Ara h 2特異的IgE抗体検査はSPTやピーナッツ特異的IgE抗体検査と比較して特異度が高い[18,26]。わが国での検討では95% PPVはAra h 2特異的IgE抗体価4.0 U_A/mL以上で、ピーナッツ特異的IgE抗体価と組み合わせることでOFCのリスクを減らせると報告されている[13]。しかしながら、Ara h 2特異的IgEが陰性であってもOFC陽性の場合もあるので注意が必要である。近年、Ara h 6特異的IgE抗体検査の有用性[27]やAra h 2とAra h 6の両方への感作が診断に最も有

表12-12 ピーナッツアレルギーに対する特異的 IgE 抗体検査の診断精度

文献	国(年)	n	年齢	アレルゲン	診断精度		
					カット値 (kU$_A$/L)	感度 (%)	特異度 (%)
11	日本 (2012)	57	中央値6歳 (2～13歳)	ピーナッツ	0.35	100	23
					4.3	69	84
				Ara h 2	0.35	88	84
					0.66	88	90
13	日本 (2015)	165	中央値6歳 (1～16歳)	Ara h 2	1.2	90.4	95.7
					4	95.7	60.0
25	オーストラリア (2013)	5,276	平均1歳	ピーナッツ	34	14	99
26	ドイツ (2015)	210	寛解群：中央値4.3歳 (2.1～7.7歳) アレルギー群：中央値4.8歳 (2.4～7.3歳)	ピーナッツ	0.35	95	26
					10	65	86
				Ara h 2	0.1	93	67
					0.35	86	86
29	フランス (2011)	237	アレルギー群：平均9歳、健常群：平均10歳	Ara h 2	0.23	96	93
30	アメリカ (2013)	60	中央値7歳 (3～19歳)	Ara h 2	60.1	96	54

用との報告がある[28]。一方、Ara h 8 および Ara h 9 特異的 IgE 抗体検査は診断に有用ではない[27]。

5. 食事指導

　ピーナッツは豆類であり、種実類（木の実類）とまとめて除去する必要はない。OFC などによって個々に症状の有無を確認する。

　ピーナッツは特定原材料の表示義務があるため、容器包装された加工品や添加物を摂取する際には原材料表示で含有の確認をできる。チョコレート、ジーマーミ豆腐、佃煮、和菓子などの食品やカレールーなどの調味料に含まれていることがある。ピーナッツオイルを含めた除去が必要である。

参考文献

1) Leickly FE, Kloepfer KM, Slaven JE, et al. Peanut allergy：An epidemiologic analysis of a large database. J Pediatr. 2018；192：223-8.e1.
2) Nwaru BI, Hickstein L, Panesar SS, et al. The epidemiology of food allergy in Europe：a systematic review and meta-analysis. Allergy. 2014；69：62-75.
3) Sicherer SH, Muñoz-Furlong A, Godbold JH, et al. US prevalence of self-reported peanut, tree nut, and sesame allergy：11-year follow-up. J Allergy Clin Immunol. 2010；125：1322-6.
4) Peters RL, Allen KJ, Dharmage SC, et al. Natural history of peanut allergy and predictors of resolution in the first 4 years of

life：A population-based assessment. J Allergy Clin Immunol. 2015；135：1257-66.e1-2.
5) Nwaru BI, Hickstein L, Panesar SS, et al. Prevalence of common food allergies in Europe：a systematic review and meta-analysis. Allergy. 2014；69：992-1007.
6) 今井孝成，杉崎千鶴子，海老澤元宏．消費者庁「食物アレルギーに関連する食品表示に関する調査研究事業」平成29 (2017) 年即時型食物アレルギー全国モニタリング調査結果報告．アレルギー．2020；69：701-5.
7) Arshad SH, Venter C, Roberts G, et al. The natural history of peanut sensitization and allergy in a birth cohort. J Allergy Clin Immunol. 2014；134：1462-3.e6.
8) Skolnick HS, Conover-Walker MK, Koerner CB, et al. The natural history of peanut allergy. J Allergy Clin Immunol. 2001；107：367-74.
9) Fleischer DM, Conover-Walker MK, Christie L, et al. The natural progression of peanut allergy：Resolution and the possibility of recurrence. J Allergy Clin Immunol. 2003；112：183-9.
10) Sicherer SH, Wood RA. Advances in diagnosing peanut allergy. J Allergy Clin Immunol Pract. 2013；1：1-13；quiz 4.
11) Ebisawa M, Moverare R, Sato S, et al. Measurement of Ara h 1-, 2-, and 3-specific IgE antibodies is useful in diagnosis of peanut allergy in Japanese children. Pediatr Allergy Immunol. 2012；23：573-81.
12) Klemans RJ, Otte D, Knol M, et al. The diagnostic value of specific IgE to Ara h 2 to predict peanut allergy in children is comparable to a validated and updated diagnostic prediction model. J Allergy Clin Immunol. 2013；131：157-63.
13) Ebisawa M, Movérare R, Sato S, et al. The predictive relationship between peanut- and Ara h 2-specific serum IgE concentrations and peanut allergy. J Allergy Clin Immunol Pract. 2015；3：131-2.e1.
14) Klemans RJ, Liu X, Knulst AC, et al. IgE binding to peanut components by four different techniques：Ara h 2 is the most relevant in peanut allergic children and adults. Clin Exp Allergy. 2013；43：967-74.
15) Dang TD, Tang M, Choo S, et al. Increasing the accuracy of peanut allergy diagnosis by using Ara h 2. J Allergy Clin Immunol. 2012；129：1056-63.
16) Nicolaou N, Poorafshar M, Murray C, et al. Allergy or tolerance in children sensitized to peanut：prevalence and differentiation using component-resolved diagnostics. J Allergy Clin Immunol. 2010；125：191-7.e1-13.
17) Lieberman JA, Glaumann S, Batelson S, et al. The utility of peanut components in the diagnosis of IgE-mediated peanut allergy among distinct populations. J Allergy Clin Immunol Pract. 2013；1：75-82.
18) Klemans RJ, van Os-Medendorp H, Blankestijn M, et al. Diagnostic accuracy of specific IgE to components in diagnosing peanut allergy：a systematic review. Clin Exp Allergy. 2015；45：720-30.
19) Hazebrouck S, Guillon B, Paty E, et al. Variable IgE cross-reactivity between peanut 2S-albumins：The case for measuring IgE to both Ara h 2 and Ara h 6. Clin Exp Allergy. 2019；49：1107-15.
20) Hemmings O, Du Toit G, Radulovic S, et al. Ara h 2 is the dominant peanut allergen despite similarities with Ara h 6. J Allergy Clin Immunol. 2020；146：621-30.e5.
21) Magnusdottir H, Vidarsdóttir AG, Ludviksson BR, et al. Ara h 1 and Ara h 6 sensitization causes clinical peanut allergy in Ara h 2-negative individuals. Int Arch Allergy Immunol. 2019；178：66-75.
22) Krause S, Reese G, Randow S, et al. Lipid transfer protein (Ara h 9) as a new peanut allergen relevant for a Mediterranean allergic population. J Allergy Clin Immunol. 2009；124：771-8.e5.
23) Koplin JJ, Perrett KP, Sampson HA. Diagnosing peanut allergy with fewer oral food challenges. J Allergy Clin Immunol Pract. 2019；7：375-80.
24) Soares-Weiser K, Takwoingi Y, Panesar SS, et al. The diagnosis of food allergy：a systematic review and meta-analysis. Allergy. 2014；69：76-86.
25) Peters RL, Allen KJ, Dharmage SC, et al. Skin prick test responses and allergen-specific IgE levels as predictors of peanut, egg, and sesame allergy in infants. J Allergy Clin Immunol. 2013；132：874-80.
26) Beyer K, Grabenhenrich L, Härtl M, et al. Predictive values of component-specific IgE for the outcome of peanut and hazelnut food challenges in children. Allergy. 2015；70：90-8.
27) Flores Kim J, McCleary N, Nwaru BI, et al. Diagnostic accuracy, risk assessment, and cost-effectiveness of component-resolved diagnostics for food allergy：A systematic review. Allergy. 2018；73：1609-21.
28) Kukkonen AK, Pelkonen AS, Mäkinen-Kiljunen S, et al. Ara h 2 and Ara 6 are the best predictors of severe peanut allergy：a double-blind placebo-controlled study. Allergy. 2015；70：1239-45.
29) Codreanu F, Collignon O, Roitel O, et al. A novel immunoassay using recombinant allergens simplifies peanut allergy diagnosis. Int Arch Allergy Immunol. 2011；154：216-26.
30) Keet CA, Johnson K, Savage JH, et al. Evaluation of Ara h2 IgE thresholds in the diagnosis of peanut allergy in a clinical population. J Allergy Clin Immunol Pract. 2013；1：101-3.

第12-5章 木の実類アレルギー

[要旨]

1. 木の実類アレルギーは即時型症状で発症することが多い。予後に関する報告は多くないが、耐性化率は低いと考えられている。

2. 木の実類の主要アレルゲンは貯蔵タンパク質である。クルミとカシューナッツのアレルゲンでは、各々2Sアルブミンに属するJug r 1、Ana o 3と臨床症状との関連がある。

3. 木の実類の間での交差抗原性は認められるが、実際には摂取できる場合も多いため、それぞれについて除去の必要性を判断する。ただし、クルミとペカンナッツ、カシューナッツとピスタチオの間には強い交差抗原性がある。

1. 発症年齢・臨床型分類

　木の実類はひと括りにされることが多いが、クルミはブナ目クルミ科クルミ属、カシューナッツはムクロジ目ウルシ科カシューナットノキ属、アーモンドはバラ目バラ科サクラ属、ヘーゼルナッツはブナ目カバノキ科ハシバミ属と、ピーナッツやこれらの木の実類は生物学的分類が全く異なる（第3章、表3-2）。木の実類としてすべての除去を指示されている場合があるが、実際には摂取できる場合も多い[1]。

　木の実類アレルギーの多くは幼児期に即時型症状の病型で発症する。わが国では木の実類は食物アレルギーの原因として増加傾向で全体の中で第4位（8.2％）であり、年齢別新規発症の原因食物として1、2歳で第3位、3〜6歳では第1位を占める（第5章、表5-1）。特にクルミやカシューナッツなどが増加している。アナフィラキシーショックの原因食物としてクルミは8.0％で第4位、原因食物別ショック発生率はカシューナッツが18.3％で最も高く、クルミは16.7％と小麦に続く第3位である[2]。

2. 予後

　木の実類アレルギーの予後に関する報告は多くない。米国の木の実類アレルギー101例を対象とした後方視的検討では耐性獲得率は9％であった[3]。

3. コンポーネント

　木の実類の主要アレルゲンは貯蔵タンパク質である（第3章、表3-4）。クルミアレルギーで問題となるのはEnglish walnut（*Juglans regia*）とBlack walnut（*Juglans nigra*）の2

種類である[4]が、わが国で流通しているのはほぼ前者である。アレルゲンとしてはEnglish walnutの8種類、Black walnutの3種類が同定されており、貯蔵タンパク質としてJug r 1、Jug r 2、Jug r 4およびJug n 1、Jug n 2があり、特に2Sアルブミンに属するJug r 1の臨床症状との関連が報告されている[5]。またクルミは同じクルミ科に属するペカンナッツと強い交差抗原性がある[5]。

カシューナッツのアレルゲンとしては3種類が同定されており、特に2Sアルブミンに属するAna o 3の臨床症状との関連が報告されている[6]。カシューナッツは同じウルシ科に属するピスタチオとも強い交差抗原性があり[7]、Ana o 3とピスタチオアレルギーとの関連が報告されている[6]。

ヘーゼルナッツのアレルゲンとしては11種類が同定されている。欧州ではシラカンバ花粉への感作に伴いCor a 1（Bet v 1ホモログ）に感作された患者が最も多い[8]。また、2Sアルブミンに属するCor a 14の臨床症状との関連が報告されている[9,10]。

4. 診断

ピーナッツや木の実類のアレルギー患者は他の木の実類への感作率は高い[7]が、実際には摂取できる場合も多いので、コンポーネントやOFCを用いて除去が必要かを判断することが重要である。フィンランドでのピーナッツアレルギー疑いの102例の検討では、他の木の実類を除去している割合は52〜69％であったが貯蔵タンパク質への感作は6〜44％であり、不必要な除去を行っていると考えられる症例が多く存在した[11]。

クルミアレルギー患者はアナフィラキシーなど重篤な症状を呈するリスクが高く注意が必要である[12]。2Sアルブミンに属するJug r 1特異的IgE抗体検査が診断に有用であることが米国や欧州、イスラエルで報告されている[5,13,14]。わが国でのクルミアレルギー疑いの108例を対象とした検討でもJug r 1特異的IgE抗体検査が最も診断精度が高く、0.42 U_A/mLのカットオフ値は感度85％、特異度79％であった[12]。

カシューナッツはアナフィラキシーなど重篤な症状を呈するリスクが高い[15]。わが国でカシューナッツのOFCを実施した66例の後方視的検討では、陽性率が18％でそのうち42％でアナフィラキシー症状を認めた[15]。Ana o 3特異的IgE抗体検査が診断に有用と報告されており[16]、わが国でのカシューナッツアレルギー疑いの95例を対象とした検討では、Ana o 3特異的IgE抗体検査の診断精度が最も高かった[17]。

ヘーゼルナッツは欧州では食物アレルギーの主要な原因の一つであるが、わが国では感作陽性であっても即時型症状を呈する割合は少ない[18]。Cor a 1に感作された患者では、口腔アレルギー症候群の臨床型を示すことが多い[19]。オランダ、ベルギーなどの検討では、Cor a 9（11Sグロブリン）、Cor a 14（2Sアルブミン）に対する特異的IgE抗体検査は診断に有用と報告されている[8,9,20,21]。わが国でのヘーゼルナッツへ感作を認めた91例を対象とした検討では、即時型ヘーゼルナッツアレルギー患者（年齢中央値7.3歳）ではCor a 9特異的IgE抗

第12-5章 木の実類アレルギー

体価が有意に高く、Cor a 1 およびシラカンバ特異的 IgE 抗体価が有意に低い結果であった[18]。

アーモンドは他の木の実類と比較して重症な症状を呈することが少ない傾向にある。米国でアーモンドの OFC を実施した 603 例の検討では陽性率は 5%、アナフィラキシーは 0.5% であり、他の食品と比較して陽性率が低かった[22]。アーモンド特異的 IgE 抗体が陽性という理由のみで除去を行っている児に対しては積極的に OFC を検討することが望ましい。

5. 食事指導

木の実類はひと括りにして除去をする必要はない。OFC などによって個々に症状の有無を確認する。ただし、クルミとペカンナッツ、カシューナッツとピスタチオの間には強い交差抗原性がある。どちらかのアレルギーを診断した児では両者の除去を指示する。

木の実類は菓子類、ドレッシングなど多くの食品に利用されているが、食品の外見だけでわかりにくいため、原材料を確認することが必要である。クルミ、カシューナッツに加えて 2019 年からアーモンドも特定原材料の表示推奨品目に加わった。ただこれらの木の実類の表示は義務ではない点や店頭販売や外食では表示義務がない点を指導する必要がある。他の木の実類は表示推奨品目にもなっていない。

参考文献

1) Brough HA, Caubet JC, Mazon A, et al. Defining challenge-proven coexistent nut and sesame seed allergy：A prospective multicenter European study. J Allergy Clin Immunol. 2020；145：1231-9.
2) 今井孝成, 杉崎千鶴子, 海老澤元宏. 消費者庁「食物アレルギーに関連する食品表示に関する調査研究事業」平成 29 (2017) 年即時型食物アレルギー全国モニタリング調査結果報告. アレルギー. 2020；69：701-5.
3) Fleisher DM, Conover-Walker MK, Matsui EC, et al. The natural history of tree nut allergy. J Allergy Clin Immunol. 2005；116：1087-93.
4) Costa J, Carrapatoso I, Oliveira MB, et al. Walnut allergens：molecular characterization, detection and clinical relevance. Clin Exp Allergy. 2014；44：319-41.
5) Elizur A, Appel MY, Nachshon L, et al. Clinical and molecular characterization of walnut and pecan allergy (NUT CRACKER Study). J Allergy Clin Immunol Pract. 2020；8：157-65.e2.
6) Robotham JM, Wang F, Seamon V, et al. Ana o 3, an important cashew nut (Anacardium occidentale L.) allergen of the 2S albumin family. J Allergy Clin Immunol. 2005；115：1284-90.
7) Maloney JM, Rudengren M, Ahlstedt S, et al. The use of serum-specific IgE measurements for the diagnosis of peanut, tree nut, and seed allergy. J Allergy Clin Immunol. 2008；122：145-51.
8) Datema MR, Zuidmeer-Jongejan L, Asero R, et al. Hazelnut allergy across Europe dissected molecularly：A EuroPrevall outpatient clinic survey. J Allergy Clin Immunol. 2015；136：382-91.
9) Masthoff LJ, Mattsson L, Zuidmeer-Jongejan L, et al. Sensitization to Cor a 9 and Cor a 14 is highly specific for a hazelnut allergy with objective symptoms in Dutch children and adults. J Allergy Clin Immunol. 2013；132：393-9.
10) Masthoff LJN, Blom WM, Rubingh CM, et al. Sensitization to Cor a 9 or Cor a 14 has a strong impact on the distribution of thresholds to hazelnut. J Allergy Clin Immunol Pract. 2018；6：2112-4.e1.
11) Uotila R, Kukkonen AK, Blom WM, et al. Component-resolved diagnostics demonstrates that most peanut-allergic individuals could potentially introduce tree nuts to their diet. Clin Exp Allergy. 2018；48：712-21.
12) Sato S, Yamamoto M, Yanagida N, et al. Jug r 1 sensitization is important in walnut-allergic children and youth. J Allergy Clin Immunol Pract. 2017；5：1784-6.e1.
13) Teuber SS, Dandekar AM, Peterson WR, et al. Cloning and sequencing of a gene encoding a 2S albumin seed storage protein precursor from English walnut (*Juglans regia*), a major food allergen. J Allergy Clin Immunol. 1998；101 (6 Pt 1)：807-14.

14) Blankestijn MA, Blom WM, Otten HG, et al. Specific IgE to Jug r 1 has no additional value compared with extract-based testing in diagnosing walnut allergy in adults. J Allergy Clin Immunol. 2017；139：688-90.e4.
15) Inoue T, Ogura K, Takahashi K, et al. Risk Factors and Clinical Features in Cashew Nut Oral Food Challenges. Int Arch Allergy Immunol. 2018；175：99-106.
16) Savvatianos S, Konstantinopoulos AP, Borgå Å, et al. Sensitization to cashew nut 2S albumin, Ana o 3, is highly predictive of cashew and pistachio allergy in Greek children. J Allergy Clin Immunol. 2015；136：192-4.
17) Sato S, Movérare R, Ohya Y, et al. Ana o 3-specific IgE is a predictive marker for cashew oral food challenge failure. J Allergy Clin Immunol Pract. 2019；7：2909-11.e4.
18) Inoue Y, Sato S, Takahashi K, et al. Component-resolved diagnostics can be useful for identifying hazelnut allergy in Japanese children. Allergol Int. 2020；69：239-45.
19) Calamelli E, Trozzo A, Di Blasi E, et al. Hazelnut Allergy. Medicina (Kaunas). 2021；57：67.
20) Flores Kim J, McCleary N, Nwaru BI, et al. Diagnostic accuracy, risk assessment, and cost-effectiveness of component-resolved diagnostics for food allergy：A systematic review. Allergy. 2018；73：1609-21.
21) De Knop KJ, Verweij MM, Grimmelikhuijsen M, et al. Age-related sensitization profiles for hazelnut (*Corylus avellana*) in a birch-endemic region. Pediatr Allergy Immunol. 2011；22 (1 Pt 2)：e139-49.
22) Virkud YV, Chen YC, Stieb ES, et al. Analysis of oral food challenge outcomes in IgE-mediated food allergies to almond in a large cohort. J Allergy Clin Immunol Pract. 2019；7：2359-68.e3.

第12-6章 大豆アレルギー

[要旨]

1. 大豆アレルギーは乳幼児期に発症する即時型症状、もしくは学童期以降に発症するカバノキ科花粉症に伴う花粉-食物アレルギー症候群が多い。乳児期に発症する即時型大豆アレルギーの耐性化率は高く、多くは幼児期までに寛解する。

2. 大豆特異的IgE抗体陽性であっても実際に症状を呈する大豆アレルギーの割合は少なく、即時症状の確認や食物経口負荷試験での診断が重要である。

3. 大豆油や醤油、味噌は症状なく摂取できることが多い。納豆は発酵により低アレルゲン化が期待できる。

1. 発症年齢・臨床型分類

大豆アレルギーの大半は乳幼児期に発症する即時型症状もしくは学童期以降の発症が多いカバノキ科花粉症に伴う花粉-食物アレルギー症候群（pollen-food allergy syndrome, PFAS）（第14-1章参照）である。わが国特有の病型として納豆による遅発型アナフィラキシー（第14-4章参照）も散見される[1〜5]。わが国での即時型食物アレルギーの原因として大豆は1.6%を占めており第10位である[6]。

2. 予後

乳幼児期に発症する即時型大豆アレルギーの耐性化率は高く、わが国での乳児期に発症した大豆アレルギー児の検討では3歳までの耐性獲得率は78%と報告されている[7]。米国で大豆への即時歴および感作陽性者を対象とした調査では、4歳までに25%、6歳までに45%、10歳時に69%が耐性獲得した[8]。大豆特異的IgE抗体価のピーク値が高いと耐性獲得率が低いことが報告されている[8]（表12-13）。

3. コンポーネント

大豆はマメ目マメ科ダイズ属の1年草で種子を食用とする（表3-2）。未成熟の種子を枝豆と呼ぶ。主要アレルゲンは貯蔵タンパク質のGly m 5、Gly m 6、Gly m 8である（表3-4）。Gly m 5とGly m 6は他の豆類とのアミノ酸配列相同性は50%程度である。Gly m 8はピーナッツの2Sアルブミンとのアミノ酸配列相同性が28〜34%程度であり、他の木の実類の2Sアルブミンとのアミノ酸配列相同性はさらに低い。Gly m 8は臨床症状との関連が報告されている[9]。Gly m 4はpathogenesis-related protein-10（PR-10）で、学童期以降

■ 表 12-13　大豆アレルギーの自然歴

文献	国(年)	n	対象	診断年齢	評価年齢または観察期間	耐性化率
7	日本(2006)	23	特異的IgE抗体陽性かつOFCまたは除去試験陽性	6.5か月±0.7	3歳	78%
8	米国(2010)	133	特異的IgE抗体陽性かつ即時型症状歴	1歳(2か月〜17歳)	5年間	4歳までに25%、6歳までに45%、10歳時に69%

OFC：食物経口負荷試験

に多い大豆のPFASの原因となるコンポーネントである（第14-1章参照）[10]。

ポリガンマグルタミン酸（poly-γ-glutamic acid, PGA）は納豆による遅発型アナフィラキシーの主要アレルゲンであり[11]、クラゲの針に含まれるPGA感作に伴う発症が報告されている（第14-4章参照）[12]。

4. 診断

わが国での大豆への感作陽性の1,710例の小児のうち実際に症状を呈する大豆アレルギーは307例（18%）のみであった[13]。スウェーデンで4歳児を対象とした検討では、大豆への感作陽性の68例のうち大豆アレルギーは7例（10%）のみであった[14]。このように大豆特異的IgE抗体陽性のみで診断することは不必要な除去につながる可能性があり、即時型症状やOFCでの診断が重要である。

わが国で報告された大豆OFC125例の解析では陽性率は38.7%であり、そのうちの12.7%がアナフィラキシー症状を呈してアドレナリン筋肉注射を要した[13]。米国での大豆OFC138例の解析では陽性率は29%であり、そのうちの7%がアドレナリン筋肉注射を要した[15]。このように、OFC陽性率はそれほど高くはないが、重症な症状を呈する場合もあることに留意する。

大豆感作を認めた55例の小児におけるコンポーネント特異的IgE抗体検査検討では、Gly m 5、Gly m 6、大豆粗抗原と比べてGly m 8が即時型大豆アレルギーの診断に最も有用であった[9]。

納豆による遅発型アナフィラキシーでは、摂取後5時間から半日後に発症するため問診の際には注意が必要である[11]。

5. 食事指導

大豆アレルギーでも大豆油や醤油、味噌は症状なく摂取できることが多い。納豆は発酵により低アレルゲン化が期待できる。PFASでは豆腐が摂取可能でも豆乳にのみ症状を呈する場合がある。

第12-6章 大豆アレルギー

参考文献

1) Inomata N, Osuna H, Ikezawa Z. Late-onset anaphylaxis to Bacillus natto-fermented soybeans (natto). J Allergy Clin Immunol. 2004；113：998-1000.
2) Inomata N, Osuna H, Yanagimachi M, et al. Late-onset anaphylaxis to fermented soybeans：the first confirmation of food-induced, late-onset anaphylaxis by provocation test. Ann Allergy Asthma Immunol . 2005；94：402-6.
3) Mori S, Tsumagari S, Kurihara K. A case of a 7-year-old girl with late-onset anaphylaxis to fermented soybeans. Pediatr Allergy Immunol. 2017；28：501-2.
4) Matsubayashi R, Matsubayashi T, Yokota T, et al. Pediatric late-onset anaphylaxis caused by natto (fermented soybeans). Pediatr Int. 2010；52：657-8.
5) Honda T, Michigami M, Miyachi Y, et al. A case of late-onset anaphylaxis to fermented soybeans (natto). J Dermatol. 2014；41：940-1.
6) 今井孝成，杉崎千鶴子，海老澤元宏．消費者庁「食物アレルギーに関連する食品表示に関する調査研究事業」平成29 (2017) 年即時型食物アレルギー全国モニタリング調査結果報告．アレルギー．2020；69：701-5.
7) 池松かおり，田知本寛，杉崎千鶴子，他．乳児期発症食物アレルギーに関する検討（第2報）―卵・牛乳・小麦・大豆アレルギーの3歳までの経年的変化―．アレルギー．2006；55：533-41.
8) Savage JH, Kaeding AJ, Matsui EC, et al. The natural history of soy allergy. J Allergy Clin Immunol. 2010；125：683-6.
9) Ebisawa M, Brostedt P, Sjölander S, et al. Gly m 2S albumin is a major allergen with a high diagnostic value in soybean-allergic children. J Allergy Clin Immunol. 2013；132：976-8.e1-5.
10) Fukutomi Y, Sjölander S, Nakazawa T, et al. Clinical relevance of IgE to recombinant Gly m 4 in the diagnosis of adult soybean allergy. J Allergy Clin Immunol. 2012；129：860-3.e3.
11) Inomata N, Nomura Y, Ikezawa Z. Involvement of poly (gamma-glutamic acid) as an allergen in late-onset anaphylaxis due to fermented soybeans (natto). J Dermatol. 2012；39：409-12.
12) Inomata N, Miyakawa M, Aihara M. Surfing as a risk factor for sensitization to poly (gamma-glutamic acid) in fermented soybeans, natto, allergy. Allergol Int. 2018；67：341-6.
13) Sato M, Shukuya A, Sato S, et al. Oral challenge tests for soybean allergies in Japan：A summary of 142 cases. Allergol Int. 2016；65：68-73.
14) Ostblom E, Lilja G, Ahlstedt S, et al. Patterns of quantitative food-specific IgE-antibodies and reported food hypersensitivity in 4-year-old children. Allergy. 2008；63：418-24.
15) Järvinen KM, Amalanayagam S, Shreffler WG, et al. Epinephrine treatment is infrequent and biphasic reactions are rare in food-induced reactions during oral food challenges in children. J Allergy Clin Immunol. 2009；124：1267-72.

第12-7章　ゴマアレルギー

[要旨]

1. ゴマアレルギーは幼児期に即時型症状で発症することが多い。予後に関する報告は多くないが、他の種実類と同様に耐性化率は低いと考えられている。
2. ゴマ特異的 IgE 抗体検査は特異度が低い。
3. ゴマアレルギーでもゴマ油は摂取できる場合が多い。粒ゴマの形態よりすりゴマの形態で症状が誘発されやすい。

1. 発症年齢・臨床型分類

ゴマはシソ目ゴマ科ゴマ属の1年草である（表3-2）。種子を食材として、すりゴマ・炒りゴマ・練りゴマ・ゴマ油などで調味料や料理に使用されている。

ゴマアレルギーの多くは幼児期に即時型症状の病型で発症する。イスラエルでの即時型ゴマアレルギー 45 例の検討では、初発年齢の中央値は1歳であった[1]。

2. 予後

ゴマアレルギーの自然歴の検討は多くないが、イスラエルでの即時型ゴマアレルギー 45 例の後方視的検討では中央値 6.7 年間のフォローアップ期間の耐性化率は 20％であった[1]。オーストラリアでのコホート研究では OFC 陽性のゴマアレルギーの割合が1歳時に全体の 0.6％、4歳時に 0.4％であった[2]。ピーナッツ、ナッツ類など他の種実類同様に、耐性化率は高くない可能性が示唆される。

3. コンポーネント

ゴマのアレルゲンは7種類（Ses i 1〜7）が同定されている。主要なアレルゲンは貯蔵タンパク質である Ses i 1（2S アルブミン）、Ses i 2（2S アルブミン）、Ses i 3（7S グロブリン）、Ses i 6（11S グロブリン）、Ses i 7（11S グロブリン）である。2S アルブミンである Ses i 1 の臨床症状との関連が報告されている[3]（表3-4）。

4. 診断

ゴマ粗抗原の特異的 IgE 抗体検査は特異度が低い。Ses i 1 に対する特異的 IgE 抗体検査は感度、特異度がともに高い[4]。米国のゴマ OFC 341 例の検討ではゴマ特異的 IgE 抗体価は OFC

結果と相関せず、SPT および 30 例で検討した Ses i 1 特異的 IgE 価の診断精度が高かった[5]。わが国のゴマ OFC 90 例の検討では Ses i 1 に対する特異的 IgE 抗体がゴマ粗抗原、Ses i 2、SPT と比較して最も診断精度が高かった[6]。

5. 食事指導

ゴマは平成 25 年より特定原材料の表示推奨に加わった。ゴマ油は使用可能な場合が多い。粒ゴマの形態よりすりゴマの形態のほうが症状が誘発されやすい。

参考文献

1) Cohen A, Goldberg M, Levy B, et al. Sesame food allergy and sensitization in children：the natural history and long-term follow-up. Pediatr Allergy Immunol. 2007；18：217-23.
2) Peters RL, Koplin JJ, Gurrin LC, et al. The prevalence of food allergy and other allergic diseases in early childhood in a population-based study：HealthNuts age 4-year follow-up. J Allergy Clin Immunol. 2017；140：145-53.e8.
3) Maruyama N, Sato S, Yanagida N, et al. Clinical utility of recombinant allergen components in diagnosing buckwheat allergy. J Allergy Clin Immunol Pract. 2016；4：322-3.e3.
4) Maruyama N, Nakagawa T, Ito K, et al. Measurement of specific IgE antibodies to Ses i 1 improves the diagnosis of sesame allergy. Clin Exp Allergy. 2016；46：163-71.
5) Saf S, Sifers TM, Baker MG, et al. Diagnosis of sesame allergy：Analysis of current practice and exploration of sesame component Ses i 1. J Allergy Clin Immunol Pract. 2020；8：1681-8.e3.
6) Yanagida N, Ejiri Y, Takeishi D, et al. Ses i 1-specific IgE and sesame oral food challenge results. J Allergy Clin Immunol Pract. 2019；7：2084-6.e4.

第12-8章　ソバアレルギー

[要旨]

1. ソバアレルギーは幼児期に即時型症状で発症することが多い。予後に関する報告は多くないが、長期間の除去後に一定数は耐性獲得する可能性がある。
2. 診断にはソバの皮膚プリックテストがソバ特異的IgE抗体検査よりも有用である。

1. 発症年齢・臨床型分類

　ソバはナデシコ目タデ科ソバ属の1年草である。ソバの実の殻を除き、粉にして蕎麦の材料としている。ソバアレルギーの多くは幼児期に即時型症状の病型で発症する。わが国の即時型アレルギーモニタリング調査では原因食物の1.8％を占め第9位である[1]。原因食物別のアナフィラキシーショックの発生率は16.5％であり[1]、重篤な症状を引き起こすことが多い[2]。

2. 予後

　ソバアレルギーの自然歴の検討は少ないが、わが国でのソバアナフィラキシーの既往のある12例に対する平均10年間の除去期間後のOFCでは8例（75％）が陰性であったと報告されており[3]、長期間の除去後に一定数は耐性獲得する可能性が示唆される。

3. コンポーネント

　ソバのアレルゲンとして、Common buckwheat（*Fagopyrum esculentum*）の4種類（Fag e 2～5）、Tartarian buckwheat（*Fagopyrum tataricum*）の1種類（Fag t 2）が同定されている。7SグロブリンであるFag e 3と臨床症状との関連が報告されている[4]（表3-5）。

4. 診断（表12-14）

　わが国でのソバOFC419例の検討で、陽性率は10.5％（44例）、そのうち54.5％（24例）がアナフィラキシーを呈した[3]。OFCの際にはその目的や適用、実施時期や総負荷量などを慎重に考慮する。前述のソバOFCの検討では、即時歴の有無にかかわらずソバ特異的IgE抗体陽性はOFC陽性のリスク因子であったが95％ PPVは得られず[3]、ソバ特異的IgE抗体のみでソバアレルギーを診断することは困難である。
　ソバのSPTはソバ特異的IgE抗体検査よりも診断に有用であり、90％ PPVは膨疹径24.1 mm以上と報告されている[5]。ソバのOFCを実施する前にはSPTの評価が望ましい。なお、ソバ粉を使用したSPTでは稀に呼吸器症状を誘発する場合もあるため慎重に実施する。

表12-14 ソバアレルギーの診断有用性[5, 6]

	ソバ特異的IgE抗体	Fag e 3特異的IgE抗体	SPTの膨疹径
カットオフ値	3.8 kU$_A$/L	0.3 kU$_A$/L	6.5 mm
感度	50.0%	80.0%	77.8%
特異度	65.0%	87.3%	84.3%

SPT：皮膚プリックテスト

ソバの7SグロブリンであるFag e 3特異的IgE抗体検査はソバアレルギーの診断精度を向上させる[4]。ソバOFC60例の検討では、Fag e 3特異的IgE抗体価の95% PPVは18.0 U$_A$/mLと報告された[6]。

5. 食事指導

診断が確定したら、原則として確実に除去する指導を行う。ソバと同じ釜でゆでたうどんなどで症状が誘発される場合がある。ソバ粉またはソバ殻の粉塵を吸い込むことにより、喘息症状を誘発する場合がある。ガレットやソバボーロなどの菓子類では、他の粉類とソバ粉を混ぜて調理される場合がある。ソバは特定原材料であり、容器包装された加工食品などへの表示義務がある。

参考文献

1) 今井孝成，杉崎千鶴子，海老澤元宏．消費者庁「食物アレルギーに関連する食品表示に関する調査研究事業」平成29(2017)年即時型食物アレルギー全国モニタリング調査結果報告．アレルギー．2020；69：701-5.
2) Andersen JB, Kristensen B. [Buckwheat allergy can cause live-threatening anaphylaxia]. Ugeskr Laeger. 2014；176 (25A)：V08120509.
3) Yanagida N, Sato S, Takahashi K, et al. Reactions of buckwheat-hypersensitive patients during oral food challenge are rare, but often anaphylactic. Int Arch Allergy Immunol. 2017；172：116-22.
4) Maruyama N, Sato S, Yanagida N, et al. Clinical utility of recombinant allergen components in diagnosing buckwheat allergy. J Allergy Clin Immunol Pract. 2016；4：322-3.e3.
5) Yanagida N, Sato S, Takahashi K, et al. Skin prick test is more useful than specific IgE for diagnosis of buckwheat allergy：A retrospective cross-sectional study. Allergol Int. 2018；67：67-71.
6) Yanagida N, Sato S, Maruyama N, et al. Specific IgE for Fag e 3 predicts oral buckwheat food challenge test results and anaphylaxis：A pilot study. Int Arch Allergy Immunol. 2018；176：8-14.

Japanese Guidelines for Food Allergy 2021

第12-9章 甲殻類・軟体類・貝類アレルギー

[要旨]

1. 甲殻類・軟体類・貝類アレルギーは学童期以降、即時型症状もしくは食物依存性運動誘発アナフィラキシー（第13章参照）で発症することが多い。自然歴に関する報告はほとんどないが、耐性化率は低いと考えられている。

2. 主要アレルゲンはトロポミオシンで、熱および消化酵素に耐性を有する。甲殻類間で強い交差抗原性を示すが、ダニなど吸入抗原との交差抗原性も確認されている。甲殻類間は臨床的交差反応性が高い一方で、甲殻類と軟体類や貝類とは交差反応性は高くない。

3. 抗原特異的IgE抗体検査は感度、特異度ともに不十分であり、食物経口負荷試験などによって症状の有無を確認する。

4. 基本的には甲殻類、軟体類、貝類を除去していても栄養的な問題は生じにくい。

1. 発症年齢・臨床型分類

　甲殻類・軟体類・貝類アレルギーの有症率は、人口全体で0.1～2.0％、小児で0.1～1.3％といわれている[1～4]。一方、別のメタ解析では、有病率0～10.3％とばらつきが大きい[5]。甲殻類はわが国での即時型アレルギーの原因食物として8番目に多く、成人では最も多い新規発症アレルゲンである（第5章参照）。甲殻類、軟体類、貝類の診断平均年齢は、それぞれ5.1、7.7、5.0歳という報告がある[6]。

　臨床型は即時型症状を示すことが多く[7]、エビの報告では成人の患者で42％、小児の患者で12％にアナフィラキシー症状が誘発されている[8]。また甲殻類（特にエビ）はFDEIA（第13章参照）の原因食物としても頻度が高く重要である[9, 10]。

2. 予後

　自然歴に関する報告はほとんどないが、耐性を獲得しにくいと考えられている[11]。

3. コンポーネント（表12-15）

　主要アレルゲンは筋原線維構成タンパク質（塩溶性タンパク質）であるトロポミオシンで、熱および消化酵素に耐性を有する（第3章、図3-6）。トロポミオシンのアミノ酸配列の相同性は、エビ類同士では95％以上、エビ-カニ間でも85～95％と構造上の共通性が高いために交差抗原性が強く[12]、実際、エビアレルギー患者の約65％はカニでもアレルギー症状を経験

第12-9章 甲殻類・軟体類・貝類アレルギー

表12-15 甲殻類・軟体類・貝類の主なアレルゲン

生物名	学名	アレルゲン(分子量kDa)					
		トロポミオシン (33〜39)	アルギニンキナーゼ (40〜45)	ミオシン軽鎖 (17〜23)	Ca^{2+}結合性筋形質タンパク質 (20〜25)	トロポニンC (16〜21)	トリオースリン酸イソメラーゼ (27〜28)
ウシエビ(別:ブラックタイガー)	Penaeus monodon	Pen m 1	Pen m 2	Pen m 3	Pen m 4	Pen m 6	Pen m 8
ブラウンエビ	Penaeus aztecus	Pen a 1					
バナメイエビ	Litopenaeus vannamei	Lit v 1	Lit v 2	Lit v 3	Lit v 4		
ヨシエビ	Metapenaeus ensis	Met e 1					
フトミゾエビ	Melicertus latisulcatus	Mel l 1					
ホッコクアカエビ(別:甘エビ)	Pandalus borealis	Pan b 1					
アメリカンロブスター	Homarus americanus	Hom a 1		Hom a 3		Hom a 6	
サガミイセエビ	Panulirus stimpsoni	Pan s 1					
タイワンガザミ(別:ワタリガニ)	Portunus pelagicus	Por p 1					
シマイシガニ	Charybdis feriatus	Cha f 1					
ザリガニ	Archaeopotamobius sibiriensis						Arc s 8
ヨーロッパエビジャコ	Crangon crangon	Cra c 1	Cra c 2	Cra c 5	Cra c 4	Cra c 6	Cra c 8
アワビ	Haliotis laevigata, Haliotis rubra	Hal l 1					
スルメイカ	Todarodes pacificus	Tod p 1					
イイダコ	Octopus fangsiao		Oct f 2*				
ヒメリンゴカタツムリ;食用カタツムリ	Helix aspersa	Hel as 1					
コナヒョウダニ;室内塵ダニ	Dermatophagoides farinae	Der f 10	Der f 20			Der f 39	Der f 25
ヤケヒョウダニ;室内塵ダニ	Dermatophagoides pteronyssinus	Der p 10	Der p 20				Der p 25
ネッタイタマニクダニ;貯蔵ダニ	Blomia tropicalis	Blo t 10					
ワモンゴキブリ	Periplaneta americana	Per a 7	Per a 9			Per a 6	
チャバネゴキブリ	Blattella germanica	Bla g 7	Bla g 9	Bla g 8		Bla g 6	
アニサキス	Anisakis simplex	Ani s 3					
ヒト回虫	Ascaris lumbricoides	Asc l 3					

＊:IUIS(International Union of Immunological Societies)未登録

している[7]。甲殻類と軟体類・貝類のトロポミオシンのアミノ酸配列相同性は約60％[13,14]で、実際エビアレルギー患者がイカ、タコ、ホタテでアレルギー症状を経験する割合は、それぞれ17.5％、20.3％、19.6％と低い[7]。また、食物アレルゲンではないが、甲殻類と同じ節足動物に分類されるダニやゴキブリのアレルゲンの一つとしてもトロポミオシン（Der f 10、Bla g 7など）が同定され[15]、甲殻類トロポミオシンと交差抗原性を示すことから、トロポミオシンは無脊椎動物の汎アレルゲンと考えられている[16,17]。臨床的には、Pen a 1〔エビ（*Penaeus aztecus*）のトロポミオシン〕がエビアレルギーの診断に有用であるという報告がある[18]一方で、エビアレルギー患者と非アレルギー患者でPen a 1特異的IgE抗体価に有意差が認められなかったという報告もある[19]。

エビのマイナーアレルゲンとしては、アルギニンキナーゼ〔ブラックタイガー（*Penaeus monodon*）のPen m 2など〕[20]がある。軟体類のイイダコ[21]、ダニや昆虫類（ゴキブリやガ）のアレルゲンとしても同定されており、交差抗原性が認められている。その他、ミオシン軽鎖〔バナメイエビ（*Litopenaeus vannamei*）のLit v 3など〕[22]、Ca^{2+}結合性筋形質タンパク質（Pen m 4など）[23]などが同定されている。

4. 診断

詳細な問診や特異的IgE抗体検査、市販の抗原液や甲殻類そのものを用いたprick-to-prick testなどで皮膚テストを行う。しかしながら、特異的IgE抗体検査や皮膚テストは感度、特異度ともに不十分であり、正確な診断のためにはOFCが必要である[24]。エビ-カニといった甲殻類間では高い交差反応性を示す一方で、甲殻類と軟体類、貝類の交差反応性は20％程度であり[7]、感作を認めてもそれぞれについて診断を確認することが望ましい。また軟体類、特にイカは後述（魚類の項）するアニサキスアレルギーとの鑑別が重要である。FDEIAに関しては第13章を参考されたい。

5. 食事指導

甲殻類、軟体類、貝類をひと括りにして除去をする必要はない。OFCなどによって個々に症状の有無を確認する。重度の甲殻類アレルギーでは、調味料やスナック菓子などに含まれるエキスまで除去する場合もある。基本的には甲殻類、軟体類、貝類を除去していても栄養的な問題は生じにくい。

参考文献

1) Sicherer SH, Munoz-Furlong A, Sampson HA. Prevalence of seafood allergy in the United States determined by a random telephone survey. J Allergy Clin Immunol. 2004；114：159-65.
2) Nwaru BI, Hickstein L, Panesar SS, et al. Prevalence of common food allergies in Europe：a systematic review and meta-analysis. Allergy. 2014；69：992-1007.
3) Matricardi PM, Kleine-Tebbe J, Hoffmann HJ, et al. EAACI Molecular Allergology User's Guide. Pediatr Allergy Immunol. 2016；27 Suppl 23：1-250.

第12-9章 甲殻類・軟体類・貝類アレルギー

4) Wong L, Tham EH, Lee BW. An update on shellfish allergy. Curr Opin in Allergy Clin Immunol. 2019；19：236-42.
5) Moonesinghe H, Mackenzie H, Venter C, et al. Prevalence of fish and shellfish allergy：A systematic review. Ann Allergy Asthma Immunol. 2016；117：264-72.e4.
6) Wang HT, Warren CM, Gupta RS, et al. Prevalence and characteristics of shellfish allergy in the pediatric population of the United States. J Allergy Clin Immunol Pract. 2020；8：1359-70.e2.
7) 富川盛光，鈴木直仁，宇理須厚雄，他．日本における小児から成人のエビアレルギーの臨床像に関する検討．アレルギー．2006；55：1536-42.
8) Chokshi NY, Maskatia Z, Miller S, et al. Risk factors in pediatric shrimp allergy. Allergy Asthma Proc. 2015；36：65-71.
9) 原田晋，堀川龍弥，市橋正光．Food-Dependent Exercise-Induced Anaphylaxis（FDEIA）の本邦報告例集計による考察．アレルギー．2000；49：1066-73.
10) Giannetti MP. Exercise-induced anaphylaxis：Literature review and recent updates. Curr Allergy Asthma Rep. 2018；18：72.
11) Thalayasingam M, Lee BW. Fish and shellfish allergy. Chem Immunol Allergy. 2015；101：152-61.
12) Motoyama K, Suma Y, Ishizaki S, et al. Molecular cloning of tropomyosins identified as allergens in six species of crustaceans. J Agric Food Chem. 2007；55：985-91.
13) Motoyama K, Ishizaki S, Nagashima Y, et al. Cephalopod tropomyosins：identification as major allergens and molecular cloning. Food Chem Toxicol. 2006；44：1997-2002.
14) Emoto A, Ishizaki S, Shiomi K. Tropomyosins in gastropods and bivalves：Identification as major allergens and amino acid sequence features. Food Chemistry. 2009；114：634-41.
15) Ayuso R, Reese G, Leong-Kee S, et al. Molecular basis of arthropod cross-reactivity：IgE-binding cross-reactive epitopes of shrimp, house dust mite and cockroach tropomyosins. Int Arch Allergy Immunol. 2002；129：38-48.
16) Reese G, Ayuso R, Lehrer SB. Tropomyosin：an invertebrate pan-allergen. Int Arch Allergy Immunol. 1999；119：247-58.
17) Wong L, Huang CH, Lee BW. Shellfish and house dust mite allergies：Is the link tropomyosin? Allergy Asthma Immunol Res. 2016；8：101-6.
18) Gamez C, Sanchez-Garcia S, Ibanez MD, et al. Tropomyosin IgE-positive results are a good predictor of shrimp allergy. Allergy. 2011；66：1375-83.
19) Tagami K, Nakayama S, Furuta T, et al. Pen a 1-specific IgE does not improve the accuracy of a shrimp allergy diagnosis among Japanese children due to cross-reactivity with Der p 10. Allergol Int. 2020；69：290-2.
20) Yu CJ, Lin YF, Chiang BL, et al. Proteomics and immunological analysis of a novel shrimp allergen, Pen m 2. J Immunol. 2003；170：445-53.
21) Shen HW, Cao MJ, Cai QF, et al. Purification, cloning, and immunological characterization of arginine kinase, a novel allergen of Octopus fangsiao. J Agric Food Chem. 2012；60：2190-9.
22) Ayuso R, Grishina G, Bardina L, et al. Myosin light chain is a novel shrimp allergen, Lit v 3. J Allergy Clin Immunol. 2008；122：795-802.
23) Shiomi K, Sato Y, Hamamoto S, et al. Sarcoplasmic calcium-binding protein：identification as a new allergen of the black tiger shrimp Penaeus monodon. Int Arch Allergy Immunol. 2008；146：91-8.
24) Pascal M, Grishina G, Yang AC, et al. Molecular diagnosis of shrimp allergy：Efficiency of several allergens to predict clinical reactivity. J Allergy Clin Immunol Pract. 2015；3：521-9.e10.

第12-10章 魚類アレルギー

[要旨]

1. 魚類アレルギーは乳幼児期に発症する即時型症状、もしくは成人における職業性曝露などによる即時型症状や接触蕁麻疹で発症することが多い。自然歴に関する検討が不足しているが、乳幼児期発症の即時型症状の場合、一定数は耐性獲得する可能性がある。

2. 主要アレルゲンはパルブアルブミンで、熱および消化酵素に耐性を有するが、高温・高圧処理により低アレルゲン化する。ほぼすべての魚種に存在し交差抗原性を示すため、複数の魚種に症状を示すことが多い。

3. 多くの魚種で抗原特異的IgE抗体価が陽性となりやすいが、魚種ごとに食物経口負荷試験などによって症状の有無を確認する必要がある。ヒスタミン中毒やアニサキスアレルギーとの鑑別が必要である。

4. 魚類全般の除去によりビタミンDが不足しやすい。卵黄やきくらげ、干ししいたけなどで補う。

1. 発症年齢・臨床型分類

魚類アレルギーの有症率は、人口全体で1％以下、小児で0.2～5.6％といわれている[1~4]。これらを含むメタ解析でも、有病率0～7.0％とばらつきが大きい[5]。わが国のように海に面した消費量の多い地域で有病率が高い傾向がある[4]。魚類はわが国での即時型アレルギーの原因食物として11番目に多い（第5章参照）。成人の魚アレルギーとされている者の多くはアニサキスアレルギー（第15章参照）であるという意見があるが、検討が不足しており今後の詳細な検討が待たれる。

臨床症状は即時型症状を示すことが多いが[1]、FPIES（第16章参照）の報告も散見される[6]。

感作経路は経腸管感作に加え、魚を扱う職業などでの経皮感作により即時型症状や接触蕁麻疹が誘発された魚類アレルギーの報告例があり[7,8]、特にアトピー性皮膚炎および手湿疹は、職業性曝露の重要な危険因子と考えられている[9]。また、外国におけるfish marketでは、吸入抗原にもなり得るとの報告がある[10]。

2. 予後

自然歴に関する報告がほとんどない中、一般的には難治性と考えられていた。近年、乳幼児

第12-10章 魚類アレルギー

期発症の魚類（タラ）アレルギー患者の耐性獲得率は4、5歳時で3.4％、思春期で45.6％と、年齢とともに増加を示す報告がある[11]。

3. コンポーネント

主要アレルゲン（表12-16）は、脊椎動物特有の筋形質タンパク質（水溶性）であるパルブアルブミンであり、中でもタラのパルブアルブミン（Gad c 1）はAllergen Mとして古くから解析されている[12]。熱および消化酵素に耐性を有するが、高温・高圧処理により低アレルゲン化することが知られている[13]。パルブアルブミンのアミノ酸配列の相同性は、魚類間で50〜80％と高く、多くの魚で交差抗原性が認められ、実際魚アレルギー患者の約50％は他の魚にアレルギー症状を経験している[14]。魚肉中のパルブアルブミン含有量は魚種や部位によって大きく異なる。キンメダイやイサキの含有量は数〜10数mg/gに対し、マグロではその1/10〜1/100と非常に低く、部位別には血合いの部分に含有量が少なく、尾側より頭側、背側より腹側の筋肉に含有量が多いと報告されている[15]。

コラーゲンも魚類アレルゲンとして重要で、魚類間で交差反応性を示すが、他の動物コラーゲンとは交差反応性を示さない[16, 17]。なお、コラーゲンは不溶性であるため、水溶性であるパ

表12-16 魚類の主なアレルゲン

生物名	学名	目	科	アレルゲン(分子量)			
				パルブアルブミン(11〜12 kDa)	エノラーゼ(約50 kDa)	アルドラーゼ(40 kDa)	コラーゲン(130〜140 kDa)
ニシン	*Clupea harengus*	ニシン	ニシン	Clu h 1			
マイワシ	*Sardinops sagax*	ニシン	ニシン	Sar sa 1			
コイ	*Cyprinus carpio*	コイ	コイ	Cyp c 1			
タラ	*Gadus callarias*	タラ	タラ	Gad c 1			
大西洋ダラ	*Gadus morhua*	タラ	タラ	Gad m 1	Gad m 2	Gad m 3	
バラマンディ	*Lates calcarifer*	スズキ	アカメ	Lat c 1			Lat c 6
グルクマ	*Rastrelliger kanagurta*	スズキ	サバ	Ras k 1			
キハダマグロ	*Thunnus albacares*	スズキ	サバ	Thu a 1	Thu a 2	Thu a 3	
メカジキ	*Xiphias gladius*	スズキ	メカジキ	Xip g 1			
カレイ	*Lepidorhombus whiffiagonis*	カレイ	カレイ	Lep w 1			
ニジマス	*Oncorhynchus mykiss*	サケ	サケ	Onc m 1			
大西洋サケ	*Salmo salar*	サケ	サケ	Sal s 1	Sal s 2	Sal s 3	Sal s 6
メヌケ	*Sebastes marinus*	スズキ	メバル	Seb m 1			

ルブアルブミンと異なり、魚すり身作製の際に魚肉を水にさらした工程でも残存する。その他の魚類アレルゲンとしてはエノラーゼやアルドラーゼが報告されている[18]。アレルゲン性に関しては、魚類の生物学的分類との不一致が報告されている[19]。その他に、魚種間のタンパク質の分子とは無関係に、パルブアルブミンの含有量に依存するとも考えられている[20]。

4. 診断

詳細な問診や特異的IgE抗体検査、市販の抗原液を用いたSPTや新鮮な魚そのものを用いたprick-to-prick testなどを行う。ただし生魚を使った皮膚テストではアナフィラキシーを起こす危険があり配慮が必要である[21]。魚類は互いにアレルゲンの交差抗原性が強いために特異的IgE抗体価は多種陽性となりやすい[22]。しかし、抗体価の高さと誘発症状の有無には関連が乏しく[23]、それぞれの魚種について個別にOFCなどによって誘発症状の有無を確認する必要がある。

鑑別診断ではヒスタミン中毒やアニサキスアレルギーが挙げられる。魚は、鮮度が低下すると魚肉中にヒスタミンが産生され、ヒスタミン中毒を起こす可能性があり、摂取直後から3時間程度で発症し、嘔気や顔面紅潮、蕁麻疹などアレルギー症状と類似している。しかしながら食物アレルギーとは異なる病態で、魚に対する特異的IgE抗体価や市販の抗原液を用いた皮膚テストが陰性である。アニサキスアレルギーの有病率は、報告によって異なる。その背景として、調査の対象者が慢性蕁麻疹やアトピー性皮膚炎の患者、魚類アレルギー患者、漁業関係者など異なることに加え、診断根拠が病歴や感作率などさまざまであることに由来する。例えばイタリアにおけるアレルギーセンター受診患者を対象にした研究では、アニサキス感作率（SPT）が4.5％であったのに対し、病歴に基づくアニサキスアレルギーの有症率では0.6％であった[24]。また、小児では稀であるが、症例報告として散見される[25]。アニサキス特異的IgE抗体価の感度は高いが、特異度は低い[26]（第15章参照）。

5. 食事指導

魚種間で交差反応性があるが、すべての魚の除去が必要とは限らない。このため、問診やOFCで摂取可能な魚を選別することが必要である。以前は魚肉の色や青背魚の分類で除去指導されることがあったが、魚肉の色はミオグロビン量で規定され、青背魚の色は単に外観上の違いであり、それぞれ抗原性とは関係がない。

かつお、いりこなどのだしの除去は不必要なことが多く、ツナ缶は低アレルゲン化されていて多くの場合に摂取可能である。魚類はビタミンDやカルシウムの主要な供給源であり、魚全般の除去が続く場合は、これらの不足のリスクが高くなる。ビタミンDは卵黄やきくらげ、干ししいたけなど、カルシウムは牛乳などで補うことができる。

第12-10章 魚類アレルギー

参考文献

1) Sicherer SH, Munoz-Furlong A, Sampson HA. Prevalence of seafood allergy in the United States determined by a random telephone survey. J Allergy Clin Immunol. 2004；114：159-65.
2) Nwaru BI, Hickstein L, Panesar SS, et al. Prevalence of common food allergies in Europe：a systematic review and meta-analysis. Allergy. 2014；69：992-1007.
3) Matricardi PM, Kleine-Tebbe J, Hoffmann HJ, et al. EAACI Molecular Allergology User's Guide. Pediatr Allergy Immunol. 2016；27 Suppl 23：1-250.
4) Sharp MF, Lopata AL. Fish allergy：in review. Clin Rev Allergy Immunol. 2014；46：258-71.
5) Moonesinghe H, Mackenzie H, Venter C, et al. Prevalence of fish and shellfish allergy：A systematic review. Ann Allergy Asthma Immunol. 2016；117：264-72.e4.
6) Nowak-Wegrzyn A, Berin MC, Mehr S. Food protein-induced enterocolitis syndrome. J Allergy Clin Immunol Pract. 2020；8：24-35.
7) Sano A, Yagami A, Suzuki K, et al. Two cases of occupational contact urticaria caused by percutaneous sensitization to parvalbumin. Case Rep Dermatol. 2015；7：227-32.
8) Lukács J, Schliemann S, Elsner P. Occupational contact urticaria caused by food — a systematic clinical review. Contact Dermatitis. 2016；75：195-204.
9) Inomata N, Nagashima M, Hakuta A, et al. Food allergy preceded by contact urticaria due to the same food：involvement of epicutaneous sensitization in food allergy. Allergol Int. 2015；64：73-8.
10) Taylor AV, Swanson MC, Jones RT, et al. Detection and quantitation of raw fish aeroallergens from an open-air fish market. J Allergy Clin Immunol. 2000；105 (1 Pt 1)：166-9.
11) Xepapadaki P, Christopoulou G, Stavroulakis G, et al. Natural history of IgE-mediated fish allergy in children. J Allergy Clin Immunol Pract. 2021；9：3147-56.e5.
12) Elsayed S, Aas K. Isolation of purified allergens (cod) by isoelectric focusing. Int Arch Allergy Appl Immunol. 1971；40：428-38.
13) Bernhisel-Broadbent J, Strause D, Sampson HA. Fish hypersensitivity. II：Clinical relevance of altered fish allergenicity caused by various preparation methods. J Allergy Clin Immunol. 1992；90：622-9.
14) Sicherer SH. Clinical implications of cross-reactive food allergens. J Allergy Clin Immunol. 2001；108：881-90.
15) Lim DL, Neo KH, Goh DL, et al. Missing parvalbumin：Implications in diagnostic testing for tuna allergy. J Allergy Clin Immunol. 2005；115：874-5.
16) Hamada Y, Nagashima Y, Shiomi K. Identification of collagen as a new fish allergen. Biosci Biotechnol Biochemi. 2001；65：285-91.
17) Hamada Y, Nagashima Y, Shiomi K, et al. Reactivity of IgE in fish-allergic patients to fish muscle collagen. Allergol Int. 2003；52：139-47.
18) Kuehn A, Hilger C, Lehners-Weber C, et al. Identification of enolases and aldolases as important fish allergens in cod, salmon and tuna：component resolved diagnosis using parvalbumin and the new allergens. Clin Exp Allergy. 2013；43：811-22.
19) Kondo Y, Komatsubara R, Nakajima Y, et al. Parvalbumin is not responsible for cross-reactivity between tuna and marlin：A case report. J Allergy Clin Immunol. 2006；118：1382-3.
20) Kobayashi A, Kobayashi Y, Shiomi K. Fish allergy in patients with parvalbumin-specific immunoglobulin E depends on parvalbumin content rather than molecular differences in the protein among fish species. Biosci Biotechnol, Biochem. 2016；80：2018-21.
21) Haktanir Abul M, Orhan F. Anaphylaxis after prick-to-prick test with fish. Pediatr Int. 2016；58：503-5.
22) Koyama H, Kakami M, Kawamura M, et al. Grades of 43 fish species in Japan based on IgE-binding activity. Allergol Int. 2006；55：311-6.
23) Schulkes KJ, Klemans RJ, Knigge L, et al. Specific IgE to fish extracts does not predict allergy to specific species within an adult fish allergic population. Clin Transl Allergy. 2014；4：27.
24) Rahmati AR, Kiani B, Afshari A, et al. World-wide prevalence of Anisakis larvae in fish and its relationship to human allergic anisakiasis：a systematic review. Parasitol Res. 2020；119：3585-94.
25) 田上和憲，古田朋子，杉浦至郎，他．アニサキスアレルギーの小児．日小誌．2018；122：890-5.
26) Lorenzo S, Iglesias R, Leiro J, et al. Usefulness of currently available methods for the diagnosis of Anisakis simplex allergy. Allergy. 2000；55：627-33.

第12-11章　魚卵アレルギー

[要旨]

1. 魚卵アレルギーは即時型症状で発症することが多く、わが国において魚卵は1～6歳で2番目に多い新規発症アレルゲンである。原因食物はイクラが多い。
2. イクラの主要アレルゲンは、ビテロジェニンのβ'-コンポーネントであり、魚卵間で交差抗原性を示すが、実際には摂取できることもある。
3. イクラは、食物経口負荷試験で陽性の予測にプロバビリティーカーブが報告されている。

1. 発症年齢・臨床型分類

イクラ、タラコ、シシャモの卵、わかさぎの卵、数の子、とび子などがある。魚卵はわが国の即時型食物アレルギーの原因食物として7番目に多く、1～6歳では2番目に多い新規発症アレルゲンである（第5章参照）。原因食物の内訳は、イクラが最も多く（魚卵類の94.8%）、タラコが2番目に続き、それ以外の魚卵類の報告は認められなかった[1]。

2. 予後

自然歴に関する報告はほとんどない。

3. コンポーネント

サケ（*Onchorhincus keta*）の魚卵であるイクラの主要アレルゲンは、ビテロジェニンのβ'-コンポーネント（Onc k 5）である[2,3]。Onc k 5はタラコ（スケトウダラ魚卵）のビテロジェニンβ'-コンポーネントと交差抗原性を示す一方で、鶏卵や魚肉とは交差抗原性を示さない[4]。ただし、魚卵間でもイクラアレルギー患者が焼きタラコ、子持ちシシャモでアレルギー症状を経験する割合は25%、11%と高くない[5]。

4. 診断

わが国での中央値6.6歳児を対象とした研究では、イクラ特異的IgE抗体価34.6 U_A/mL以上がイクラアレルギーの診断における95%陽性的中率と報告されている[6]。また、タラコ特異的IgE抗体価／イクラ特異的IgE抗体価比が低い場合は、タラコが摂取できる可能性が高いとされている[7]。

5. 食事指導

魚卵すべてを、ひと括りにして除去をする必要はない。問診やOFCで摂取可能な魚卵を選別することが望ましい。

イクラはアレルギー表示推奨の対象になっている（第17章参照）。

参考文献

1) 今井孝成，杉崎千鶴子，海老澤元宏．消費者庁「食物アレルギーに関連する食品表示に関する調査研究事業」平成29(2017)年即時型食物アレルギー全国モニタリング調査結果報告．アレルギー．2020；69：701-5.
2) Shimizu Y, Nakamura A, Kishimura H, et al. Major allergen and its IgE cross-reactivity among salmonid fish roe allergy. J Agric Food Chemi. 2009；57：2314-9.
3) Shimizu Y, Kishimura H, Kanno G, et al. Molecular and immunological characterization of beta'-component (Onc k 5), a major IgE-binding protein in chum salmon roe. Int Immunol. 2014；26：139-47.
4) Kondo Y, Kakami M, Koyama H, et al. IgE cross-reactivity between fish roe (salmon, herring and pollock) and chicken egg in patients anaphylactic to salmon roe. Allergol Int. 2005；54：317-23.
5) 岡本　薫，川井　学，森　雄司，他．イクラアレルギー患者の他魚卵（タラコと子持ちシシャモ）摂取状況に関する後方視的検討．小児科臨床．2018；71：324-30.
6) Yanagida N, Minoura T, Takahashi K, et al. Salmon roe-specific serum IgE predicts oral salmon roe food challenge test results. Pediatric Allergy Immunol. 2016；27：324-7.
7) Makita E, Yanagida N, Sato S, et al. Increased ratio of pollock roe-specific IgE to salmon roe-specific IgE levels is associated with a positive reaction to cooked pollock roe oral food challenge. Allergol Int. 2018；67：364-70.

第12-12章 果物・野菜アレルギー

Japanese Guidelines for Food Allergy 2021

[要旨]

1. 果物・野菜アレルギーは乳幼児に発症する即時型症状もしくは花粉-食物アレルギー症候群やラテックス-フルーツ症候群（第14章参照）、食物依存性運動誘発アナフィラキシー（第13章参照）で発症することが多い。
2. 臨床症状やアレルゲン特性は、感作経路の違いにより大きく異なる。自然歴に関する報告は少ないが、乳幼児期発症の場合、一定数は耐性獲得する可能性がある。
3. 代表的なアレルゲンに、加熱や消化酵素に不安定なPR-10、プロフィリンと、加熱や消化酵素に耐性を有する脂質輸送タンパク質（LTP）、gibberellin-regulated protein（GRP）がある。
4. 粗抗原特異的IgE抗体検査は感度・特異度ともに不十分であり、問診や皮膚テスト、食物経口負荷試験と合わせて診断を行う。
5. PFASを除く果物アレルギーの場合、加熱した果物・野菜を含めて除去が必要である。

1. 発症年齢・臨床型分類

　PFASを含めた果物アレルギーの有症率は0.1〜4.3％、野菜アレルギーの有病率は0.1〜1.4％といわれている[1,2]。果物はわが国の即時型食物アレルギーの原因食物として6番目に多く、7〜17歳では最も多い新規発症アレルゲンである（第5章参照）。原因食物の内訳は、キウイフルーツが最も多く（果物の35.6％）、以下バナナ、モモ、リンゴ、サクランボの順であった[3]。

　果物アレルギーの臨床病型は、感作経路の違いにより大きく2つに分けられる。乳幼児期に即時型症状の病型を示すものは、食物抗原そのものにより感作が成立して発症するものと考えられる。一方、花粉や樹液などの環境アレルゲンの曝露により感作が成立し、それと交差抗原性がある食物によりアレルギーを生じるPFAS、ラテックス-フルーツ症候群（latex-fruits syndrome, LFS）（第14章参照）がある。臨床症状は、口腔内や口周囲に限局する症例が多い一方で、微量でアナフィラキシーを呈する病型もあり[4]、FDEIA（第13章参照）の原因食物としても、果物は頻度が高く重要である[5]。

2. 予後

　自然歴に関する検討は少ないが、乳幼児期発症のキウイフルーツアレルギー10例に対し3〜16歳で行ったOFCでは7例が陰性（70％）、乳幼児期発症のバナナアレルギー20例に

第12-12章 果物・野菜アレルギー

対し6か月〜13年後に行ったOFCでは7例（35％）が陰性であったと報告されている[4]。

3. コンポーネント（表12-17）

果物・野菜の代表的なアレルゲンに、加熱や消化酵素に不安定なPR-10およびプロフィリン

■ 表12-17 果物・野菜の生物学的分類と主なアレルゲン

果物・野菜名	学名	類	目	科	アレルゲン（分子量／熱耐性）			
					LTP (7〜13 kDa／安定)	GRP (約7 kDa／安定)	PR-10 (16〜20 kDa／不安定)	プロフィリン (13〜17 Da／不安定)
ブドウ	Vitis vinifera	バラ類 Rosids	ブドウ Vitales	ブドウ Vitaceae	Vit v 1			
リンゴ	Malus domestica	バラ類 Rosids マメ類 Fabids	バラ Rosales	バラ Rosaceae	Mal d 3		Mal d 1	Mal d 4
サクランボ	Prunus avium				Pru av 3	Pru av 7	Pru av 1	Pru av 4
アンズ	Prunus armeniaca				Pru ar 3		Pru ar 1	
西洋ナシ	Pyrus communis				Pyr c 3		Pyr c 1	Pyr c 4
モモ	Prunus persica				Pru p 3	Pru p 7 (Peamaclein)	Pru p 1	Pru p 4
イチゴ	Fragaria ananassa				Fra a 3		Fra a 1	Fra a 4
ウメ	Prunus mume					Pru m 7		
大豆	Glycine max		マメ Fabales	マメ Fabaceae	Gly m 1		Gly m 4	Gly m 3
メロン	Cucumis melo		ウリ Cucurbitales	ウリ Cucurbitaceae				Cuc m 2
ザクロ	Punica granatum	バラ類 Rosids アオイ類 Malvids	フトモモ Myrtales	ミソハギ Lythraceae	Pun g 1	Pun g 7		
オレンジ	Citrus sinensis		ムクロジ Sapindales	ミカン Rutaceae	Cit s 3	Cit s 7		Cit s 2
キャベツ	Brassica oleracea		アブラナ Brassicales	アブラナ Brassicaceae	Bra o 3			
グリーンキウイ	Actinidia deliciosa	キク類 Asterids	ツツジ Ericales	マタタビ Actinidiaceae	Act d 10		Act d 8	Act d 9
ゴールドキウイ	Actinidia chinensis				Act c 10		Act c 8	
セロリ	Apium graveolens	キク類 Asterids キキョウ類 Campanulids	セリ Apiales	セリ Apiaceae	Api g 2 Api g 6		Api g 1	Api g 4
ニンジン	Daucus carota						Dau c 1	Dau c 4
レタス	Lactuca sativa		キク Asterales	キク Asteraceae	Lac s 1			
トマト	Solanum lycopersicum	キク類 Asterids シソ類 lamiids	ナス Solanales	ナス Solanaceae	Sola l 3 Sola l 6 Sola l 7		Sola l 4	Sola l 1
バナナ	Musa acuminata	ツユクサ類 Commelinids	ショウガ Zingiberales	バショウ Musaceae	Mus a 3			Mus a 1

LTP：脂質輸送タンパク質、GRP：gibberellin-regulated protein、PR-10：pathogenesis-related protein-10
※Angiosperm Phylogeny Group（APG）Ⅳ分類による

と、加熱や消化酵素に耐性を有するLTPおよびジベレリン制御タンパク（gibberellin-regulated protein, GRP）がある。

PR-10は複数の果物や野菜（バラ科の植物であるリンゴのMal d 1、サクランボのPru av 1、モモのPru p 1や、セロリのApi g 1など）で同定されており、臨床的にはPFASの発症に関与している。プロフィリンは一般的に症状を誘発しないと考えられているが、特定の地域などでPFASの発症に関与することが報告されている[6]。いずれも果実だけでなく、茎や葉など植物全体に分布する。

LTPは果物・野菜・穀物のアレルゲンとして広く同定されており、生体防御タンパク質の一つ（PR-14）に分類される。果皮に集中して存在し、加熱や消化酵素に耐性を示す。地中海地方では重篤なアレルギーを引き起こすアレルゲンとしてモモのPru p 3[7]やリンゴのMal d 3[8]が報告されているが、わが国においてLTP感作例は稀である。

GRPは新たに同定されたアレルゲンでLTPと構造上の特徴が似ている。最初にPru p 7（peamaclein）が重篤なアレルギーを引き起こすモモアレルゲンとして報告され[9,10]、その後、ウメのPru m 7[11]、オレンジのCit s 7[12]などが相次いで報告されている。近年、果実のGRPとヒノキ花粉のGRPとの交差反応性を示す報告があり[13]、交差反応のメカニズムなどに関して、さらなる検討が待たれる。果肉と果皮に存在し、加熱や消化酵素に耐性を有する構造的特徴により、全身症状の発現に関与すると考えられる。

キウイフルーツにはグリーンとゴールドがあり両者には高い共通抗原性があるが、異なる点も知られている。Act d 1（アクチニジン）、Act d 2（thaumatin-like protein, TLP）、Act d 3が主要アレルゲンで、Act d 1はグリーンキウイフルーツでは豊富に含まれるが、ゴールドキウイフルーツにはほとんど含まれない[14]。

バナナのアレルゲンとして、ラテックスアレルゲンとの交差反応に関わる[1]Mus a 5（β-1,3-glucanase）やMus a 2（クラス1キチナーゼ）が知られている。また果肉中にはMus a 4（TLP）が多く含まれ、キウイフルーツのAct d 2（TLP）と共通のIgEエピトープを有するため、交差反応性を示す可能性がある[15]。

4. 診断

詳細な問診や特異的IgE抗体検査、皮膚テストを参考にする。しかしながら、粗抗原特異的IgE抗体検査は感度・特異度ともに高くない。PFASには新鮮な生野菜や果物そのものを用いるprick-to-prick testのほうが有用である[16]。果物のコンポーネントの含有量は品種間で差があること、成熟度で変わること、穿刺部位によって変わること（PR-10は果肉、LTPは果皮に多い）、加えてPR-10は生体防御タンパクであることから、成育環境や収穫後貯蔵の過程でのストレスにより増加するのでそれらも考慮して施行する（第8章参照）[17,18]。

PFASでは、Mal d 1（リンゴのPR-10）、Pru p 1（モモのPR-10）の特異的IgE抗体の測定が参考になる。Mal d 3（リンゴのLTP）やPru p 3（モモのLTP）、Pru p 7（モモの

GRP）などのコンポーネント特異的 IgE 抗体の測定は、全身症状のリスクを予測するのに有用であるが[10, 19, 20]、現時点ではこれらの検査には保険適用がない。

5. 食事指導

　PFAS を除く果物アレルギーの場合、加熱した果物・野菜を含めて除去が必要なことが多い。摂取可能な野菜や果物を見つけて、微量栄養素や食物繊維などの栄養素も摂取する。

参考文献

1) Matricardi PM, Kleine-Tebbe J, Hoffmann HJ, et al. EAACI Molecular Allergology User's Guide. Pediatr Allergy Immunol. 2016；27 Suppl 23：1-250.
2) Zuidmeer L, Goldhahn K, Rona RJ, et al. The prevalence of plant food allergies：a systematic review. J Allergy Clin Immunol. 2008；121：1210-8.e4.
3) 今井孝成，杉崎千鶴子，海老澤元宏．消費者庁「食物アレルギーに関連する食品表示に関する調査研究事業」 平成29 (2017) 年即時型食物アレルギー全国モニタリング調査結果報告．アレルギー．2020；69：701-5.
4) 加藤泰輔，田嶋直哉，北村勝誠，他．小児果物アレルギー患者の口腔症状と全身症状に関する検討．アレルギー．2018；67：129-38.
5) 森田栄伸．厚生労働科学研究費補助金．特殊型食物アレルギーの診療の手引き 2015．2015．
6) Asero R, Mistrello G, Roncarolo D, et al. Detection of clinical markers of sensitization to profilin in patients allergic to plant-derived foods. J Allergy Clin Immunol. 2003；112：427-32.
7) Pastorello EA, Ortolani C, Baroglio C, et al. Complete amino acid sequence determination of the major allergen of peach (*Prunus persica*) Pru p 1. Biol Chem. 1999；380：1315-20.
8) Sancho AI, Foxall R, Rigby NM, et al. Maturity and storage influence on the apple (*Malus domestica*) allergen Mal d 3, a nonspecific lipid transfer protein. J Agric Food Chem. 2006；54：5098-104.
9) Tuppo L, Alessandri C, Pomponi D, et al. Peamaclein--a new peach allergenic protein：similarities, differences and misleading features compared to Pru p 3. Clin Exp Allergy. 2013；43：128-40.
10) Inomata N, Okazaki F, Moriyama T, et al. Identification of peamaclein as a marker allergen related to systemic reactions in peach allergy. Ann Allergy Asthma Immunol. 2014；112：175-7.e3.
11) Inomata N, Miyakawa M, Aihara M. Gibberellin-regulated protein in Japanese apricot is an allergen cross-reactive to Pru p 7. Immun Inflamm Dis. 2017；5：469-79.
12) Inomata N, Miyakawa M, Ikeda N, et al. Identification of gibberellin-regulated protein as a new allergen in orange allergy. Clin Exp Allergy. 2018；48：1509-20.
13) Sénéchal H, Šantrůček J, Melčová M, et al. A new allergen family involved in pollen food-associated syndrome：Snakin/gibberellin-regulated proteins. J Allergy Clin Immunol. 2018；141：411-4.e4.
14) Bublin M, Mari A, Ebner C, et al. IgE sensitization profiles toward green and gold kiwifruits differ among patients allergic to kiwifruit from 3 European countries. J Allergy Clin Immunol. 2004；114：1169-75.
15) Palacin A, Quirce S, Sanchez-Monge R, et al. Sensitization profiles to purified plant food allergens among pediatric patients with allergy to banana. Pediatr Allergy Immunol. 2011；22：186-95.
16) Ortolani C, Ispano M, Pastorello EA, et al. Comparison of results of skin prick tests (with fresh foods and commercial food extracts) and RAST in 100 patients with oral allergy syndrome. J Allergy Clin Immunol. 1989；83：683-90.
17) Vlieg-Boerstra BJ, van de Weg WE, van der Heide S, et al. Where to prick the apple for skin testing? Allergy. 2013；68：1196-8.
18) Kiewning D, Schmitz-Eiberger M. Effects of long-term storage on Mal d 1 content of four apple cultivars with initial low Mal d 1 content. J Sci Food Agric. 2014；94：798-802.
19) Mori Y, Okazaki F, Inuo C, et al. Evaluation of serum IgE in peach-allergic patients with systemic reaction by using recombinant Pru p 7 (gibberellin-regulated protein). Allergol Immunopathol. 2018；46：482-90.
20) Ando Y, Miyamoto M, Kato M, et al. Pru p 7 Predicts Severe Reactions after Ingestion of Peach in Japanese Children and Adolescents. Int Arch Allergy Immunol. 2020；181：183-90.

第13章　食物依存性運動誘発アナフィラキシー

[要旨]

1. 食物依存性運動誘発アナフィラキシー（food-dependent exercise-induced anaphylaxis, FDEIA）は特定の食物摂取後の運動負荷によってアナフィラキシーが誘発される病態である。

2. 原因食物は小麦、甲殻類と果物が多い。食後2時間以内の運動による発症が大部分であるが、食後最大4時間を経過して発症したとする報告もある。

3. 発症機序はIgE依存性で、運動はIgE依存性即時型食物アレルギーの誘発閾値を低下させる因子の一つといえる。運動以外でも、非ステロイド性抗炎症薬の内服やアルコールの摂取でも同様の病態が起こり得る。

4. 発症頻度は中学生約6,000人に1人で、初回発症年齢のピークは10〜20歳代である。

5. 診断は問診とアレルギー検査から原因食物を絞り込み、誘発試験を実施する。しかし、誘発試験の感度と再現性は必ずしも高くない。

6. 再発症の防止には原因食物の確定ならびに患者と保護者への教育・指導が重要である。その際に、不適切な食事・運動制限で患者のQOLを損なわないよう注意する。

1. 定義

食物依存性運動誘発アナフィラキシー（food-dependent exercise-induced anaphylaxis, FDEIA）は、原因食物の摂取単独または運動負荷単独では症状が出現せず、原因食物摂取後の運動負荷によってアナフィラキシーが誘発される病態である[1〜3]。

2. 疫学

1998年および2012年の横浜市立中学校の生徒の調査では、有症率はそれぞれ0.017%、0.018%（約6,000人に1人）で横ばいであった[3,4]。小学生（2003年、2013年）は、0.0046%、0.0047%（約20,000人に1人）[5]、高校生（2001年）は0.0086%（約12,000人に1人）の頻度であった[3]。

3. 発症機序

抗原特異的IgE抗体の関与する即時型反応である[6]。概してIgE依存性の食物アレルギーでは、摂取後の運動によって症状誘発閾値が低下し、より強い臨床症状が誘発される。その中

第13章 食物依存性運動誘発アナフィラキシー

表13-1 症状惹起に関与する運動以外の要因

全身状態	疲労、寝不足、感冒
自律神経	ストレス
女性ホルモン	月経前状態
気象条件	高温、寒冷、湿度
薬剤	NSAIDs(アスピリンなど)
その他	アルコール摂取、入浴、花粉飛散時期

NSAIDs：非ステロイド性抗炎症薬

で、摂取後の運動との組み合わせが症状惹起に強く関連している一群のことをFDEIAという。
　FDEIAでは、摂取後の運動以外でも種々の要因が症状惹起の誘因となることが知られており[7〜11]（表13-1)、複数の要因の組み合わせによりさらに症状が誘発されやすくなる[11]。食物＋運動によって症状が誘発されたエピソードを有する患者が、運動以外の誘因で症状を来すこともあるため、augmentation factor-triggered food allergyという呼称も提唱されている[12]。しかし、特定の食物摂取と運動負荷やその他の誘因が組み合わされば必ず症状が誘発されるわけではなく、原因食物摂取と誘因の組み合わせによる症状惹起との間の再現性は低い[13,14]。乳幼児期に発症した即時型食物アレルギー症例の経口免疫療法中あるいは治療後に、原因食物摂取後の運動によりアナフィラキシーが誘発されることもある[4,15,16]。

1) 運動の役割

　運動により腸管上皮の透過性が亢進してアレルゲンの吸収が促進されると考えられている[17]。実際に、小麦単独負荷と比較して「小麦＋運動負荷」で血中グリアジン濃度が上昇し[13,18]、誘発閾値の低下と誘発された症状の重篤化を来すことが報告されている[19]。運動強度が高いほど症状誘発される可能性が高いが、軽い運動でも症状が誘発されることがある。

2) 非ステロイド性抗炎症薬の影響

　アスピリンなどの非ステロイド性抗炎症薬（non steroidal anti-Inflammatory drugs, NSAIDs）の服用も、運動と同様にIgE依存性の食物アレルギー症状惹起の誘因の一つとして知られている。その機序として、NSAIDsによる①消化管粘膜からのアレルゲン吸収の増加作用[20]、②シクロオキシゲナーゼ（COX）阻害作用によりプロスタグランジン（PG）合成を抑制し、マスト細胞からのロイコトリエン産生を増強する作用[21]による影響が考えられている。小麦単独負荷と比較して、アスピリン前投薬後の小麦負荷で血中グリアジン濃度が上昇し[18]、誘発閾値も低下すること[11]が報告されている。また、アスピリン前投薬により皮膚テストの原因抗原に対する反応が増強されることも示されている[22]。

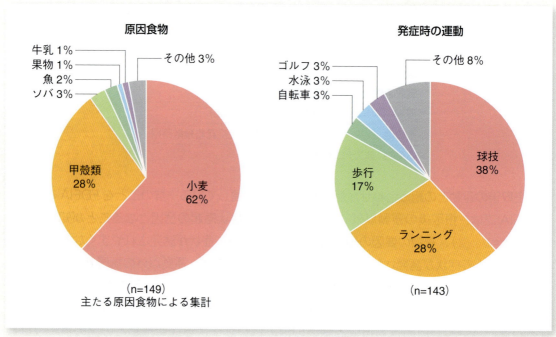

■ 図 13-1　原因食物と発症時の運動[3)]

4. 臨床像

　初回の発症は 10～20 歳代以降であることが多く、男性に好発する。アレルギー疾患（FDEIA 以外の食物アレルギーを含む）の既往あるいは現病歴は約 70% に認められる[3, 7, 14)]。原因食物は、小麦、甲殻類が多いが[3, 4, 14)]、最近は果物や野菜の報告も増加している[23)]。また、複数の食物の同時摂取により発症する場合[14, 24)]や少数例ではあるが不特定の食物が発症に関与することもある[3, 25)]（図 13-1）。

　症状は即時型食物アレルギー反応と同様である。皮膚症状はほぼ全例に認められ、呼吸器症状は約 70%、ショック症状は約 50% の症例に認められる[3, 14)]。半数以上の症例が再発を経験し、頻回に発症を繰り返す場合もある[3, 4)]。食後から運動開始までは 2 時間以内、運動開始から発症までは 1 時間以内が多い[3, 14)]が、食事後 4 時間の運動でも症状を来すことがある。

　発症時の運動種目は、サッカーなどの球技やランニングなど運動負荷の大きい種目が多い[3, 7, 25)]。その一方で、散歩や入浴中に発症した例もある[3, 10)]（図 13-1）。発症時間帯は昼食後が多く、一般的に好発季節はない[3, 7)]が、患者固有の好発季節を認めることがある[9, 26)]。

5. 頻度の高い原因食物

1）小麦

　小麦は FDEIA の原因食物として最も頻度が高く、小麦による FDEIA は小麦依存性運動誘発アナフィラキシー（wheat-dependent exercise-induced anaphylaxis, WDEIA）とも呼ば

れる。ω-5グリアジンと高分子量グルテニンが主要抗原とされており、成人WDEIA症例の90％以上でω-5グリアジンIgE抗体価が陽性であると報告されている[27]。同時に、成人FDEIA症例全体からみても、その大半がω-5グリアジンIgE抗体陽性のWDEIAである[28,29]。この臨床亜型では、ω-5グリアジンIgE抗体価がグルテンや小麦IgE抗体価よりも高値であり（ω-5グリアジン優位の感作パターン）、アナフィラキシー時の誘発症状としては、全身性の膨疹が先行し、それが主要な症状となることが多い。重篤化すると膨疹は全身性に地図状に広がりショックを来し得るが、呼吸器症状や消化器症状を伴うことはあまり多くはない。一方、20歳以下のWDEIA症例においてはω-5グリアジンIgE抗体の陽性率は高くはなく、ω-5グリアジンIgE抗体陰性例では高分子量グルテニンIgE抗体の陽性率が高い[27]。

2011年ごろ、加水分解小麦が含有された洗顔石鹸を一定期間使用後に、顔面の血管性浮腫を特徴とするWDEIAを発症した例が多発して社会問題となった[30]。発症機序は、この石鹸に含有された加水分解小麦の経皮あるいは経粘膜感作であった。これらの症例では、ω-5グリアジンIgE抗体は陰性例が多く、ω-5グリアジンIgE抗体陽性の通常の成人WDEIAとは異なり、全身性の膨疹ではなく眼瞼腫脹を来しやすいという臨床的特徴が認められた[31]。

2）甲殻類

甲殻類もFDEIAの原因食物として頻度が高いが、その原因アレルゲンに関しては十分に明らかになっていない。

3）果物

近年、新規果物アレルゲンとして、モモなどのバラ科果物、柑橘系果物、ザクロのgibberellin-regulated protein（GRP）が同定された[32]。GRPは熱や消化酵素に耐性を示すため、このアレルゲンによる果物アレルギーは比較的重篤となりやすく、FDEIAとして症状が誘発されることも多い[32,33]。GRPによる食物アレルギーの誘発症状としては、眼瞼腫脹が特徴的である[34]（第12-12章参照）。

6. 診断

1）問診

食後から2時間程度以内の運動負荷により即時型症状を呈した場合はFDEIAを疑う。発症時の状況についても確認する（表13-1）。

2）検査

発症時に摂取した食物と頻度の高い食物を中心に抗原特異的IgE抗体、皮膚テスト（prick-to-prick test）などを実施する。成人も含めたわが国の論文報告例の集計によると、陽性率は特異的IgE抗体が約80％、皮膚テストは約90％である[3,7]。しかし、小児のWDEIAでは

ω-5 グリアジン IgE 抗体、皮膚テストともに陰性である例が少なくないため注意を要する[14, 27, 35]。

3）誘発試験

　詳細な問診とアレルギー検査により被疑食物を絞り込むことから診療を始めるが、これらのみでは原因食物が確定できないこともある。特に、問診やアレルギー検査などにより明確に原因食物を確定できない場合には、最重症例を除いて、誘発試験による原因食物の確定が望ましい。このような場合には、誘発試験による原因食物の確定により患者の QOL は確実に向上する[14]。一方で、FDEIA の症状は再現性が低いため、誘発試験の感度は低く、適切に誘発試験を行っても症状が誘発されないことは珍しくない。すなわち、誘発試験の陰性の結果は必ずしも、真の原因であった可能性を否定するものではないことも銘記しておく必要がある。

　誘発試験は安全確保のため、食物経口負荷試験の経験が豊富な専門の施設で、入院での実施が望ましい。食物負荷単独や運動負荷単独では症状が誘発されないことをあらかじめ確認しておく。病歴に応じて適宜変更するが、摂取量は年齢相当の 1 食分以上、運動との間隔は 30 分間を目安とする。運動負荷は、トレッドミルにより Bruce 法[36]に準じて心拍数 180 回/分を目標に 15 分間実施するが、患者の運動能力により適宜負荷時間と強度の変更が必要である[12]（図 13-2）。エアロバイクで運動負荷を行うことも可能であるが、陽性率はトレッドミルのほうが高い傾向にある[3]。低年齢児でいずれの実施も難しい場合はフリーランニングなど他の方法を考慮する。さらに、アスピリンを前投薬することにより誘発試験の陽性率を上げることができる[12, 13]。ただし、重篤な症状の誘発やアスピリン不耐症の可能性があることに留意する必

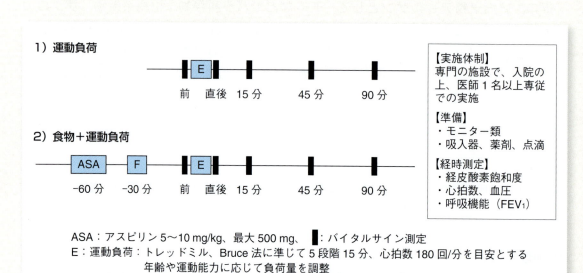

■ 図 13-2　誘発試験法

要がある[7,22)]。

　以上を踏まえて、初回の誘発試験は「食物＋運動負荷」で行う。アスピリンの前投与は、初回の誘発試験では行わず、その結果が陰性であった場合に考慮する。さらに、「アスピリン＋食物＋運動負荷」も陰性であった場合は原因食物について見直しを行い、食物負荷量の増量や複数食物の同時負荷などについても検討する。症状が誘発されない場合であっても、血漿ヒスタミン値の一過性上昇（前値の180％以上）が診断の参考となる[24)]が、保険適用はない。誘発試験が陽性の場合は、運動前の原因食物の制限を指導して再発症の有無を確認する（図13-3）。

7. 鑑別診断

　運動に関連して誘発される多くの疾患を鑑別疾患として考慮する必要がある。頻度の高い運動関連アレルギー疾患として運動誘発喘息が挙げられる。また、コリン性蕁麻疹では、運動に関連する体温上昇により、全身に膨疹（2～4 mmと小さい膨疹であることが多い）と痒みが誘発される[37)]。原則として、皮膚症状のみしか誘発されないが、一部の重篤な症例ではアナフィラキシーを来すことがある。

　花粉に強く感作された患者では、花粉飛散時期の屋外での活動に伴い大量の花粉に吸入曝露されることにより、アナフィラキシーを来し得る[38～40)]。特にカモガヤなどの草本花粉曝露により症状が誘発される事例が多い。症状のみからでは FDEIA との鑑別は難しく、症状が誘発されたときに摂取していた食物に対して感作されていないことや、高濃度の花粉曝露を疑うよう

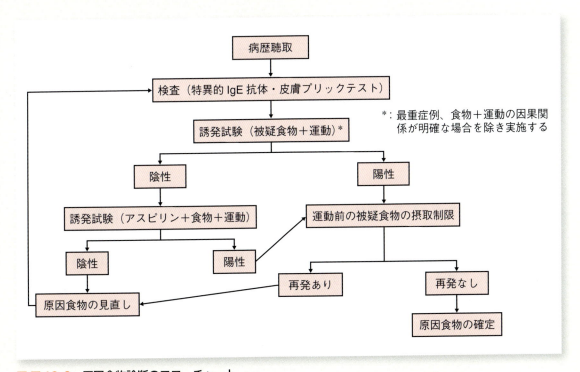

■ 図13-3　原因食物診断のフローチャート

■ 表13-2　生活指導

1. 運動前に原因食物を摂取しない。
2. 原因食物を摂取した場合、食後最低2時間（可能であれば4時間）は運動を避ける。
3. 非ステロイド性抗炎症薬内服時やその他の誘因がある状況下では原因食物を摂取しない。
4. ヒスタミンH_1受容体拮抗薬、アドレナリン自己注射薬を携帯する。
5. 皮膚の違和感など前駆症状が出現した段階で安静にし、必要に応じて、投薬・医療機関受診をする。

な環境で運動を行っていたかなどの問診が鑑別に重要になる。すなわち、症状を来した日の季節（被疑花粉の飛散時期であったか否か）や天気（特に降雨翌日の晴れで風が強い日で飛散量が多い）、運動を行った場所（被疑花粉の群生地であったか否か）などに関する問診が必要となる。アレルゲン曝露に依存せず運動のみにより誘発される（狭義の）運動誘発アナフィラキシー症例も報告されているが、極めて稀である。

8. 治療

発症時の対応はアナフィラキシーに対するものと同様である（第7章参照）。発症予防に関しては、経口クロモグリク酸ナトリウム（2020年12月に販売中止され、現在処方できない）[41]やプロスタグランジン（PG）E_1製剤の有効例の報告[42]はあるが、その効果は確立したものではなく保険適用もない。

9. 予後

長期的な予後は不明であるが臨床亜型によって異なる可能性がある。加水分解小麦含有石鹸使用後にWDEIAを発症した症例は、石鹸の使用中止により比較的短期間でその過敏性が低下して、略治した症例もある[29]。一方、ω-5グリアジンIgE陽性のWDEIA症例の長期予後は不良である可能性が高い[43]。

10. 患者に対する生活指導

FDEIAの初回発症を予測する方法はない。したがって、2回目以降の発症を予防することが目標である。生活指導として、運動の2〜4時間前は原因食物の摂取禁止を指導する。その際に、原因食物の完全除去や運動制限など、過剰な指導とならないように注意する。運動のみならず、原因食物＋その他の誘因（表13-1参照）の組み合わせに関しても注意を促す。NSAIDsに関しては、心疾患などに対する低用量アスピリン療法でも誘発因子となり得る。同時に、頻回発症例や重症例にはアドレナリン自己注射薬を携帯させることが望ましい（表13-2）。学校においては担任、養護教諭や保健体育科教諭との情報共有も重要である。

第13章 食物依存性運動誘発アナフィラキシー

参考文献

1) Kidd JM 3rd, Cohen SH, Sosman AJ, et al. Food-dependent exercise-induced anaphylaxis. J Allergy Clin Immunol. 1983；71：407-11.
2) Maulitz RM, Pratt DS, Schocket AL. Exercise-induced anaphylactic reaction to shellfish. J Allergy Clin Immunol. 1979；63：433-4.
3) 相原雄幸．食物依存性運動誘発アナフィラキシー．アレルギー．2007；56：451-6.
4) Manabe T, Oku N, Aihara Y. Food-dependent exercise-induced anaphylaxis among junior high school students：a 14-year epidemiological comparison. Allergol Int. 2015；64：285-6.
5) Manabe T, Oku N, Aihara Y. Food-dependent exercise-induced anaphylaxis in Japanese elementary school children. Pediatr Int. 2018；60：329-33.
6) Sheffer AL, Tong AK, Murphy GF, et al. Exercise-induced anaphylaxis：a serious form of physical allergy associated with mast cell degranulation. J Allergy Clin Immunol. 1985；75：479-84.
7) 原田 晋，堀川達弥，市橋正光．Food-Dependent Exercise-Induced Anaphylaxis（FDEIA）の本邦報告例集計による考察．アレルギー．2000；49：1066-73.
8) Bito T, Kanda E, Tanaka M, et al. Cows milk-dependent exercise-induced anaphylaxis under the condition of a premenstrual or ovulatory phase following skin sensitization. Allergol Int. 2008；57：437-9.
9) Jo EJ, Yang MS, Kim YJ, et al. Food-dependent exercise-induced anaphylaxis occurred only in a warm but not in a cold environment. Asia Pac Allergy. 2012；2：161-4.
10) 松本亮典，小川晃弘，牧野琢丸，他．耳鼻咽喉科で経験した食物依存性運動誘発アナフィラキシー（FDEIA：Food-Dependent Exercise-Induced Anaphylaxis）症例の検討．アレルギー．2009；58：548-53.
11) Christensen MJ, Eller E, Mortz CG, et al. Wheat-dependent cofactor-augmented anaphylaxis：A prospective study of exercise, aspirin, and alcohol efficacy as cofactors. J Allergy Clin Immunol Pract. 2019；7：114-21.
12) Brockow K, Kneissl D, Valentini L, et al. Using a gluten oral food challenge protocol to improve diagnosis of wheat-dependent exercise-induced anaphylaxis. J Allergy Clin Immunol. 2015；135：977-84.e4.
13) Kohno K, Matsuo H, Takahashi H, et al. Serum gliadin monitoring extracts patients with false negative results in challenge tests for the diagnosis of wheat-dependent exercise-induced anaphylaxis. Allergol Int. 2013；62：229-38.
14) Asaumi T, Yanagida N, Sato S, et al. Provocation tests for the diagnosis of food-dependent exercise-induced anaphylaxis. Pediatr Allergy Immunol. 2016；27：44-9.
15) 佐藤大記，堀野智史，二瓶真人，他．経口免疫療法後における食物負荷後運動誘発試験の特徴〜食物依存性運動誘発アナフィラキシーとの比較〜．アレルギー．2020；69：34-9.
16) Furuta T, Tanaka K, Tagami K, et al. Exercise-induced allergic reactions on desensitization to wheat after rush oral immunotherapy. Allergy. 2020；75：1414-22.
17) Pals KL, Chang RT, Ryan AJ, et al. Effect of running intensity on intestinal permeability. J Appl Physiol (1985). 1997；82：571-6.
18) Matsuo H, Morimoto K, Akaki T, et al. Exercise and aspirin increase levels of circulating gliadin peptides in patients with wheat-dependent exercise-induced anaphylaxis. Clinical Exp Allergy. 2005；35：461-6.
19) Christensen MJ, Eller E, Mortz CG, et al. Exercise lowers threshold and increases severity, but wheat-dependent, exercise-induced anaphylaxis can be elicited at rest. J Allergy Clin Immunol Pract. 2018；6：514-20.
20) Yokooji T, Fukushima T, Hamura K, et al. Intestinal absorption of the wheat allergen gliadin in rats. Allergol Int. 2019；68：247-53.
21) Suzuki Y, Ra C. Analysis of the mechanism for the development of allergic skin inflammation and the application for its treatment：aspirin modulation of IgE-dependent mast cell activation：role of aspirin-induced exacerbation of immediate allergy. J Pharmacol Sci. 2009；110：237-44.
22) 泉佳菜子，相原道子，池澤善郎．非ステロイド性抗炎症薬（NSAIDs）による即時型食物アレルギーの増強効果：わが国における最近10年の報告例の検討．アレルギー．2009；58：1629-39.
23) Hotta A, Inomata N, Tanegasima T, et al. Case of food-dependent exercise-induced anaphylaxis due to peach with Pru p 7 sensitization. J Dermatol. 2016；43：222-3.
24) Aihara Y, Kotoyori T, Takahashi Y, et al. The necessity for dual food intake to provoke food-dependent exercise-induced anaphylaxis (FEIAn)：a case report of FEIAn with simultaneous intake of wheat and umeboshi. J Allergy Clin Immunol. 2001；107：1100-5.
25) Romano A, Scala E, Rumi G, et al. Lipid transfer proteins：the most frequent sensitizer in Italian subjects with food-dependent exercise-induced anaphylaxis. Clin Exp Allergy. 2012；42：1643-53.
26) Shimizu T, Furumoto H, Kinoshita E, et al. Food-dependent exercise-induced anaphylaxis occurring only in winter. Dermatology. 2000；200：279.

27) Morita E, Matsuo H, Chinuki Y, et al. Food-dependent exercise-induced anaphylaxis -importance of omega-5 gliadin and HMW-glutenin as causative antigens for wheat-dependent exercise-induced anaphylaxis. Allergol Int. 2009；58：493-8.
28) Kennard L, Thomas I, Rutkowski K, et al. A multicenter evaluation of diagnosis and management of omega-5 gliadin allergy (also known as wheat-dependent exercise-induced anaphylaxis) in 132 adults. J Allergy Clin Immunol Pract. 2018；6：1892-7.
29) 厚生労働科学研究費補助金．生命予後に関わる重篤な食物アレルギーの実態調査・新規治療法の開発および治療指針の策定（研究代表者　森田栄伸．特殊型食物アレルギー診療の手引き 2015）．https://shimane-u-dermatology.jp/theme/shimane-u-ac_dermatology/pdf/special_allergies.pdf
30) Yagami A, Aihara M, Ikezawa Z, et al. Outbreak of immediate-type hydrolyzed wheat protein allergy due to a facial soap in Japan. J Allergy Clin Immunol. 2017；140：879-81.e7.
31) Fukutomi Y, Itagaki Y, Taniguchi M, et al. Rhinoconjunctival sensitization to hydrolyzed wheat protein in facial soap can induce wheat-dependent exercise-induced anaphylaxis. J Allergy Clin Immunol. 2011；127：531-3.e1-3.
32) Inomata N. Gibberellin-regulated protein allergy：Clinical features and cross-reactivity. Allergol Int. 2020；69：11-8.
33) Ando Y, Miyamoto M, Kato M, et al. Pru p 7 Predicts Severe Reactions after Ingestion of Peach in Japanese Children and Adolescents. Int Arch Allergy Immunol. 2020；181：183-90.
34) Inomata N, Miyakawa M, Aihara M. Eyelid edema as a predictive factor for sensitization to Pru p 7 in peach allergy. J Dermatol. 2016；43：900-5.
35) 中川朋子，酒井一徳，林　直史，他．小麦依存性運動誘発アナフィラキシーの小児6症例．アレルギー．2015；64：1169-73.
36) Bruce RA, Kusumi F, Hosmer D. Maximal oxygen intake and nomographic assessment of functional aerobic impairment in cardiovascular disease. Am Heart J. 1973；85：546-62.
37) Montgomery SL. Cholinergic urticaria and exercise-induced anaphylaxis. Curr Sports Med Rep. 2015；14：61-3.
38) Tsunoda K, Ninomiya K, Hozaki F, et al. Anaphylaxis in a child playing in tall grass. Allergy. 2003；58：955-6.
39) Haluk Akar H, Akif Goktas M, Tahan F. Grass pollen triggered anaphylaxis in an adolescent boy. Eur Ann Allergy Clin Immunol. 2015；47：20-1.
40) Vella C, Sammut P. Anaphylaxis secondary to Parietaria judaica (wall pellitory). BMJ Case Rep. 2017.
41) Sugimura T, Tananari Y, Ozaki Y, et al. Effect of oral sodium cromoglycate in 2 children with food-dependent exercise-induced anaphylaxis (FDEIA). Clin Pediatr (Phila). 2009；48：945-50.
42) 井上友介，足立厚子，上野充彦，他．小麦依存性運動誘発アナフィラキシー患者におけるアスピリン食前投与誘発に対するプロスタグランディン E1 製剤の抑制効果について．アレルギー．2009；58：1418-25.
43) Hamada Y, Chinuki Y, Fukutomi Y, et al. Long-term dynamics of omega-5 gliadin-specific IgE levels in patients with adult-onset wheat allergy. J Allergy Clin Immunol Pract. 2020；8：1149-51.e3.

第13章 食物依存性運動誘発アナフィラキシー

第3部 各論

第14-1章 花粉-食物アレルギー症候群(PFAS)

Japanese Guidelines for Food Allergy 2021

[要旨]

1. 花粉-食物アレルギー症候群（pollen-food allergy syndrome, PFAS）とは、花粉感作後に、花粉と交差抗原性を有する植物性食物を経口摂取してアレルギー症状を来す病態を指す。

2. PFAS は口腔咽頭症状に限局することが多い。口腔咽頭症状を主徴とすることから、口腔アレルギー症候群（oral allergy syndrome, OAS）とも呼ばれる。

3. 原因食物は果物、生野菜や豆類で、一人の患者が複数の原因食物を持つことが多い。カバノキ科花粉感作によるバラ科果物アレルギー（リンゴやモモなど）が代表的である。

4. 主な原因アレルゲンである Bet v 1 ホモログやプロフィリンは、熱に不安定である。

5. 診断には、新鮮な果物や野菜を用いた prick-to-prick test が有用である。大豆の PFAS では Gly m 4 特異的 IgE 抗体測定が診断の補助になる。

6. 治療の基本は原因食物の除去であるが、加熱調理された加工食品であれば、摂取できることが多い。

1. 定義と概念

ある特定の花粉抗原に IgE 感作されると、交差抗原性のある植物性食物を摂取したときにアレルギー症状を来すことがあり、これを花粉-食物アレルギー症候群（pollen-food allergy syndrome, PFAS）という[1]。

PFAS では、原因食物を摂取した直後に始まる口腔咽頭症状が主徴となるため、口腔アレルギー症候群（oral allergy syndrome, OAS）の臨床病型（第 2 章）を示すことが多い。しかし、PFAS において、口腔咽頭症状から最終的にアナフィラキシーに進展することがある[2]。一方、OAS の定義には、花粉症の既往や原因食物を植物性食品に限定する記載は含まれていない。

2. 発症機序

PFAS は、花粉抗原と植物性食物抗原の間の交差反応に起因する。果物や野菜、豆類、稀にスパイスなどが原因食品になる。花粉に感作された患者の口腔粘膜に食品が接触することで症状が始まるが、嚥下された後はアレルゲンエピトープが消化過程で消失しやすいため、それ以外の症状が現れることは少ない。主な原因アレルゲンは、Bet v 1 ホモログ（別名：pathogenesis-related protein, PR-10）やプロフィリンなどのプロテインファミリーに属

第14-1章 花粉-食物アレルギー症候群（PFAS）

表14-1 花粉-食物アレルギー症候群に関与する花粉と植物性食品

花粉			交差反応に関与する主なプロテインファミリー	交差反応が報告されている主な食物
科	属	種		
カバノキ科	ハンノキ属	ハンノキ オオバヤシャブシ	Bet v 1ホモログ（別名：PR-10）プロフィリン（頻度は低い）	バラ科（リンゴ、モモ、サクランボ、ナシ、アンズ、アーモンド）マメ科（大豆、ピーナッツ、緑豆もやし）マタタビ科（キウイフルーツ）カバノキ科（ヘーゼルナッツ）など
	カバノキ属	シラカンバ		
ヒノキ科	スギ属	スギ	Polygalacturonase	ナス科（トマト）
イネ科	アワガエリ属 カモガヤ属	オオアワガエリ カモガヤ	プロフィリン	ウリ科（メロン、スイカ）、ナス科（トマト）、マタタビ科（キウイフルーツ）ミカン科（オレンジ）、マメ科（ピーナッツ）など
キク科	ブタクサ属	ブタクサ	プロフィリン	ウリ科（メロン、スイカ、ズッキーニ、キュウリ）バショウ科（バナナ）など
	ヨモギ属	ヨモギ	プロフィリン	セリ科（セロリ、ニンジン、スパイス類：クミン、コリアンダー、フェンネルなど）、ウルシ科（マンゴー）など

す。これらのプロテインファミリーは進化の過程で広く保存されているため、これらに感作されると広範な交差反応が生じる（表14-1）。Bet v 1ホモログの感作源はカバノキ科樹木の花粉（シラカンバ、ハンノキ、オオバヤシャブシなど）のみである。一方、プロフィリンは、カバノキ科樹木からイネ科（カモガヤ、オオアワガエリなど）、キク科（ブタクサ、ヨモギなど）の雑草まで多種の花粉が感作源になる可能性が報告されている。PFASに関与するアレルゲンの詳細は第12章で述べられている。また、最近、ヒノキ花粉由来ジベレリン制御タンパク（gibberellin-regulated protein, GRP）に感作されて、モモなどのPFASが生じ得るとの報告があり、今後交差反応について詳細な検討が待たれる[3,4]。

3. わが国の疫学

PFASの有病率は、花粉飛散状況の影響を受けるため地域差がある。

全国の小中学校を対象にした質問紙による調査では、バラ科果物や大豆によるPFASの有病率は小学校では0.99％、中学校では2.75％で、モモが原因として最も多かった[5]。2021年の日本での出生コホートにおける質問紙による調査では、13歳時のPFASの有病率は11.7％で、原因食物としてキウイフルーツとパイナップルが最多であったと報告されている[6]。

北海道のシラカンバ（シラカバ、カバノキ科カバノキ属）や兵庫県のオオバヤシャブシ（カバノキ科ハンノキ属）の花粉症患者の20〜40％程度にバラ科の果物によるPFASの合併が認められる[7,8]。また、神奈川県の調査では、花粉感作例の4.1％（436例中18例）はPFASを合併し、リンゴ、モモ、メロンが原因として多かった[9]。逆に、果物アレルギー100例では、80％はPR-10またはプロフィリンに感作が確認され、果物アレルギー患者のほとんどは

PFASである[10]。スギ花粉とトマトとの交差反応性が証明されているが、スギ花粉症患者でトマトアレルギーを合併することは臨床上、稀である[11]。なお、PFASの約1～2％はアナフィラキシーに進展する[12,13]。

4. 臨床像

　原因食物を摂取した直後から1時間以内に、口唇や舌、口腔咽頭粘膜の瘙痒や刺激感（イガイガ、チクチク）を自覚する。口唇や口腔粘膜の腫脹、水疱や血疱などの他覚的所見を認めることもあるが、自覚症状のみで終わることも多い。時に、引き続いて鼻症状（鼻孔の瘙痒、くしゃみ、鼻汁、鼻閉）、眼症状（流涙、眼球結膜の充血や浮腫）、耳症状（耳孔の瘙痒）、皮膚症状（眼瞼や顔面の浮腫、全身性蕁麻疹）、消化器症状（腹痛、嘔気、嘔吐、下痢）、呼吸器症状（呼吸困難、喘鳴、喉頭浮腫）が現れ、アナフィラキシーショックに陥ることもある。

　PFASでは、口腔咽頭症状に限局する軽症例が多いが、カバノキ科花粉-豆乳の間の交差反応や、ヨモギ花粉-スパイス（セリ科のセロリ、ニンジンやスパイス）の間の交差反応（celery-mugwort-spice syndrome）ではアナフィラキシーに進展しやすい点に注意する[14,15]。

5. 診断

　被疑食物に対するアレルギー検査として、特異的IgE抗体測定や皮膚プリックテスト、必要に応じて負荷試験を実施する。PFASの検査では、原因食物のアレルゲンエピトープの脆弱性から、標準化された抗原液を用いると偽陰性になりやすい点に注意が必要である。そのため、新鮮な食品を使うprick-to-prick testが有用である（図14-1）。一方、感作花粉の特定では、交差反応の情報から候補となる花粉を選択し、特異的IgE抗体測定を行う（表14-1）。シラカンバやハンノキ花粉症患者に生じる豆乳のPFASの場合、大豆特異的IgE抗体が陰性でも、大豆コンポーネントであるGly m 4特異的IgE抗体が陽性になることもある[16]。負荷試験の方法として、新鮮な果物切片を数分間口に含ませた後、吐き出す「口含み試験」、あるいは舌下に接触させてから取り出し、その後の口腔症状の出現を観察する「舌下投与試験」などがある。

6. 治療と患者指導

1）症状再発予防

　原因食物の経口摂取を避けることが基本となる。新鮮な果物で誘発されやすく、店頭販売などの販売直前に搾ったジュースでは少量で症状が誘発される場合がある。一方、加熱調理したジャムや缶詰などは摂取できることが多い。原因食物が多種に及び、食生活に支障が生じる場合は、軽微な症状であれば、少量に限り許可してもよい。ただし、アナフィラキシーの病歴がある場合や、重篤な症状を誘発し得る食品（豆乳、スパイスなど）については厳格な除去が必要になる。

第14-1章 花粉-食物アレルギー症候群（PFAS）

①プリック針を用意する。　②リンゴを刺し、エキスを針につける。　③皮膚面に垂直に、ゆっくり押し付ける。

15分後に判定し、陰性コントロールと比べて膨疹径3 mm以上、または陽性コントロール（ヒスタミン10 mg/mL）の膨疹径1/2以上を陽性と判定する[18]。

■ 図14-1　prick-to-prick test

なお、PFASの症状の季節変動に関する報告があり、原因花粉の飛散時期に症状の悪化が認められることがある[9]。

2）症状出現時の対応

口腔内の自覚症状などの軽微な症状であれば、頓用薬は不要である。口腔に限局するが口唇腫脹を伴う場合や、口腔以外にも症状が及ぶ場合にはヒスタミンH_1受容体拮抗薬を内服することを考慮する。全身症状の既往がある場合には、アドレナリン自己注射薬（エピペン®）の携帯を考慮する。

3）治療

PFASの治療法として、感作源である花粉や原因食物を用いたアレルゲン免疫療法（allergen immunotherapy, AIT）の有効性を示す研究結果が散見されるが、現時点では有効な方法は確立していない[17,18]。リンゴアレルギーのあるシラカンバ花粉症患者にシラカンバ花粉抗原を用いた皮下免疫療法（subcutaneous immunotherapy, SCIT）を3年間行った結果、リンゴに対する脱感作状態と皮膚試験陰性が30か月間持続したという報告がある[19]。

わが国のスギ花粉症患者において、トマト特異的IgE抗体陽性23例（うち5例はトマトのPFAS）に対して、スギ花粉を用いたSCITを実施した結果、トマトに対する好塩基球活性化試験の有意な改善が認められた[20]。

原因食物を用いたAITに関して、リンゴのPFAS患者でリンゴによる経口免疫療法が行われ、少数例で一時的な効果があった[21]。また、リンゴのPFASに関して、リンゴのBet v 1ホ

モログである Mal d 1 を用いた舌下免疫療法（sublingual immunotherapy, SLIT）は、Bet v 1 やプラセボを用いた SLIT と比べ、リンゴアレルギーが改善した[22]。

7. 予後

予後に関する報告はない。花粉症に準ずると考えられている。

参考文献

1) Valenta R, Kraft D. Type 1 allergic reactions to plant-derived food：a consequence of primary sensitization to pollen allergens. J Allergy Clin Immunol. 1996；97：893-5.
2) Amlot PL, Kemeny DM, Zachary C, et al. Oral allergy syndrome (OAS)：symptoms of IgE-mediated hypersensitivity to foods. Clin Allergy. 1987；17：33-42.
3) Sénéchal H, Šantrůček J, Melčová M, et al. A new allergen family involved in pollen food-associated syndrome：Snakin/gibberellin-regulated proteins. J Allergy Clin Immunol. 2018；141：411-4.e4.
4) Tuppo L, Alessandri C, Giangrieco I, et al. Isolation of cypress gibberellin-regulated protein：Analysis of its structural features and IgE binding competition with homologous allergens. Mol Immunol. 2019；114：189-95.
5) Sasaki M, Morikawa E, Yoshida K, et al. The prevalence of oral symptoms caused by Rosaceae fruits and soybean consumption in children；a Japanese population-based survey. Allergol Int. 2020；69：610-5.
6) Kiguchi T, Yamamoto-Hanada K, Saito-Abe M, et al. Pollen-food allergy syndrome and component sensitization in adolescents：a Japanese population-based study. PLoS ONE. 2021；16：e0249649.
7) 山本哲夫, 朝倉光司, 白崎英明, 他. 札幌のシラカバ花粉症と口腔アレルギー症候群. アレルギー. 2004；53：435-42.
8) 吉村史郎. オオバヤシャブシ花粉症と OAS（Oral Allergy Syndrome）. 日本ラテックスアレルギー研究会会誌. 2005；9：93-9.
9) Maeda N, Inomata N, Morita A, et al. Correlation of oral allergy syndrome due to plant-derived foods with pollen sensitization in Japan. Ann Allergy Asthma Immunol. 2010；104：205-10.
10) Inomata N, Miyakawa M, Aihara M. High prevalence of sensitization to gibberellin-regulated protein (peamaclein) in fruit allergies with negative immunoglobulin E reactivity to Bet v 1 homologs and profilin：Clinical pattern, causative fruits and cofactor effect of gibberellin-regulated protein allergy. J Dermatol. 2017；44：735-41.
11) Kondo Y, Tokuda R, Urisu A, et al. Assessment of cross-reactivity between Japanese cedar (*Cryptomeria japonica*) pollen and tomato fruit extracts by RAST inhibition and immunoblot inhibition. Clin Exp Allergy. 2002；32：590-4.
12) Mansoor DK, Sharma HP. Clinical presentations of food allergy. Pediatr Clin North Am. 2011；58：315-26.ix.
13) Sicherer SH, Sampson HA. Food allergy. J Allergy Clin Immunol. 2010；125(2 Suppl 2)：S116-25.
14) Kleine-Tebbe J, Wangorsch A, Vogel L, et al. Severe oral allergy syndrome and anaphylactic reactions caused by a Bet v 1- related PR-10 protein in soybean, SAM22. J Allergy Clin Immunol. 2002；110：797-804.
15) Wüthrich B, Stäger J, Johansson SG. Celery allergy associated with birch and mugwort pollinosis. Allergy. 1990；45：566-71.
16) Fukutomi Y, Sjölander S, Nakazawa T, et al. Clinical relevance of IgE to recombinant Gly m 4 in the diagnosis of adult soybean allergy. J Allergy Clin Immunol. 2012；129：860-3.e3.
17) Asero R. Effects of birch pollen-specific immunotherapy on apple allergy in birch pollen-hypersensitive patients. Clin Exp Allergy. 1998；28：1368-73.
18) Hansen KS, Khinchi MS, Skov PS, et al. Food allergy to apple and specific immunotherapy with birch pollen. Mol Nutr Food Res. 2004；48：441-8.
19) Asero R. How long does the effect of birch pollen injection SIT on apple allergy last? Allergy. 2003；58：435-8.
20) Inuo C, Kondo Y, Tanaka K, et al. Japanese cedar pollen-based subcutaneous immunotherapy decreases tomato fruit-specific basophil activation. Int Arch Allergy Immunol. 2015；167：137-45.
21) Kopac P, Rudin M, Gentinetta T, et al. Continuous apple consumption induces oral tolerance in birch-pollen-associated apple allergy. Allergy. 2012；67：280-5.
22) Kinaciyan T, Nagl B, Faustmann S, et al. Efficacy and safety of 4 months of sublingual immunotherapy with recombinant Mal d 1 and Bet v 1 in patients with birch pollen-related apple allergy. J Allergy Clin Immunol. 2018；141：1002-8.

第14-2章 ラテックス-フルーツ症候群

[要旨]

1. ラテックスアレルギー患者では、ラテックス抗原との交差抗原性を有する果物の経口摂取でアレルギー症状が現れることがあり、これをラテックス-フルーツ症候群という。
2. バナナ、アボカド、クリ、キウイフルーツによる誘発頻度が高く、前3者は全身症状の誘発リスクが高い。
3. 原因食物を摂取した後、速やかに、口腔症状、蕁麻疹、呼吸器症状など多岐の症状が現れ、時にアナフィラキシーショックに至る。
4. 診断は、ラテックスと被疑食物について、皮膚プリックテストや特異的IgE抗体検査を行い、必要に応じて食物経口負荷試験で確定する。本症の交差抗原であるラテックスのヘベイン Hev b 6.02 特異的 IgE 抗体検査は診断の一助になる。

1. 定義

天然ゴムラテックス（natural rubber latex）のⅠ型アレルギー、いわゆるラテックスアレルギーの一部の患者は、バナナ、アボカド、クリなどの経口摂取で即時型アレルギー症状を呈することがあり、これをラテックス-フルーツ症候群（latex-fruit syndrome, LFS）という[1]。

2. 疫学

LFS は、ラテックスアレルギーの患者の 30〜50％に認められる。一方、代表的な原因食品であるバナナ、アボカド、キウイフルーツなどの果物アレルギー患者をみた場合、その約 11％にラテックスアレルギーがあると推計されている[2]。

3. 発症機序

LFS は、ラテックス抗原[3]と果物抗原との間の交差反応[4]に起因して生じる。生体防御タンパク質の一種であるクラスⅠキチナーゼ（PR-3）に属するアボカドの Per a 12、クリの Cas s 5、バナナの Mus a 2 は、天然ゴムラテックスの主要アレルゲンであるヘベイン（Hev b 6.02）の構造に類似する、ヘベイン様ドメインを N 末端部に持つ（図 14-2）。そのため、ヘベイン特異的 IgE 抗体保有者は、果物のヘベイン様ドメインに交差反応を示し LFS が起こる（第3章参照）[5]。

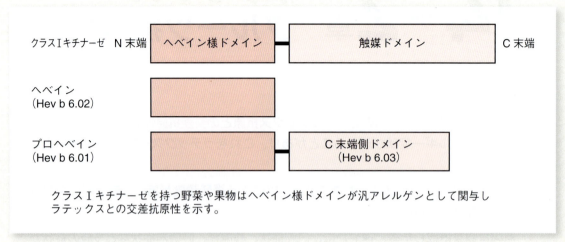

■ 図14-2　キチナーゼⅠ型とへベインのドメイン構造

4. 臨床像

原因食物を摂取した直後に、口腔症状、蕁麻疹などの皮膚症状、呼吸器症状、消化器症状などが現れ、時にアナフィラキシーショックに至る。

5. 診断

問診では、バナナ、アボカド、クリなどを摂取後のアレルギー症状、およびラテックスアレルギーの既往について聴取する。被疑食物とラテックスの感作状況について、血清特異的IgE抗体検査や皮膚プリックテスト（skin prick test, SPT）で確認する。皮膚テスト（prick-to-prick test）は血液検査より感度、特異度ともに優れている。ただし、重症LFS患者では、SPTでも全身症状の誘発リスクがあるので、緊急時に備えた上で実施する。食物経口負荷試験は最も確実な診断方法であるが、安全性に十分に配慮し即時型食物アレルギーに準じて実施する（第9章参照）。ラテックスアレルギーの診断には、粗抗原のラテックスと併せて、Hev b 6.02に対する特異的IgE抗体測定が有用である[6]。

6. 治療・患者指導

LFS患者では、原因食物およびその加工食品の除去と、感作源となる天然ゴム製品の接触を避けることを指導する。特に、表14-2[7]に示す交差反応性のリスクの高いバナナ、アボカド、クリ、キウイフルーツの4食品を摂取する際には十分に注意を払うように指導する。

■ 表14-2　ラテックスと交差反応性を示しやすい食物[7]

ハイリスク群	アボカド、クリ、バナナ、キウイフルーツ
その他	リンゴ、ニンジン、セロリ、メロン、ジャガイモ、トマト、イチジク、パパイヤ、メロン、マンゴ、パイナップル、モモ　など

第14-2章 ラテックス-フルーツ症候群

参考文献

1) Wagner S, Breiteneder H. The latex-fruit syndrome. Biochem Soc Trans. 2002;30(Pt 6):935-40.
2) Sicherer SH. Clinical implications of cross-reactive food allergens. J Allergy Clin Immunol. 2001;108:881-90.
3) Alenius H, Kalkkinen N, Lukka M, et al. Prohevein from the rubber tree (*Hevea brasiliensis*) is a major latex allergen. Clin Exp Allergy. 1995;25:659-65.
4) Ahlroth M, Alenius H, Turjanmaa K, et al. Cross-reacting allergens in natural rubber latex and avocado. J Allergy Clin Immunol. 1995;96:167-73.
5) Yagami A, Suzuki K, Saito H, et al. Hev B 6.02 is the most important allergen in health care workers sensitized occupationally by natural rubber latex gloves. Allergol Int. 2009;58:347-55.
6) 日本ラテックスアレルギー研究会．ラテックスアレルギー安全対策ガイドライン2018．協和企画，東京，2018．
7) Brehler R, Theissen U, Mohr C, et al. "Latex-fruit syndrome": frequency of cross-reacting IgE antibodies. Allergy. 1997;52:404-10.

第14-3章 動物飼育に関連した食物アレルギー

Japanese Guidelines for Food Allergy 2021

[要旨]

1. ペット動物の飼育を介して動物抗原に経気道感作され、交差反応によって食物アレルギーを発症することがある。
2. ネコ由来抗原に経気道感作され、交差反応によって豚肉などの獣肉を摂取した際に即時型アレルギー症状を来す病態を、pork-cat症候群という。
3. 鳥由来抗原に経気道感作され、その交差反応によって発症する鶏卵アレルギーをbird-egg症候群という。

1. pork-cat症候群

1) 概念

Pork-cat症候群 (pork-cat syndrome) は、獣肉アレルギーの一種で、ネコの血清アルブミン (Fel d 2) に経気道感作された後、豚肉摂取時にブタの血清アルブミン (Sus s 1) との交差反応が生じ、即時型アレルギー症状を来す病態を指す[1]。

哺乳類の血清アルブミンは相同性が高いため、ネコとブタ以外でも交差反応が起こり得る。実際、ネコで感作された例では、牛肉でも症状を来すことがある[2]。また、ネコとイヌの両方が感作源になった小児例[3]や、イヌないしハムスターの感作によって馬肉摂取で誘発された例なども報告されている[4]。

2) 臨床的特徴

典型例では、獣肉摂取後1時間以内に症状が出現する。しかし、再現性が低い。感作例でも症状を示さないこともある。臨床的には、口腔内の違和感、蕁麻疹や血管性浮腫、咳嗽や喘鳴などの呼吸器症状、腹痛や下痢などの消化器症状が現れ、時にアナフィラキシーに至る。重症度に幅があり、野生のイノシシ肉の摂取による死亡例の報告がある[5]。

3) 疫学

ネコアレルギー患者の約1～3%に、pork-cat症候群の合併が認められると推計されている[4]。動物飼育を開始してから感作成立まで年単位の時間を要するとされ、最年少例は6歳で、幼児期から成人期に発症する[6]。

4) 発症機序

ネコを飼育中に、ネコの毛や皮屑、唾液、血液、尿などに含まれる血清アルブミン（Fel d 2）に経気道的に感作されると、生物学的近縁種の動物の肉や組織を摂取した際に、血清アルブミン間で交差反応が生じ、アレルギー症状を来す。非霊長哺乳動物であるブタ（Sus s 1）、ウシ（Bos d 6）、ネコ（Fel d 2）、イヌ（Can f 3）、モルモットの血清アルブミンは、アミノ酸配列の相同性が70～87％と高く、ネコとブタのアルブミン間以外でも交差反応が起こる可能性がある。

5) 診断

問診上、ネコなどの飼育歴があり、豚肉などの獣肉の摂取で即時型アレルギー症状を来した場合に本症を疑う。獣肉の加熱が不十分な場合に症状を来しやすいため[6]、摂取した獣肉の加熱の程度や調理方法を確認する。

検査として、豚肉や牛肉などの獣肉、および感作源となった動物由来抗原（ネコのフケなど）の特異的IgE抗体を測定する。さらに、アレルゲンコンポーネントのFel d 2とSus s 1が共に陽性であれば、両者間の交差反応が示唆され診断の補助になる（保険適用外）。

鑑別として、α-Galによる獣肉アレルギーが挙げられる。pork-cat症候群では摂取後即時に発症するのに対し、α-Galによる獣肉アレルギーでは、遅発型（3～5時間後）に発症する。その他、マダニ咬傷歴の有無やα-Galに対する特異的IgE抗体検査陽性にて鑑別できる（表14-3）[2]。

■ 表14-3　獣肉アレルギーの鑑別

	従来の獣肉アレルギー	pork-cat症候群	α-Gal症候群
好発年齢	乳幼児期	学童期～青壮年	小児～成人
患者背景	アトピー性皮膚炎	ネコアレルギー	マダニ咬傷発生地域における山野での活動
主な原因食品	牛肉	豚肉、牛肉	牛肉、豚肉
発症機序	牛乳や肉による経消化管感作経皮感作	ネコ抗原による経気道感作→獣肉との交差反応	マダニ咬傷による経皮感作→獣肉との交差反応
主なアレルゲン	牛血清アルブミン（Bos d 6）ほか	豚血清アルブミンSus s 1 ネコ血清アルブミンFel d 2	galactose-α-1,3-galactose（α-Gal）
獣肉摂取から症状出現までの時間	即時型 1時間以内	即時型 1時間以内	遅発型 2～6時間が多い
牛乳アレルギーの合併	多い	一部に合併する	牛乳特異的IgE抗体が陽性になっても臨床症状がない例が多い。一部に合併する

6）治療・患者指導

原則、豚肉など原因食品の摂取を避けることに加え、感作源となったネコなどの動物への曝露を極力避けるように指導する。アルブミンは熱に不安定なので、非加熱の肉、干し肉、燻製肉は十分に加熱した肉よりも症状を誘発しやすい[2]。過去に報告された食品や調理法としては、焼き肉、ソーセージ、ハム、ハンバーガー、バーベキューなどがある。十分に加熱した豚肉では誘発されないこともあり、重症度に応じて摂取の可否を判断する。

7）予後

予後に関するエビデンスは報告されていない。

2. bird-egg 症候群

1）定義と概念

Bird-egg 症候群とは、鳥の飼育者が、鳥由来抗原に経気道や経皮感作された後、鶏卵を摂取時に即時型アレルギー症状を来す病態をいう[7]。本症候群は、飼育する鳥の羽毛や糞、血清などに含まれる抗原と、鶏卵由来抗原の交差反応に起因して発症し、主要抗原として血清アルブミンが同定されている。

2）臨床的特徴

生ないし不十分な加熱の鶏卵（特に卵黄）を摂取した直後に、口腔内の痒みや違和感、口唇や顔面の浮腫、手掌の痒みや全身性の蕁麻疹、鼻汁や鼻閉、咳嗽や呼吸困難感などの呼吸器症状、消化器症状などが現れ、時にアナフィラキシーに至る。

3）疫学

鳥を飼育する成人に発症することが多く[8]、小児例は稀である[9]。感作源となる鳥の種類として、セキセイインコが多く、その他、カナリヤやオウムなどが報告されている[10]（**表 14-4**）。

4）発症機序

本症は、主に、鳥類間での血清アルブミンへの交差反応によって発症する[8]。血清アルブミンは、毛細血管内皮から上皮に移行するため、鳥では血清のほか、上皮、羽毛、糞、肉にも存在する。鳥をペットとして飼育しているうちに、これらの中に含まれた血清アルブミンで経気道、および経皮・粘膜的に感作され、鶏卵を摂取した際に、ニワトリの血清アルブミン（α-リベチン、Gal d 5）に交差反応が生じる。Gal d 5 は卵白よりも卵黄に多く含まれる。また、血清アルブミンは熱に不安定なので、卵黄を十分に加熱しないまま摂取したときに誘発されやすい。また、一部の症例では、鶏肉摂取でも誘発が認められる。

第14-3章 動物飼育に関連した食物アレルギー

■ 表14-4 鶏卵アレルギーの鑑別

	従来の鶏卵アレルギー	bird-egg症候群
好発年齢	乳幼児期	成人期
感作成分	卵白優位	卵黄優位
推定される感作経路	経消化管・経皮感作	経気道感作
感作源	鶏卵	鳥の羽毛、糞、血清 (セキセイインコ、オウム、カナリア)
主な原因抗原	オボムコイド(Gal d 1)、 オボアルブミン(Gal d 2)	血清アルブミン(Gal d 5)
鶏肉アレルギーの合併	稀	比較的合併する
寛解	学童期までに約80%寛解	寛解の可能性あり

5) 診断

問診では、成人期に突然、鶏卵摂取後の即時型アレルギー症状を来した場合に本症を疑い、鳥の飼育歴を聴取する。原因食物については、卵黄優位の誘発が認められるか、生や半熟など不十分な加熱調理で誘発されやすいかなど、卵黄や卵白による違いや、加熱調理による違いを確認する。鶏肉での誘発の有無も確認する。

検査では、卵黄、卵白に対する特異的IgE抗体測定や、卵黄、卵白のSPTを行い、卵黄優位の感作の有無を確認する。併せて、感作源の確認のため、飼育歴のある鳥の羽毛や糞の特異的IgE抗体を測定する。また、Gal d 5に対する特異的IgE抗体測定(保険適用外)は診断に有用である。

6) 治療・患者指導

鶏卵の経口摂取と、感作源となった鳥との接触を避けるように指導する。ただし、加熱によりGal d 5のIgE反応性は88%減弱したとの報告もあり[11]、十分に加熱されていれば鶏卵を摂取できることがある。鶏卵黄に比べ、鶏卵白のほうが摂取できる可能性が高いが、個人差がある。また、鶏肉についても小児で22%[12]、成人で12%[13]と誘発されることから、卵白や鶏肉の摂取の可否は個々の症例で評価する。

7) 予後

飼育していた鳥への曝露を止めることで、鳥の羽毛のみならず、卵黄やGal d 5に対する特異的IgE抗体が陰性化し、鶏卵黄に耐性を獲得した例が報告されており、感作源を取り除くことで耐性を獲得する可能性が示唆されている[14]。

参考文献

1) Drouet M, Lauret MG, Sabbah A. [The pork-cat syndrome : effect of sensitivity to cats on that to pork meat. Based on an

observation]. Allerg Immunol (Paris). 1994 ; 26 : 261-2.
2) Wilson JM, Platts-Mills TAE. Red meat allergy in children and adults. Curr Opin Allergy Clin Immunol. 2019 ; 19 : 229-35.
3) 山田早紀，松原康策，千貫祐子，他．ネコとイヌの両者に感作されたと考えられる小児期早期発症の pork-cat syndrome の 1 例．アレルギー．2019 ; 68 : 1141-7.
4) Cisteró-Bahíma A, Enrique E, San Miguel-Moncín MM, et al. Meat allergy and cross-reactivity with hamster epithelium. Allergy. 2003 ; 58 : 161-2.
5) Drouet M, Sabbah A, Le Sellin J, et al. [Fatal anaphylaxis after eating wild boar meat in a patient with pork-cat syndrome]. Allerg Immunol (Paris). 2001 ; 33 : 163-5.
6) Posthumus J, James HR, Lane CJ, et al. Initial description of pork-cat syndrome in the United States. J Allergy Clin Immunol. 2013 ; 131 : 923-5.
7) de Maat-Bleeker F, van Dijk AG, Berrens L. Allergy to egg yolk possibly induced by sensitization to bird serum antigens. Ann Allergy. 1985 ; 54 : 245-8.
8) Szépfalusi Z, Ebner C, Pandjaitan R, et al. Egg yolk alpha-livetin (chicken serum albumin) is a cross-reactive allergen in the bird-egg syndrome. J Allergy Clin Immunol. 1994 ; 93 : 932-42.
9) Añibarro B, García-Ara C, Ojeda JA. Bird-egg syndrome in childhood. J Allergy Clin Immunol. 1993 ; 92 : 628-30.
10) 猪又直子．経皮感作とアレルギー 1．動物と経皮感作型食物アレルギー．日皮会誌．2021 ; 131 : 491-7.
11) Quirce S, Marañón F, Umpiérrez A, et al. Chicken serum albumin (Gal d 5*) is a partially heat-labile inhalant and food allergen implicated in the bird-egg syndrome. Allergy. 2001 ; 56 : 754-62.
12) Bausela BA, García-Ara MC, Martín Esteban M, et al. Peculiarities of egg allergy in children with bird protein sensitization. Ann Allergy Asthma Immunol. 1997 ; 78 : 213-6.
13) Añibarro Bausela B, Martín Esteban M, Martínez Alzamora F, et al. Egg protein sensitization in patients with bird feather allergy. Allergy. 1991 ; 46 : 614-8.
14) Inomata N, Kawano K, Aihara M. Bird-egg syndrome induced by α-livetin sensitization in a budgerigar keeper : Successful induction of tolerance by avoiding exposure to avians. Allergol Int. 2019 ; 68 : 282-4.

第14-4章　動物の刺咬傷による食物アレルギー

> [要旨]
>
> 1. 動物刺咬傷を契機に食物アレルギーを発症することがあり、これまでにマダニ咬傷後の獣肉アレルギーと、クラゲ刺傷後の納豆アレルギーが報告されている。
>
> 2. 昆虫のマダニ咬傷によって、マダニ由来の糖鎖 galactose-α-1,3-galactose（α-Gal）に感作されると、α-Gal を含む獣肉を経口摂取時に遅発型にアレルギー症状が誘発される。
>
> 3. 納豆アレルギーは遅発型アナフィラキシーの臨床像を呈し、粘稠成分のポリガンマグルタミン酸を主要抗原とする食物アレルギーである。ポリガンマグルタミン酸は、クラゲなどの刺胞動物の刺胞で産生されることから、これらの刺傷を介して感作されるものと考えられている。

1. α-Gal による獣肉アレルギー

1）定義と概念

　マダニ咬傷を介して、マダニ唾液や消化管内に存在する糖鎖の一種 galactose-α-1,3-galactose（α-Gal）に感作されると、α-Gal を含む食物や薬剤によってアレルギー症状が誘発されることがあり、これをα-Gal 症候群という。α-Gal 症候群として生じる食物アレルギーは、主に、牛肉や豚肉などの獣肉により誘発され、遅発型に発症するのが特徴である。

2）臨床的特徴

　α-Gal 感作による獣肉アレルギーでは、獣肉を経口摂取して 2〜6 時間後に、蕁麻疹や血管性浮腫などの皮膚症状、下痢などの消化器症状が現れることが多く、時にアナフィラキシーに至る。このように、通常の IgE 依存性食物アレルギーに比べ、経口摂取後遅れて発症するのが特徴で、遅発型アナフィラキシー（late-onset anaphylaxis）として報告されることが多い。ただし、約 16％は 2 時間以内に発症するとの報告もある[1]。また、臨床症状の再現性は必ずしも一定せず、同一患者でも運動、非ステロイド性抗炎症薬（NSAIDs）内服、飲酒などの二次的要因の関与によって、症状の出現や増悪が認められる[2]。

　非霊長類哺乳動物、すなわちウシ、ブタ、ヒツジ、ウマ、シカなどの 4 つ足動物の肉が主な原因になるが、一部の症例では、牛乳、内臓肉、または内臓組織（豚の腎臓など）などでも症状が誘発される。欧州の一部の地域で好んで摂取される豚の腎臓の場合、即時型に症状が出現する。鶏肉では誘発されない。

また、抗がん薬である抗ヒトEGF受容体モノクローナル抗体製剤セツキシマブやゼラチン含有コロイドもα-Galを含むので、α-Gal感作例では、アナフィラキシーが生じる恐れがある[3]。なお、セツキシマブなどの点滴製剤では、投与後速やかに症状が出現する。

3）疫学

2009年に米国とオーストラリアからの報告以降、世界のマダニ咬傷発生地域から報告されている。わが国でも2012年以降、全国から報告されている[4]。マダニの種類は、日本ではフタトゲチマダニ（*Haemaphysalis longicornis*）やタカサゴキララマダニ（*Amblyomma testudinarium*）、米国ではlone star tick（*Amblyomma americanum*）、欧州では*Ixodes ricinus*、オーストラリアでは*Ixodes holocyclus*が報告されている。

山野での活動中にマダニ咬傷を受傷する例が多く、報告例のほとんどは成人であるが、小児例も存在する。

獣肉アレルギー患者の多く（97％）は血液型がB型以外であったとの報告がある[5]。ABO式血液型は糖鎖で決定され、B型の糖鎖はα-Galと類似の構造を有するため、自己抗原に対しての抗体を産生しにくく、本症ではB型の患者が少ないと考えられている。

4）獣肉アレルギーの遅発型発症の理由

α-Galは、獣肉として経口摂取した場合、糖脂質や糖タンパクとして吸収される。これまでの知見から、特に、糖脂質として吸収された場合、脂質の吸収や低分子化に時間を要し、マスト細胞への到達が遅れるために遅発型になるものと推察されている。

5）診断

問診上、獣肉を摂取し2～6時間経過してから蕁麻疹やアナフィラキシーなどのアレルギー症状が発症した場合に本症を疑う。マダニ咬傷歴は本症を支持する情報であるが、マダニ咬傷歴や山野での活動歴がないからといって、本症を否定する根拠にはならない。

検査として、牛肉や豚肉などの獣肉に対する特異的IgE抗体測定を行う。また、α-Galの感作については、抗ウシサイログロブリン（α-Galを含む）に対する特異的IgE抗体測定を用いた評価方法も提案されている[6]。また、研究レベルではあるが、α-Gal特異的IgE抗体保有者において、好塩基球活性化試験陽性が臨床症状と強く相関し[7]、セツキシマブが誘発するアナフィラキシーの予測に有用との報告がある。

6）治療と指導

原則、獣肉や内臓の経口摂取を避けるように指導する。食用の内臓としては、腎臓、肝臓、心臓、腸管などが含まれる。牛肉や豚肉については、加熱により抗原性が低下する可能性が示唆されているが、豚の腎臓は95℃10分間の加熱で抗原性の低下はないとの報告がある[8]。

また、牛乳は抗体価が陽性になっても、乳製品中のα-Gal含有量はわずかなので、ほとんどの患者は症状なしに摂取でき、原則、牛乳やチーズは回避の対象にならない[6]。しかし、獣肉の回避でも十分なコントロールが得られない牛乳特異的IgE抗体陽性例では、牛乳や乳製品を避けるように指導する。日本では子持ちカレイとの交差反応も報告されている[9]。

7）予後
最近の報告では、感作源であるマダニ咬傷を避ける工夫をすることで牛肉特異的IgE抗体価が低下することが示されており、マダニ咬傷予防によって本症の寛解につながる可能性が期待されている[10]。マダニ回避策として、肌を露出しない適切な衣服の着用や防虫スプレーの使用が効果的とされている。

ダニ対策リーフレット　厚生労働省
https://www.mhlw.go.jp/file/06-Seisakujouhou-10900000-Kenkoukyoku/0000164586.pdf

マダニ対策ホームページ　厚生労働省
https://www.mhlw.go.jp/stf/seisakunitsuite/bunya/0000164495.html

2. ポリガンマグルタミン酸による納豆アレルギー

1）概念
納豆アレルギーは、IgE依存性食物アレルギーであるにもかかわらず、多くは遅発型アナフィラキシー（late-onset anaphylaxis）の臨床像を呈する[11]。本症の主要アレルゲンは、納豆の粘稠成分であるポリガンマグルタミン酸（poly-γ-glutamic acid, PGA）であり、その感作はクラゲ刺傷を介して成立するものと考えられている[12]。

2）臨床的特徴
納豆を摂取して約半日（5～14時間）後に発症する。ほぼ全例で、蕁麻疹や呼吸困難を認め、消化器症状、意識障害などを伴うことがある。意識消失を伴うアナフィラキシーショックの頻度は約70％と高く、重篤なアレルギーである。摂取から症状出現までの時間が長いため、診断に至りにくい。特に、夜間～早朝の原因不明のアナフィラキシーでは、本症の鑑別が必要である。
原因抗原であるPGAは、大豆と納豆菌を混合後の発酵過程で新たに産生される物質であるため、原則、大豆にアレルギー反応を示すことはない。

3）疫学
20～50歳代の男性に多い[13]。生活歴として、マリンスポーツ歴を有する人が多く、中でも

サーフィンをする人は全体の 80% を占める。小児の報告は稀であるが、PGA 感作が確認された例では、サーフィン歴がある例とない例の両方が報告されている[14,15]。

4）発症機序

PGA の感作は、クラゲなどの刺胞動物刺傷を介して成立すると推定されている[13]。クラゲは、標的を刺すときに、触角細胞内で PGA を産生する。海での活動中に、クラゲ刺傷を繰り返すうちにクラゲ由来 PGA に感作された人は、納豆摂取時に納豆由来 PGA との交差反応が生じるものと考えられる[13,16]。

遅発型に発症する理由は、高分子の PGA が腸管内で分解され吸収されるまでに時間がかかるためと推察されている[12]。

5）診断

問診上、納豆摂取後に遅発型にアレルギー症状が出現していれば本症を疑う。夜間や早朝に生じた原因不明のアナフィラキシーでは、半日前まで遡って納豆を摂取していないか確認する。

診断には、納豆を用いた prick-to-prick test が有用である。現時点では納豆や PGA に対する特異的 IgE 抗体検査は市販されていない。研究レベルではあるが、PGA を抗原に用いる好塩基球活性化試験は診断の一助になる[15]。

6）治療・患者指導

納豆および PGA を含有する食品[15]や化粧品などを避ける。PGA 含有製品として、食品では、出汁（Ca 吸収促進）、減塩醤油（塩味調節）などの調味料、かまぼこ・ドレッシング（増粘剤）、保存剤、甘味料、特定保健用食品（Ca 吸収促進）のほか、化粧品（保湿剤）、ドライマウス用剤（唾液分泌促進）、医薬品（drug delivery system）などがある。成分表示は統一されておらず、ポリガンマグルタミン酸、ポリグルタミン酸、γ-PGA、納豆菌ガムなどと表記される。

なお、豆腐などの大豆製品や、納豆菌を用いない大豆発酵製品（醤油、味噌）には PGA は含まれていないため、これらの除去は必要ない。

参考文献

1) Wilson JM, Schuyler AJ, Workman L, et al. Investigation into the α-Gal Syndrome：Characteristics of 261 children and adults reporting red meat allergy. J Allergy Clin Immunol Pract. 2019；7：2348-58.e4.
2) Fischer J, Hebsaker J, Caponetto P, et al. Galactose-alpha-1, 3-galactose sensitization is a prerequisite for pork-kidney allergy and cofactor-related mammalian meat anaphylaxis. J Allergy Clin Immunol. 2014；134：755-9.e1.
3) Chung CH, Mirakhur B, Chan E, et al. Cetuximab-induced anaphylaxis and IgE specific for galactose-alpha-1, 3-galactose. N Engl J Med. 2008；358：1109-17.
4) Sekiya K, Fukutomi Y, Nakazawa T, et al. Delayed anaphylactic reaction to mammalian meat. J Investig Allergol Clin Immunol. 2012；22：446-7.
5) Hamsten C, Tran TAT, Starkhammar M, et al. Red meat allergy in Sweden：association with tick sensitization and

B-negative blood groups. J Allergy Clin Immunol. 2013 ; 132 : 1431-4.
6) Platts-Mills TAE, Li RC, Keshavarz B, et al. Diagnosis and management of patients with the α-Gal syndrome. J Allergy Clin Immunol Pract. 2020 ; 8 : 15-23.e1.
7) Commins SP, James HR, Stevens W, et al. Delayed clinical and *ex vivo* response to mammalian meat in patients with IgE to galactose-alpha-1, 3-galactose. J Allergy Clin Immunol. 2014 ; 134 : 108-15.
8) Hilger C, Fischer J, Swiontek K, et al. Two galactose-alpha-1,3-galactose carrying peptidases from pork kidney mediate anaphylactogenic responses in delayed meat allergy. Allergy. 2016 ; 71 : 711-9.
9) 千貫祐子，高橋　仁，森田栄伸．牛肉アレルギー患者20例の臨床的および血清学的解析．日皮会誌．2013 ; 123 : 1807-14.
10) Kim MS, Straesser MD, Keshavarz B, et al. IgE to galactose-α-1, 3-galactose wanes over time in patients who avoid tick bites. J Allergy Clin Immunol Pract. 2020 ; 8 : 364-7.e2.
11) Inomata N, Osuna H, Ikezawa Z. Late-onset anaphylaxis to Bacillus natto-fermented soybeans (natto). J Allergy Clin Immunol. 2004 ; 113 : 998-1000.
12) Inomata N, Nomura Y, Ikezawa Z. Involvement of poly (γ-glutamic acid) as an allergen in late-onset anaphylaxis due to fermented soybeans (natto). J Dermatol. 2012 ; 39 : 409-12.
13) Inomata N, Miyakawa M, Aihara M. Surfing as a risk factor for sensitization to poly(γ-glutamic acid) in fermented soybeans, natto, allergy. Allergol Int. 2018 ; 67 : 341-6.
14) Matsubayashi R, Matsubayashi T, Yokota T, et al. Pediatric late-onset anaphylaxis caused by natto (fermented soybeans). Pediatr Int. 2010 ; 52 : 657-8.
15) Yamakawa K, Inomata N, Fukuro K, et al. Fermented soybean-induced late-onset anaphylaxis in a 7-year-old junior surfer. J Dermatol. 2020 ; 47 : e17-8.
16) Inomata N, Chin K, Aihara M. Anaphylaxis caused by ingesting jellyfish in a subject with fermented soybean allergy : possibility of epicutaneous sensitization to poly-gamma-glutamic acid by jellyfish stings. J Dermatol. 2014 ; 41 : 752-3.

第15章 その他の食物関連アレルギー

[要旨]

1. 食物そのものではなく、食品添加物や種々の食品添加成分が、食後に来すアレルギー症状の原因であることがある。

2. 糖アルコールであるエリスリトールによるアレルギーの報告は少なくない。エリスリトールによる皮膚プリックテストは陽性率が必ずしも高くはなく、診断には皮内テストが必要になることがある。

3. アイシャドウや口紅に含有されているカルミンにより経皮経粘膜感作を受けて、食品添加物として使用されている食品中のコチニール色素の経口摂取により全身性アレルギー症状を来す症例は少なくない。特に成人女性で報告が多い。

4. 魚介類の寄生虫であるアニサキスは、食後の全身性アレルギー症状の原因となり得る。魚介類の生食後に症状を来す症例が多く、原因食物摂取後数時間以上経過してから症状を来す症例も少なくない。

5. お好み焼きやホットケーキを摂取した後に全身性アレルギー症状を来す患者の中に、その食品に混入しているダニ由来のアレルゲンが原因となっているものがいる。

1. エリスリトール

1) 概念

エリスリトールとは、メロン、ブドウやナシなどの果実や醤油・味噌・清酒などの発酵食品に含まれている天然の糖アルコールで、甘味料として清涼飲料水、ゼリーなどの菓子類や菓子パンなどによく添加されている。分子量は122と小さいため、一般的にアレルゲンになりやすい物質とは考えにくいが、この物質の経口摂取によるアレルギーの報告は少なくない[1,2]。清涼飲料水やゼリーなどの菓子類摂取後の食物アレルギー症状の原因として、エリスリトールを考慮する必要がある。好塩基球活性化試験を用いてIgE依存性を確認した症例も報告されているが[3]、エリスリトールに対する特異的IgE抗体の検出は報告されていない。

2) 診断

エリスリトールによるアレルギーでは、皮膚プリックテスト（skin prick test, SPT）が陰性で皮内テストのみが陽性を示したという報告も少なくない[4,5]。当該疾患を疑う場合は、SPTのみならず皮内テストも含めて施行する必要がある。

3）生活指導

エリスリトールを含有する食品の摂取回避を指導する。しかし、エリスリトールは食品添加物ではなく「食品」扱いのため、表示の省略が認められる場合があり、食品表示の情報のみでは完全には摂取回避が困難であるという問題がある。エリスリトールはメロンやチーズなどの天然の食品にも含まれているが、多くの症例はこれらの摂取で症状が誘発されたエピソードがなく、通常は摂取回避不要である。

2. コチニール色素

1）概念

食品中の色素により発症する食物アレルギーとして以前から知られているのが、コチニール色素によるアレルギーである[6]。コチニール色素は、南米産のサボテンに生息する雌のエンジムシ（別名：コチニールカイガラムシ、学名：*Dactylopius coccus* Costa）から抽出される赤色色素である[7]。コチニール色素の主色素成分はカルミン酸（carminic acid、分子量 492）であり、化粧品の赤色染料として、口紅やアイシャドウなどに、食品添加物としてかまぼこ、カンパリ、明太子などの赤色の食品に使用される。一方、カルミン酸にアルミニウムを加えて不溶化（レーキ化）したものをカルミン（carmine）という。わが国では、カルミンは医薬部外品としては使用されているが、食品添加物としての使用は許可されていない[7]。しかし、諸外国では法規制が異なりコチニール色素、カルミンともに医薬品添加物、医薬部外品や化粧品などのみならず、食品添加物としても使用が許可されている。

即時型アレルギーの原因は、多くの症例で、色素の成分（カルミン酸）ではなく、主に虫体由来の夾雑タンパク質アレルゲンであると考えられている[8〜10]。また、わが国から報告されているアレルギー症例の大半が成人女性であり、コチニール色素への感作源は主にアイシャドウや口紅などの化粧品であると考えられている[9,11]。化粧品の使用による当該抗原への感作後、コチニール色素を含む食品、飲料などを経口摂取した際に、全身性アレルギー反応を来す。以前はカンパリの摂取で症状が惹起される症例が多かったが、近年はカンパリでの当該色素の使用が中止され、報告数は減少している。現在わが国では、食品添加物として用いられるコチニール色素の場合、タンパク質含有率が 2.2％以下という厳しい規制がある。一方で、フランス産のマカロンなど海外から輸入された食品や飲料の摂取により症状が惹起された症例の報告は少なくない[12]。また、夾雑タンパク質アレルゲンではなく、カルミン酸そのものにより IgE 反応が惹起されていることが示されている症例も報告されている[13,14]。

2）診断

コチニール色素抽出液やカルミンでの SPT 陽性や、イムノキャップ® 法によるコチニール特異的 IgE 抗体価陽性を確認することが有用であるが、いずれの検査も保険収載されていない[9]。

3) 生活指導

コチニール色素を含有している食品の摂取回避のみならず、コチニール色素やカルミンを含有する化粧品の使用を回避する必要がある。日本ではコチニール色素は食品添加物として表示義務が課せられている。発症の原因となったカルミン含有の化粧品が明らかである場合では、この化粧品の使用の中止により、経年的にコチニール色素IgE抗体価の低下を示す患者が存在する[9]。

3. アニサキス

1) 概念

アニサキス（*Anisakis simplex*）とは、回虫目アニサキス科に属する寄生虫である。魚類やイカに寄生している虫体をヒトが摂取することにより、それが消化管内の胃壁に迷入し、激しい腹痛や嘔吐の症状を引き起こすことがある（胃アニサキス症）[15]。一方、アニサキス由来のアレルゲンによるIgE依存性反応により蕁麻疹、消化器症状やさらにはアナフィラキシー症状を呈することもあり、これらはアニサキスアレルギーと呼ばれる[16,17]。アニサキスアレルギーは成人では極めて頻度が高く[18]、成人における魚介類摂取後のアナフィラキシーのエピソードを有する患者に関しては、当該疾患を必ず鑑別する必要がある。

近年、胃アニサキス症に関しても、痛みなどの症状の発症メカニズムにはアニサキスに対するIgE依存性反応が関与していると報告されている[19]。アニサキスアレルギーに関して一部職業性発症の報告もあるが、大半の症例は、アニサキスの消化管における感染が契機になって発症していると報告されている。この病態をgastroallergic anisakiasisと称する[20~22]。

一般的にアニサキスの寄生率が高い魚介類（サバ、アジ、カツオ、イワシ、ブリ、ホッケ、イカなど）の生食後に症状を起こすことが多い[15,23]。アニサキス由来のアレルゲンには熱耐性を有するものもあり、加熱調理した魚介類でも症状を来し得る。摂取から症状出現までの時間は食直後から12時間後であり、一般的な食物アレルギーよりも時間の幅があることが特徴的である[20]。臨床症状としては、激しい心窩部痛、嘔気・嘔吐、下痢とともに蕁麻疹や血管浮腫の症状を認めることが多い[20]。

2) 診断

アニサキスアレルギーの診断には、アニサキスが寄生しやすい魚類やイカ摂取後のアレルギー症状誘発の病歴に加え、アニサキス特異的IgE抗体高値の結果を確認する。また、摂取した魚介類でのSPTや特異的IgE抗体価の測定を行い、真の魚アレルギーや他の食物アレルギーを除外診断する必要がある。なお、gastroallergic anisakiasisでは、生食に関連するアレルギーのエピソードがあると、その1か月後にアニサキス特異的IgE抗体価が3~4倍程度まで上昇し[24]、その後、アニサキスへの曝露を回避できていれば、経年的に低下していくことが多い[25,26]。

3）生活指導

アニサキスアレルギー患者に対する食事指導の方法に関して、コンセンサスを得られたものはない。一般的には、アニサキスが寄生している可能性が高い魚介類の摂取を控えるように指導することが多いが、寄生頻度が低い魚類の生食でも、偶然の寄生により症状を起こし得る。加熱調理した魚介類でも症状を起こし得るが、症状を起こす頻度や重症度などの観点から、圧倒的に生食のほうが危険である[27〜29]。

4．経口ダニアナフィラキシー（パンケーキ症候群）

1）概念

お好み焼きやホットケーキを摂取した後に全身性アレルギー症状を来す場合に、食材の小麦などに対するアレルギーではなく、その食品に混入しているダニの経口摂取が原因となることが知られている[30〜32]。家庭用のお好み焼き粉、ケーキミックス粉などを開封後、常温で数か月放置し、粉中でダニが繁殖した場合、これを経口摂取した際にダニへのアレルギーによりアナフィラキシーを来す。この病態を経口ダニアナフィラキシー（oral mite anaphylaxis）もしくはパンケーキ症候群（pancake syndrome）と呼ぶ。

この病態は、わが国ではお好み焼き粉で起こることが多い[33]。ほとんどの場合は、自宅などで、常温で密封されないまま数か月以上保存されていたお好み焼き粉を使用した食品を摂取した後に発症する[33]。

この病態は、通年性のアレルギー性鼻炎や喘息など、もともと吸入性のダニアレルギーを有している患者に起こることが多い。わが国では、粉中で検出されるダニ種としては、ハウスダスト中に存在し通年性アレルギー性鼻炎や喘息の原因になっているコナヒョウヒダニが圧倒的に多い[33〜36]。誘発される症状も、強い鼻閉、喘鳴など、一般的に吸入性ダニアレルギーで来しやすいアレルギー症状が主体になる場合が多い[33]。

2）診断

ダニ汚染が疑われる粉物の食品（お好み焼きなど）の経口摂取による症状誘発の病歴、小麦などの真の食物アレルギーの否定と、ダニ感作の証明が必要となる[30]。汚染が疑われる小麦粉の保存状況に関する問診も必要である。もし、症状を来したダニ汚染小麦粉などが残っていたら、症状の原因となった粉と新しく購入した同一の粉で同時に prick-to-prick test を行い、症状の原因となった粉でのみ陽性反応を確認できるとよい。また、可能であれば、粉または当該食品の直接的な検鏡[37]によるダニの確認、もしくは、ダニアレルゲン量（ELISA による Der f 1 量など）の測定などを行い、ダニアレルゲンの存在を証明すると、より診断が確からしくなる。

3) 生活指導

　小麦粉・お好み焼き粉などは開封後、なるべく早めに使い切るよう指導する。また、自宅でこれらを保存する場合は密閉した容器に入れ、確実に予防するためには冷蔵庫内で保存するように指導する。食物アレルギーではないので、小麦などの摂取自体を制限する必要はない。レストランなどでの食事においては、古い粉が使用されることは極めて稀で、当該疾患が発症した報告はなく、小麦製品は自由に摂取してよい。

引用文献

1) Shirao K, Inoue M, Tokuda R, et al. "Bitter sweet"：a child case of erythritol-induced anaphylaxis. Allergol Int. 2013；62：269-71.
2) Sugiura S, Kondo Y, Ito K, et al. A case of anaphylaxis to erythritol diagnosed by CD203c expression-based basophil activation test. Ann Allergy Asthma Immunol. 2013；111：222-3.
3) Sugiura S, Kondo Y, Tsuge I, et al. IgE-dependent mechanism and successful desensitization of erythritol allergy. Ann Allergy Asthma Immunol. 2016；117：320-1.e1.
4) Harada N, Hiragun M, Mizuno M, et al. A case of erythritol allergy studied by basophil histamine release and CD203c expression in vitro in addition to a challenge test in vivo. J Investig Allergol Clin Immunol. 2016；26：135-6.
5) 栗原和幸，鈴木　剛，吽野　篤，他．プリックテスト陰性，皮内テスト陽性のエリスリトールによるアナフィラキシーの5歳男児例．アレルギー．2013；62：1534-40.
6) Kagi MK, Wuthrich B, Johansson SG. Campari-Orange anaphylaxis due to carmine allergy. Lancet 1994；344：60-1.
7) 穐山　浩，海老澤元宏．低分子化合物の食物アレルギー．日小ア誌．2014；28：25-30.
8) Ohgiya Y, Arakawa F, Akiyama H, et al. Molecular cloning, expression, and characterization of a major 38-kd cochineal allergen. J Allergy Clin Immunol. 2009；123：1157-62, 1162.e1-4.
9) Takeo N, Nakamura M, Nakayama S, et al. Cochineal dye-induced immediate allergy：Review of Japanese cases and proposed new diagnostic chart. Allergol Int. 2018；67：496-505.
10) Yamakawa Y, Oosuna H, Yamakawa T, et al. Cochineal extract-induced immediate allergy. J Dermatol. 2009；36：72-4.
11) Miyakawa M, Inomata N, Sagawa N, et al. Anaphylaxis due to carmine-containing foods induced by epicutaneous sensitization to red eye-liner. J Dermatol. 2017；44：96-7.
12) 原田　晋，山川有子，杉本直樹，他．フランス製菓子赤色マカロン摂取後に生じた，コチニール色素によるアナフィラキシーの2症例．J Environ Dermatol Cutan Allergol. 2014；8：180-6.
13) Sugimoto N, Yamaguchi M, Tanaka Y, et al. The basophil activation test identified carminic acid as an allergen inducing anaphylaxis. J Allergy Clin Immunol Pract. 2013；1：197-9.
14) Osumi M, Yamaguchi M, Sugimoto N, et al. Allergy to carminic acid：in vitro evidence of involvement of protein-binding hapten. Asia Pac Allergy. 2019；9：e2.
15) 内閣府　食品安全委員会．ファクトシート「アニサキス症」．https://www.fsc.go.jp/factsheets/index.data/factsheets_anisakidae_170221.pdf
16) Moneo I, Carballeda-Sangiao N, González-Muñoz M. New perspectives on the diagnosis of allergy to Anisakis spp. Curr Allergy Asthma Rep. 2017；17：27.
17) Kasuya S, Hamano H, Izumi S. Mackerel-induced urticaria and Anisakis. Lancet. 1990；335：665.
18) Morishima R, Motojima S, Tsuneishi D, et al. Anisakis is a major cause of anaphylaxis in seaside areas：An epidemiological study in Japan. Allergy. 2020；75：441-4.
19) 山本　馨，栗原　毅，福生吉裕．アニサキス症のユニークで簡便な治療法．日本医科大学医学会雑誌．2012；8：179-80.
20) Daschner A, Alonso-Gomez A, Cabanas R, et al. Gastroallergic anisakiasis：borderline between food allergy and parasitic disease-clinical and allergologic evaluation of 20 patients with confirmed acute parasitism by Anisakis simplex. J Allergy Clin Immunol. 2000；105：176-81.
21) Alonso A, Daschner A, Moreno-Ancillo A. Anaphylaxis with Anisakis simplex in the gastric mucosa. N Engl J Med. 1997；337：350-1.
22) López-Serrano MC, Gomez AA, Daschner A, et al. Gastroallergic anisakiasis：findings in 22 patients. J Gastroenterol Hepatol. 2000；15：503-6.
23) 東京都健康安全研究センター．魚種別アニサキス寄生状況について．http://www.fukushihoken.metro.tokyo.jp/shokuhin/

anzen_info/anisakis/tyousa2.html
24) Daschner A, Alonso-Gómez A, Caballero T, et al. Usefulness of early serial measurement of specific and total immunoglobulin E in the diagnosis of gastro-allergic anisakiasis. Clin Exp Allergy. 1999；29：1260-4.
25) Carballeda-Sangiao N, Rodríguez-Mahillo AI, Careche M, et al. Changes over time in IgE sensitization to allergens of the fish parasite *Anisakis* spp. PLoS Negl Trop Dis. 2016；10：e0004864.
26) Buquicchio R, Ventura MT, Traetta PL, et al. A Multicenter study of IgE sensitization to *Anisakis simplex* and diet recommendations. Endocr Metab Immune Disord Drug Targets. 2018；18：170-4.
27) Alonso A, Moreno-Ancillo A, Daschner A, et al. Dietary assessment in five cases of allergic reactions due to gastroallergic anisakiasis. Allergy. 1999；54：517-20.
28) Alonso-Gomez A, Moreno-Ancillo A, Lopez-Serrano MC, et al. Anisakis simplex only provokes allergic symptoms when the worm parasitises the gastrointestinal tract. Parasitol Res. 2004；93：378-84.
29) Sastre J, Lluch-Bernal M, Quirce S, et al. A double-blind, placebo-controlled oral challenge study with lyophilized larvae and antigen of the fish parasite, Anisakis simplex. Allergy. 2000；55：560-4.
30) Sanchez-Borges M, Suarez Chacon R, Capriles-Hulett A, et al. Anaphylaxis from ingestion of mites：pancake anaphylaxis. J Allergy Clin Immunol. 2013；131：31-5.
31) Erben AM, Rodriguez JL, McCullough J, et al. Anaphylaxis after ingestion of beignets contaminated with Dermatophagoides farinae. J Allergy Clin Immunol. 1993；92：846-9.
32) Sánchez-Borges M, Suárez Chacón R, Capriles-Hulett A, et al. Anaphylaxis from ingestion of mites：pancake anaphylaxis. J Allergy Clin Immunol. 2013；131：31-5.
33) Takahashi K, Taniguchi M, Fukutomi Y, et al. Oral mite anaphylaxis caused by mite-contaminated okonomiyaki/ pancake-mix in Japan：8 case reports and a review of 28 reported cases. Allergol Int. 2014；63：51-6.
34) Masaki K, Fukunaga K, Kawakami Y, et al. Rare presentation of anaphylaxis：pancake syndrome. BMJ Case Rep. 2019；12：e228854.
35) Hashizume H, Umayahara T, Kawakami Y. Pancake syndrome induced by ingestion of tempura. Br J Dermatol. 2014；170：213-4.
36) Adachi YS, Itazawa T, Okabe Y, et al. A case of mite-ingestion-associated exercise-induced anaphylaxis mimicking wheat-dependent exercise-induced anaphylaxis. Int Arch Allergy Immunol. 2013；162：181-3.
37) 石黒智紀, 松井照明, 松本圭司, 他. 調理後のたこ焼きからダニを検出できたパンケーキ症候群の1例. アレルギー. 2021；70：1207-10.

第16章　消化管アレルギーとその関連疾患

[要旨]

1. 新生児・乳児食物蛋白誘発胃腸症

1. 新生児から乳児期において主に牛乳が原因で嘔吐、血便、下痢などの消化器症状により発症する。主として非 IgE 依存性アレルギーの疾患群である。

2. 新生児・乳児消化管アレルギーとしてわが国独自の疾患概念として扱ってきたが、小児の消化器分野や国際的な概念も鑑みて、新たに新生児・乳児食物蛋白誘発胃腸症と命名し、再定義された。基本的には新生児・乳児食物蛋白誘発胃腸症は新生児・乳児消化管アレルギーおよび non-IgE-mediated gastrointestinal food allergies（non-IgE-GIFAs）と同義として扱う。

3. 本疾患群には food protein-induced enterocolitis syndrome（FPIES）、food protein-induced allergic proctocolitis（FPIAP）および food protein-induced enteropathy（FPE）が含まれる。

4. 除去・負荷試験を中心に診断し、治療は原因食物の除去が基本である。一般に予後は良好である。

2. 好酸球性消化管疾患（eosinophilic gastrointestinal disorders, EGIDs）

1. 好酸球の消化管局所への異常な集積から生じる好酸球性炎症性疾患の総称である。病態は IgE 依存性・非 IgE 依存性アレルギーが混在し混合性に分類される。新生児・乳児食物蛋白誘発胃腸症の中には病理学的に EGIDs と診断される例がある。

2. 原因食物が同定できないなど、食物アレルギーとの関連がはっきりとしない例も存在する。

3. 病変部位により好酸球性食道炎（eosinophilic esophagitis, EoE）、好酸球性胃炎（eosinophilic gastritis, EG）、好酸球性胃腸炎（eosinophilic gastroenteritis, EGE）、好酸球性大腸炎（eosinophilic colitis, EC）に大別される。

4. 診断には消化管粘膜生検での組織好酸球数増多の確認が必須である。EoE では内視鏡所見が特徴的である。

5. EoE ではプロトンポンプ阻害薬（PPI）が第一選択薬として使用される。

6. 治療は局所および全身性ステロイド療法と原因食物の除去が中心である。しばしば再燃する慢性疾患である。

第16章 消化管アレルギーとその関連疾患

1. 消化管アレルギー

　食物アレルギーにおいて消化器症状を認めるものが一般に「消化管アレルギー」と呼ばれている。ただ厳密には食物抗原以外の抗原によるものも含めるべきである。消化管アレルギーは抗原特異的 IgE 抗体の病態への関与の程度の違いで IgE 依存性、非 IgE 依存性と両方の性質を持つ混合性に分けられる[1]。代表的な IgE 依存性が即時型の食物アレルギーであり（他章参照）、非 IgE 依存性には、新生児・乳児食物蛋白誘発胃腸症、混合性には好酸球性消化管疾患（eosinophilic gastrointestinal disorders, EGIDs）が含まれる。セリアック病を消化管アレルギーに含める場合には非 IgE 依存性に分類される。

2. 新生児・乳児食物蛋白誘発胃腸症

1) 定義と概念

　新生児から乳児期において主に牛乳が原因で嘔吐、血便、下痢などの消化器症状により発症する非 IgE 依存性消化管アレルギーである[2]。非 IgE は臨床上の定義であり、本症においても抗原特異的 IgE 抗体の存在が証明される例もある[3〜5]。また一部の症例では EGIDs とも診断される。重症例は指定難病とされている。これまで新生児・乳児消化管アレルギーとして、わが国独自の疾患概念として扱う傾向にあったが、わが国の症例の国際的な認知も進み、小児の消化器分野での概念も鑑みて、厚生労働省研究班によって新たに新生児・乳児食物蛋白誘発胃腸症と命名し、再定義された[2]。基本的には新生児・乳児食物蛋白誘発胃腸症は新生児・乳児消化管アレルギーおよび non-IgE-mediated gastrointestinal food allergies（non-IgE-GIFAs）と同義として扱う。

2) 疫学

　わが国では新生児・乳児食物蛋白誘発胃腸症は 2000 年ごろから増加し、2000 年代前半の調査では発症率は 0.21% であった[6]。欧米でも FPIES と FPIAP が増加しており、FPIES は約 10 年で 0.023% から 0.42% に増加した[7]。最近、わが国では solid FPIES（固形食物による FPIES）、特に卵黄の solid FPIES の増加が注目されている[8]。

3) 分類

　新生児・乳児食物蛋白誘発胃腸症は新生児・乳児における food protein-induced enterocolitis syndrome（FPIES；食物蛋白誘発胃腸炎）、food protein-induced allergic proctocolitis（FPIAP；食物蛋白誘発アレルギー性結腸直腸炎）、food protein-induced enteropathy（FPE；食物蛋白誘発腸症）（これらの日本語訳は必ずしも統一されていない）に分けられる（表16-1）。特に FPIES は 2017 年に International consensus guidelines が公開され[9]、詳細な分類が追加された。その中で、近年のわが国や韓国の症例の特徴を鑑みて chronic FPIES という概念が紹介された。しかしながら新しい概念を加えても明確に区別できない症例も存在

■ 表16-1 新生児・乳児食物蛋白誘発胃腸症の分類と特徴

新生児・乳児 （非IgE依存性） 食物蛋白誘発胃腸症 (non-IgE-GIFAs) 新生児・乳児消化管 アレルギー	FPIES	発症年齢	早発	9か月未満
			遅発	9か月以降
		重症度*	軽症～中等症	反復性嘔吐±下痢、顔色蒼白、軽度不活発
			重症	噴出性嘔吐±下痢、顔色蒼白、不活発、脱水、低血圧、ショック、メトヘモグロビン血症、代謝性アシドーシス
		発症時間と 有症状期間	急性	間欠的食物曝露、1～4時間以内の嘔吐。倦怠感と蒼白を伴う。 下痢は24時間以内（通常5～10時間）で発症。 原因食物の除去後24時間以内に改善。 成長は正常。 原因食物除去中は無症状。
			慢性	原因食物の連日摂取で発症。 間欠的嘔吐、慢性下痢、体重増加不良または成長障害。 重症では一時的な腸の安静と静脈内輸液が時に必要。 原因食物の除去後3～10日以内に改善。 除去後の原因食物の摂食では急性症状を示す。
		特異的IgE 抗体	典型的	原因食物の特異的IgE抗体陰性
			非典型的	原因食物の特異的IgE抗体陽性
		原因食物	非固形	牛乳、豆乳、母乳
			固形	コメ、大豆、鶏卵、小麦など
	FPIAP	新生児期から乳児期全般に発症。母乳発症も多い。粘血便のみで全身所見は良好なことが多く、予後も良好。病理組織学的には好酸球性大腸炎が多い。		
	FPE	原因食物により2週間以上続く下痢、体重増加不良、吸収障害などを来す。小腸病変が主体であり小腸粘膜の絨毛萎縮や陰窩過形成、上皮内および粘膜固有層内のリンパ球浸潤を呈し、病理組織所見をもって最終診断がなされることもある。		

non-IgE-GIFA：non-IgE-mediated gastrointestinal food allergy、FPIES：food protein-induced enterocolitis syndrome（食物蛋白誘発胃腸炎症候群）、FPIAP：food protein-induced allergic proctocolitis（食物蛋白誘発アレルギー性結腸直腸炎）、FPE：food protein-induced enteropathy（食物蛋白誘発腸症）
*：わが国ではFPIAP、FPEも含め、中等症以上が指定難病の対象であり指定難病としての重症度分類・症状スコアが存在する。

する。FPIAPはその病理像が好酸球性大腸炎（eosinophilic colitis, EC）であることは古くから知られており[10]、わが国独自の分類としては、血便と嘔吐の有無によるクラスター分類[4]や消化管外症状による重症度分類[11]の報告がある。わが国では新生児・乳児食物蛋白誘発胃腸症として包括的に診療されることも多いので、厚生労働省研究班ガイドライン[2]では包括的な診療アルゴリズムが示され、それぞれの項目についてクリニカルクエスチョン（CQ）が設定され検討された（図16-1）。

4）臨床像

FPIES、FPIAP、FPEによって異なる。さらにFPIESについては国際ガイドラインにより慢

第16章 消化管アレルギーとその関連疾患

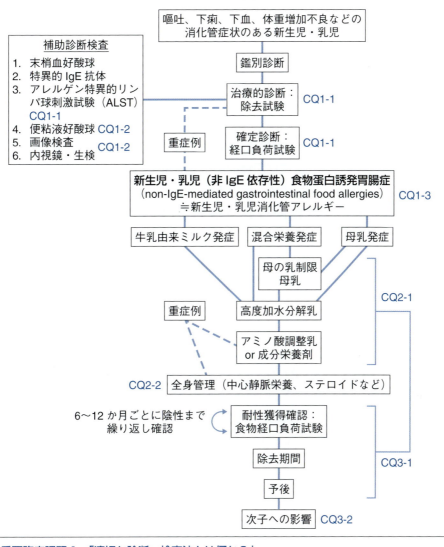

(『新生児・乳児食物蛋白誘発胃腸症診療ガイドライン』から引用改変)

■ 図 16-1　新生児・乳児食物蛋白誘発胃腸症の診療アルゴリズムとクリニカルクエスチョン[2]

性・急性、早発・遅発、特異的 IgE 抗体の有無によって分けられている（表16-1）[9]。また固形物による FPIES は solid FPIES といわれ鶏卵（特に卵黄）を中心にやや年長の患児に認められ、増加傾向にある[8, 9]。

5）診断

消化器症状を伴う感染症、代謝性疾患、壊死性腸炎、炎症性腸疾患、外科疾患など他疾患の鑑別が重要である。ただしこれらの疾患を合併する場合もある。食物アレルギーとしての診断は、原因食物の除去試験および食物経口負荷試験（oral food challenge, OFC）である[5]。OFC 以外に末梢血白血球数・好酸球数、抗原特異的 IgE 抗体、腹部超音波検査、腹部単純エックス線検査、アレルゲン特異的リンパ球刺激試験（allergen-specific lymphocyte stimulation test, ALST）、便粘液好酸球細胞診などの検査が用いられる。消化管内視鏡検査の適用は施設状況に依存しており難しいが、少なくとも十分に他疾患が除外できない場合は施行が考慮される。また、その際の病理組織所見も有用な補助診断とされている（図16-1）。

6）検査

(1) アレルギー検査

国内外のいずれの報告でも牛乳特異的 IgE 抗体は 30％程度の症例で陽性である[3~5]。ALST は主として牛乳抗原を対象になされている[12, 13]。ALST は抗原特異的リンパ球の存在を確認するための検査であり、IgE 依存性食物アレルギーでも陽性となり、これだけで診断の根拠とはならない[3]。また保険収載はされていない。

(2) 好酸球関連検査

①便粘液好酸球細胞診：血便を認める例では高率に陽性である[3, 4]。しかし検体の採取や検査の標準化は十分ではない。

②末梢血好酸球数：わが国の症例では高値を認めることが多い[4, 14]。一般に全身性ストレス時には末梢血好酸球数は低値をとることから、判断には注意が必要である。

③Eosinophil-derived neurotoxin（EDN）：便中および血中の EDN 値は本症で高値を示し有用であるが[15, 16]、検査の標準化は十分ではない。

(3) 食物除去試験・食物経口負荷試験

診断のために、まず疑う食物の除去（食物除去試験）を行う。OFC は重症度や施設の状況も十分に考慮して行うことが望ましい。新生児・乳児食物蛋白誘発胃腸症全体として OFC の時期や方法についての一定の見解はないが、少なくとも症状が十分に安定した後に少量から段階的に増量する点は共通している[4, 12]。基本的には非即時型のため摂取との因果関係がはっきりしない場合もある。FPIES については国際ガイドラインで OFC の判定基準が示されている[9]。1～4時間での嘔吐とその後の下痢（時に血便）が一般的である。また初回投与時の即時型反応出現も考慮して、事前に抗原特異的 IgE 抗体値を確認し、十分な準備と安全性の確保が必要で

ある。耐性獲得確認の OFC の時期は発症時の重症度や基礎疾患の有無、除去期間を総合的に判断して決定する。また欧米では FPIES に対する OFC は病院で実施するが、FPIAP や FPE は病院での実施を必ずしも必要としていない[5]。

(4) 組織病理所見

FPE は小腸粘膜絨毛の萎縮、陰窩の過形成、リンパ球浸潤などの病理組織所見で診断されることもある[17, 18]。本症では組織好酸球浸潤がしばしば認められ、FPIAP の病理像は一般に好酸球性大腸炎である[10]。

(5) その他の検査

30％程度の症例で C-reactive protein（CRP）値が陽性といわれており、発熱などの全身性症状を示し、敗血症との鑑別を要する例がある[19, 20]。また、アトピー性皮膚炎の指標である thymus and activation-regulated chemokine（TARC）が OFC 陽性時など有症状時に上昇することがあるといわれている[21, 22]。

7）治療

原因食物の除去が基本である。牛乳が原因の場合、分子量の大きい加水分解乳では十分に改善が認められないことがあるため[23]、より高度に加水分解された調製粉乳やアミノ酸乳あるいは医薬品である成分栄養剤が使用される。即時型と同様に微量元素や栄養素の欠乏のリスクなどの栄養管理に留意する（表 12-7）。

8）予後

乳児期に耐性を獲得する例も多い。わが国では 1 歳で半数以上、2 歳で 9 割前後が耐性を獲得できており[4]、一般に予後は良好である。

3. 好酸球性消化管疾患（eosinophilic gastrointestinal disorders, EGIDs）

1）定義と概念

好酸球性消化管疾患（eosinophilic gastrointestinal disorders, EGIDs）は好酸球の消化管局所への異常な集積から好酸球性炎症が生じ、消化管組織が傷害され、機能不全を起こす疾患の総称であり[24〜26]、指定難病である。なお新生児・乳児食物蛋白誘発胃腸症において FPIAP を中心に病理学的に好酸球浸潤が認められ EGIDs と診断される例がある。2020 年に厚生労働省研究班の国内向けのガイドラインが公開されている[27]。

2）分類

消化管の部位によって好酸球性食道炎（eosinophilic esophagitis, EoE）、胃炎（eosinophilic gastritis, EG）、胃腸炎（eosinophilic gastroenteritis, EGE）、大腸炎（eosinophilic colitis, EC）に分類される（図 16-2）。EGE と EG、EC は明確に区別できない部分があることから

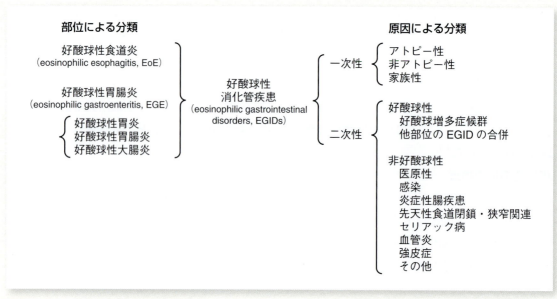

■ 図 16-2　好酸球性消化管疾患の分類

EG、EC はしばしば EGE に包括される[26]。原因による分類では食物アレルギーの関与が明らかでない場合もあるが、一次性のものの多くはアレルギー性炎症性疾患である。さまざまな疾患に伴う二次性の消化管好酸球増多では原疾患の病名が採用される（図 16-2）。臨床症状と病理所見から EoE が疑われるがプロトンポンプ阻害薬（proton pump inhibitor, PPI）に良好な反応を示す場合には proton pump inhibitor-responsive esophageal eosinophilia（PPI-REE）と診断され、EoE とは区別されていたが[28]、更新された欧米のガイドラインでは PPI-REE は EoE に含めることになった[29,30]。また、EGE は消化管壁内の好酸球浸潤部位により 3 つに分類（粘膜浸潤型、筋層主体型、漿膜下主体型）される[31]。

3）疫学

（1）EoE は男性に多く、2000 年代以降に欧米で先行して急増し、国際的には有病率（10 万人あたり）は 50～100（0.05～0.1％）程度である[32]。欧米より少ないが、わが国でも成人を中心に患者数が増加している[33,34]。また、わが国の小児患者の報告はまだ少ない。

（2）国際的には EGE は EoE より稀な疾患とされており欧米での有病率は 10 万人あたり 18 人（0.018％）程度である[35]。しかしわが国では EGE の報告が多く、2011 年当時の報告では EGE は EoE の 5.5 倍の患者数であった[36]。わが国では小児例も多い。

4）病態

一次性 EGIDs の多くは喘息などと同様にアレルギー性炎症性疾患である。EGIDs で認められるアレルギー反応は IgE 依存性と非 IgE 依存性の両方の性質を持つ混合性とされていること

からも症状出現は食事摂取の数分から数日後と幅広く、またしばしば原因抗原が複数存在し、原因の同定は容易ではない[26]。病態の一部は IgE 依存性反応の遅発型あるいは遅延型反応と考えられる。それに加えて EoE では特異的な病態が示されている[37]。抗原による食道粘膜上皮への損傷刺激から thymic stromal lymphopoietin（TSLP）が産生され、樹状細胞を介して Th2 細胞から IL-13 産生がなされ、IL-13 が食道粘膜上皮に作用し、eotaxin-3 が産生され好酸球が集積し炎症を起こす。そして集積した好酸球からの transforming growth factor（TGF）-β が IL-13 とともに線維芽細胞からの periostin 産生を促し、線維化亢進に作用している。つまり Th2 系の免疫反応誘導と上皮細胞のバリア機能異常に関連して病態が形成されている。

5）臨床像
(1) EoE の症状は食道の狭窄、機能障害に起因する。わが国では通過障害を認める例は少なく、むしろ胸焼けや心窩部痛といった症状が多い[38]。小児では年齢により症状が異なり、乳幼児は哺乳障害、幼児から学童は嘔吐、学童から 10 歳代では腹痛、嚥下障害、さらに 10 歳代から若年成人では嚥下障害、つかえ感、食物嵌頓が主要症状である[39]。
(2) EGE は非特異的な症状を呈する。好酸球の消化管壁内の浸潤部位による分類では、主たる浸潤部位が消化管粘膜である粘膜浸潤型では嘔吐、下痢、吸収不全を来し低蛋白血症や鉄欠乏性貧血を起こす。筋層に浸潤の主体がある筋層主体型は閉塞症状、漿膜側に浸潤のある漿膜下主体型では腹水が認められる。しかし、多くの場合はこれらが混在する[26,31]。

6）診断
わが国の診断基準（表 16-2、表 16-3）[27]および診療・治療の流れ（図 16-3）を示す。まず他疾患による二次性の消化管好酸球増多を除外する。時に好酸球増多症候群など全身性好酸球性疾患の鑑別のために、他臓器の検索も必要となる。末梢血好酸球増多は EGE では高率に認めるが、EoE では認めない症例も多い。診断には内視鏡所見も重要であり、生検による組織病理所見の確認が必須である。症状と病理所見の両者をもって診断される。

7）検査所見
(1) 内視鏡検査
EoE では食道粘膜に縦走溝、輪状狭窄、白斑などきわめて特異的な所見が認められるが[28]、EGE の罹患部位の消化管粘膜所見は浮腫、発赤、びらんなど非特異的である[40]。
(2) 組織病理所見
EoE では食道粘膜上皮内好酸球数 15 個／HPF 以上（ピーク値）が基準となる[28]。また、その他の関連所見として好酸球性膿瘍、好酸球顆粒タンパクの放出像、基底上皮細胞増殖、細胞間隙の拡大、粘膜固有層の線維化、リンパ球やマスト細胞の浸潤がある。疑った場合には少な

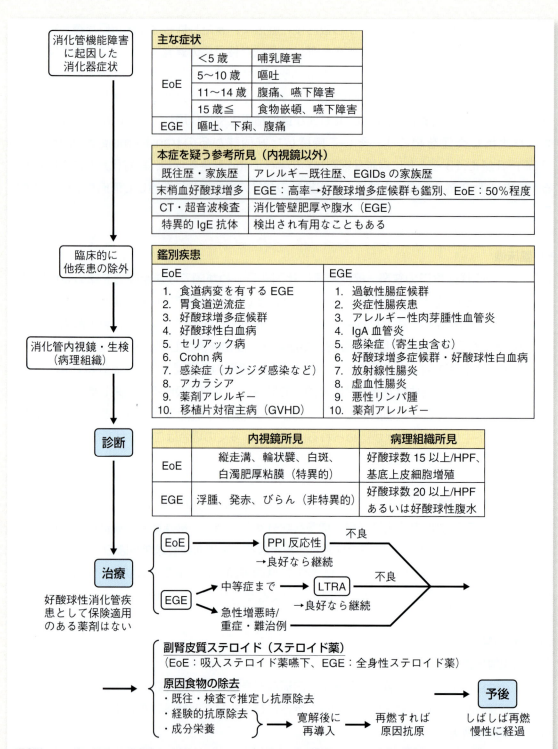

■ 図 16-3　好酸球性消化管疾患の診療の流れ

第16章 消化管アレルギーとその関連疾患

■ 表16-2 好酸球性食道炎の診断[27]

好酸球性食道炎の診断

必須項目
1. 食道機能障害に起因する症状の存在
2. 食道粘膜の生検で上皮内に好酸球数15以上/HPFが存在(数か所の生検が望ましい)

参考項目
1. 内視鏡検査で食道内に白斑、縦走溝、気管様狭窄を認める。
2. CTスキャンまたは超音波内視鏡検査で食道壁の肥厚を認める。
3. 末梢血中に好酸球増多を認める。
4. 男性

＊：難病情報センターで記載されている診断基準は2015年であるため、プロトンポンプ阻害薬(PPI)に対する反応を参考項目に挙げている。

■ 表16-3 好酸球性胃腸炎の診断[27]

好酸球性胃腸炎の診断(2015年)

必須項目
1. 症状(腹痛、下痢、嘔吐等)を有する。
2. 胃、小腸、大腸の生検で粘膜内に好酸球主体の炎症細胞浸潤が存在している(20/HPF以上の好酸球浸潤、生検は数か所以上で行い、また他の炎症性腸疾患、寄生虫疾患、全身性疾患を除外することを要する。終末回腸、右側結腸では健常者でも20/HPF以上の好酸球浸潤を見ることがあるため注意する。)
3. あるいは腹水が存在し腹水中に多数の好酸球が存在

参考項目
1. 喘息などのアレルギー疾患の病歴を有する。
2. 末梢血中に好酸球増多を認める。
3. CTスキャンで胃、腸管壁の肥厚を認める。
4. 内視鏡検査で胃、小腸、大腸に浮腫、発赤、びらんを認める。
5. 副腎皮質ステロイドが有効である。

くとも3か所(可能なら6か所)の組織を食道全体にわたり広く採取することが望ましい[41]。

EGEでは組織好酸球数20個/HPF以上を認める。食道以外では生理的好酸球が存在し[42〜44]、上行結腸では健常でも20個/HPF以上に増加していることがある。好酸球数以外の重要所見としては粘膜上皮内、胃腺や陰窩、筋層への好酸球浸潤、好酸球性膿瘍、シャルコーライデン結晶などがある。

(3) アレルギー検査

食物抗原が原因となることが多く、原因食物抗原の同定が重要であるが一般に困難である。EGIDsは混合性消化管アレルギーとされており、抗原特異的IgE抗体は必ずしも陽性にならない[25,45]。非IgE依存性の検査としてアトピーパッチテスト[46]やALSTがあるが[12]、アトピーパッチテストはその標準化が問題点であり、ALSTは海外ではあまり認知されていない。食物除去試験、OFCも行われるが遅発・遅延性に症状が出現することがあり注意が必要である。

(4) その他の検査

CTや超音波検査では腸管壁肥厚や腹水が観察されることがある[47]。

8）治療

EoE の第一選択は PPI ではあるが[29, 30]、EGIDs 全体としては局所あるいは全身性ステロイド療法と原因食物の除去が主体となる[26, 29, 30, 48]。EGIDs の治療において保険適用のある薬剤はない。EGE の治療については厚生労働省研究班のガイドラインで CQ を立てて説明されている[27]。

（1）EoE の治療

第一選択薬として PPI を使用する。PPI に対する反応性が不良の場合は主として局所ステロイド薬を中心とした薬物療法、原因食物の除去を目的とした食事療法があり、食道の線維性狭窄例にはバルーン拡張療法が行われる[13, 16, 18]。

①**ステロイド療法**：局所ステロイド療法は吸入ステロイド薬を口腔内に噴霧し嚥下する方法である。重症例では全身性ステロイド療法も考慮される[49, 50]。

②**食事療法**：原因食物の除去は根本的な治療となることがある。主として食物との関連が明らかな例で行われることが多い。一般に原因食品同定が困難なため、EoE の原因になりやすい食物[46]と即時型も含めた食物アレルギー全体でアレルゲンとなりやすい食物[51]の両方から選ばれた 4 種（鶏卵、牛乳、小麦、豆類）[52]あるいは 6 種（鶏卵、牛乳、小麦、大豆、ピーナッツ／種実類／木の実類、甲殻魚介類／貝類）[53]の食物の除去（empiric elimination diet；経験的食物除去）、ないしはアミノ酸成分栄養食だけを摂食させる成分栄養療法が行われる。症状の改善後は食物の再導入を行い、再導入時に症状を誘発した食物に関しては原因と考え引き続き除去を行う。

（2）EGE の治療

一時的な絶食や無治療で改善する例もあるが、一般に第一選択薬として全身性ステロイド薬が用いられ奏効することが多い[26, 36]。しかし約 60％程度で再燃する。食物アレルギーの関与が疑われる場合は原因食物の除去や上述の経験的食物除去療法や成分栄養療法が施行されることがあり、有効との報告もあるが、エビデンスレベルの高い研究はない[54～56]。モンテルカストでは無作為化比較対照試験で症状が改善したとの報告があり[57]、状態が許せば、まず行ってみる治療になり得る。生物学的製剤が有効なこともある。しかしながら重症例の急性期や難治例は全身性ステロイド薬を遅滞なく使用するべきである。

9）予後

EGIDs が悪性疾患に進展するとの報告はないが、一般に慢性疾患であり、しばしば再燃する[58, 59]。

4．celiac 病（グルテン過敏性腸症）

1）定義と概念

遺伝的感受性（HLA-DQ2 が主で HLA-DQ8 もある）のある人が小麦に含まれるグルテン摂

取によりグルテン特異的T細胞が活性化し小腸に慢性炎症を生じる自己免疫疾患である。非IgE依存性消化管アレルギーに分類されることもある。グルテンに関連する病態はグルテン関連疾患（gluten-related disorders）と総称される[60]。グルテンにより消化器症状を認めるが、本症に特異的な血清自己抗体が陰性かつ特徴的な消化管粘膜の絨毛の萎縮がない場合はnon-celiac gluten sensitivityといわれる。

2）疫学

欧米での有病率は約1％である[61]。アジアでは一般に少ないとされているが、食文化の西洋化に伴って増加しており、アジアでの診療に合わせた診断基準も作成された[62]。日本人は遺伝的素因（HLA-DQ2など）を持っている率は極めて低く患者数も少ない。血清学検査をもとにした国内の調査での有病率は0.19％である[63]。日本の炎症性腸疾患患者において本症特異的な自己抗体陽性者は比較的高率ではあるが、確定診断に至る症例はなかったとの報告もある[64]。

3）臨床症状

成長障害、慢性下痢、嘔吐、腹部膨満、筋萎縮、食思不振、易刺激性、鉄欠乏性貧血が認められる[65]。

4）診断

診断にはグルテンと症状の関連を判断し、抗tissue transglutaminase（TG）-2特異的IgA抗体の検出とグルテン除去後のその消失、および小腸生検にて絨毛の消失または短縮（絨毛萎縮）、上皮内細胞増加、陰窩の過形成の確認が必要である[66]。

5）治療と予後

早期診断と厳格な食事でのグルテン除去が重要である[67]。悪性リンパ腫の合併率が高い[68]。

参考文献

1) Yamada Y. Unique features of non-IgE-mediated gastrointestinal food allergy during infancy in Japan. Curr Opin Allergy Clin Immunol. 2020；20：299-304.
2) 厚生労働省好酸球性消化管疾患研究班．新生児・乳児食物蛋白誘発胃腸症診療ガイドライン（実用版）．https://minds.jcqhc.or.jp/n/med/4/med0351/G0001047.
3) Miyazawa T, Itabashi K, Imai T. Retrospective multicenter survey on food-related symptoms suggestive of cow's milk allergy in NICU neonates. Allergol Int. 2013；62：85-90.
4) Nomura I, Morita H, Hosokawa S, et al. Four distinct subtypes of non-IgE-mediated gastrointestinal food allergies in neonates and infants, distinguished by their initial symptoms. J Allergy Clin Immunol. 2011；127：685-8.e1-8.
5) Nowak-Wegrzyn A, Katz Y, Mehr SS, et al. Non-IgE-mediated gastrointestinal food allergy. J Allergy Clin Immunol. 2015；135：1114-24.
6) Miyazawa T, Itahashi K, Imai T. Management of neonatal cow's milk allergy in high-risk neonates. Pediatr Int. 2009；51：544-7.
7) Ruffner MA, Wang KY, Dudley JW. Elevated atopic comorbidity in patients with food protein-induced enterocolitis. J Allergy

Clin Immunol Pract. 2020 ; 8 : 1039-46.
8) Toyama Y, Ishii T, Morita K. Multicenter retrospective study of patients with food protein-induced enterocolitis syndrome provoked by hen's egg. J Allergy Clin Immunol Pract. 2021 ; 9 : 547-9.e1
9) Nowak-Węgrzyn A, Chehade M, Groetch ME, et al. International consensus guidelines for the diagnosis and management of food protein-induced enterocolitis syndrome : Executive summary-Workgroup Report of the Adverse Reactions to Foods Committee, American Academy of Allergy, Asthma & Immunology. J Allergy Clin Immunol. 2017 ; 139 : 1111-26.e4.
10) Martin VM, Virkud YV, Seay H, et al. Prospective assessment of pediatrician-diagnosed food protein-induced allergic proctocolitis by gross or occult blood. J Allergy Clin Immunol Pract. 2020 ; 8 : 1692-9.e1.
11) Yagi H, Takizawa T, Sato K, et al. Severity scales of non-IgE-mediated gastrointestinal food allergies in neonates and infants. Allergol Int. 2019 ; 68 : 178-84.
12) Kimura M, Oh S, Narabayashi S, et al. Usefulness of lymphocyte stimulation test for the diagnosis of intestinal cow's milk allergy in infants. Int Arch Allergy Immunol. 2012 ; 157 : 58-64.
13) Morita H, Nomura I, Orihara K, et al. Antigen-specific T-cell responses in patients with non-IgE-mediated gastrointestinal food allergy are predominantly skewed to T(H)2. J Allergy Clin Immunol. 2013 ; 131 : 590-2.e1-6.
14) Kimura M, Shimomura M, Morishita H, et al. Eosinophilia in infants with food protein-induced enterocolitis syndrome in Japan. Allergol Int. 2017 ; 66 : 310-6.
15) Wada T, Toma T, Muraoka M, et al. Elevation of fecal eosinophil-derived neurotoxin in infants with food protein-induced enterocolitis syndrome. Pediatr Allergy Immunol. 2014 ; 25 : 617-9.
16) Rycyk A, Cudowska B, Lebensztejn DM. Eosinophil-derived neurotoxin, tumor necrosis factor alpha, and calprotectin as non-invasive biomarkers of food protein-induced allergic proctocolitis in infants. J Clin Med. 2020 ; 9 : 3147.
17) Nagata S, Yamashiro Y, Ohtsuka Y, et al. Quantitative analysis and immunohistochemical studies on small intestinal mucosa of food-sensitive enteropathy. J Pediatr Gastroenterol Nutr. 1995 ; 20 : 44-8.
18) Savilahti E. Food-induced malabsorption syndromes. J Pediatr Gastroenterol Nutr. 2000 ; 30 : S61-6.
19) Kimura M, Ito Y, Tokunaga F, et al. Increased C-reactive protein and fever in Japanese infants with food protein-induced enterocolitis syndrome. Pediatr Int. 2016 ; 58 : 826-30.
20) Kimura M, Shimomura M, Morishita H, et al. Serum C-reactive protein in food protein-induced enterocolitis syndrome versus food protein-induced proctocolitis in Japan. Pediatr Int. 2016 ; 58 : 836-41.
21) Hamano S, Yamamoto A, Fukuhara D, et al. Serum thymus and activation-regulated chemokine level as a potential biomarker for food protein-induced enterocolitis syndrome. Pediatr Allergy Immunol. 2019 ; 30 : 387-9.
22) Makita E, Kuroda S, Itabashi K, et al. Evaluation of the diagnostic accuracy of thymus and activation-regulated chemokine to discriminate food protein-induced enterocolitis syndrome from infectious gastroenteritis. Int Arch Allergy Immunol. 2021 ; 182 : 229-33.
23) Kabuki T, Joh K. Extensively hydrolyzed formula (MA-mi) induced exacerbation of food protein-induced enterocolitis syndrome (FPIES) in a male infant. Allergol Int. 2007 ; 56 : 473-6.
24) Pesek RD, Rothenberg ME. Eosinophilic gastrointestinal disease below the belt. J Allergy Clin Immunol. 2020 ; 145 : 87-9.e1.
25) Rothenberg ME. Eosinophilic gastrointestinal disorders (EGID). J Allergy Clin Immunol. 2004 ; 113 : 11-28 ; quiz29.
26) Kinoshita Y, Ooouchi S, Fujisawa T. Eosinophilic gastrointestinal diseases - Pathogenesis, diagnosis, and treatment. Allergol Int. 2019 ; 68 : 420-9.
27) 厚生労働省好酸球性消化管疾患研究班. 幼児・成人好酸球性消化管疾患診療ガイドライン. https://www.ncchd.go.jp/hospital/sickness/allergy/EGIDs_guideline.pdf.
28) Liacouras CA, Furuta GT, Hirano I.Eosinophilic esophagitis : updated consensus recommendations for children and adults. J Allergy Clin Immunol. 2011 ; 128 : 3-20.e26 ; quiz 21-2.
29) Dellon ES, Liacouras CA, Molina-Infante J, et al. Updated International Consensus Diagnostic Criteria for Eosinophilic Esophagitis : Proceedings of the AGREE Conference. Gastroenterology. 2018 ; 155 : 1022-33.e10.
30) Lucendo AJ, Molina-Infante J, Arias Á, et al. Guidelines on eosinophilic esophagitis : evidence-based statements and recommendations for diagnosis and management in children and adults. United European Gastroenterol J. 2017 ; 5 : 335-58.
31) Klein NC, Hargrove RL, Sleisenger MH, et al. Eosinophilic gastroenteritis. Medicine (Baltimore) 1970 ; 49 : 299-19.
32) Dellon ES, Jensen, ETMartin CF. Prevalence of eosinophilic esophagitis in the United States. Clin Gastroenterol Hepatol. 2014 ; 12 : 589-96.e1.
33) Adachi K, Mishiro T, Tanaka S. Suitable biopsy site for detection of esophageal eosinophilia in eosinophilic esophagitis suspected cases. Dig Endosc. 2016 ; 28 : 139-44.
34) Fujishiro H, Amano Y, Kushiyama Y. Eosinophilic esophagitis investigated by upper gastrointestinal endoscopy in Japanese

patients. J Gastroenterol. 2011 ; 46 : 1142-4.
35) Jensen ET, Martin CF, Kappelman MD, et al. Prevalence of eosinophilic gastritis, gastroenteritis, and colitis : estimates from a national administrative database. J Pediatr Gastroenterol Nutr. 2016 ; 62 : 36-42.
36) Kinoshita Y, Furuta K, Ishimaura N. Clinical characteristics of Japanese patients with eosinophilic esophagitis and eosinophilic gastroenteritis. J Gastroenterol. 2013 ; 48 : 333-9.
37) Lyles J, Rothenberg M. Role of genetics, environment, and their interactions in the pathogenesis of eosinophilic esophagitis. Curr Opin Immunol. 2019 ; 60 : 46-53.
38) Kinoshita Y, Ishimura N, Oshima N, et al. Systematic review : Eosinophilic esophagitis in Asian countries. World J Gastroenterol. 2015 ; 21 : 8433-40.
39) Noel RJ, Putnam PE, Rothenberg ME. Eosinophilic esophagitis. N Engl J Med. 2004 ; 351 : 940-1.
40) Pesek RD, Reed CC, Collins MH. Association between endoscopic and histologic findings in a multicenter retrospective cohort of patients with non-esophageal eosinophilic gastrointestinal disorders. Dig Dis Sci. 2020 ; 65 : 2024-35.
41) Shah A, Kagalwalla AF, Gonsalves N. Histopathologic variability in children with eosinophilic esophagitis. Am J Gastroenterol. 2009 ; 104 : 716-21.
42) DeBrosse CW, Case JW, Putnam PE. Quantity and distribution of eosinophils in the gastrointestinal tract of children. Pediatr Dev Pathol. 2006 ; 9 : 210-8.
43) Matsushita T, Maruyama R, Ishikawa N, et al. The number and distribution of eosinophils in the adult human gastrointestinal tract : a study and comparison of racial and environmental factors. Am J Surg Pathol. 2015 ; 39 : 521-7.
44) Kato M, Kephart GM, Talley NJ, et al. Eosinophil infiltration and degranulation in normal human tissue. Anat Rec. 1998 ; 252 : 418-25.
45) Simon D, Cianferoni A, Spergel JM, et al. Eosinophilic esophagitis is characterized by a non-IgE-mediated food hypersensitivity. Allergy. 2016 ; 71 : 611-20.
46) Spergel JM, Beausoleil JL, Mascarenhas M. The use of skin prick tests and patch tests to identify causative foods in eosinophilic esophagitis. J Allergy Clin Immunol. 2002 ; 109 : 363-8.
47) Pinte L, Baicus C. Causes of eosinophilic ascites - A systematic review. Rom J Intern Med. 2019 ; 57 : 110-24.
48) Papadopoulou A, Koletzko S, Heuschkel R, et al. Management guidelines of eosinophilic esophagitis in childhood. J Pediatr Gastroenterol Nutr. 2014 ; 58 : 107-18.
49) Alexander JA, Jung KW, Arora AS. Swallowed fluticasone improves histologic but not symptomatic response of adults with eosinophilic esophagitis. Clin Gastroenterol Hepatol. 2012 ; 10 : 742-9.e1.
50) Straumann A, Conus S, Degen L, et al. Budesonide is effective in adolescent and adult patients with active eosinophilic esophagitis. Gastroenterology. 2010 ; 139 : 1526-37.e1.
51) Sampson HA. Update on food allergy. J Allergy Clin Immunol. 2004 ; 113 : 805-19 ; quiz 820.
52) Molina-Infante J, Arias A, Barrio J, et al. Four-food group elimination diet for adult eosinophilic esophagitis : A prospective multicenter study. J Allergy Clin Immunol. 2014 ; 134 : 1093-9.e1.
53) Kagalwalla AF, Sentongo TA, Ritz S, et al. Effect of six-food elimination diet on clinical and histologic outcomes in eosinophilic esophagitis. Clin Gastroenterol Hepatol. 2006 ; 4 : 1097-102.
54) Okimoto E, Ishimura N, Okada M, et al. Successful food-elimination diet in an adult with eosinophilic gastroenteritis. ACG Case Rep J. 2018 ; 5 : e38.
55) Lucendo AJ, Serrano-Montalbán B, Arias Á. Efficacy of dietary treatment for inducing disease remission in eosinophilic gastroenteritis. J Pediatr Gastroenterol Nutr. 2015 ; 61 : 56-64.
56) Yamada Y, Kato M, Isoda Y, et al. Eosinophilic gastroenteritis treated with a multiple-food elimination diet. Allergol Int. 2014 ; 63 Suppl 1 : 53-6.
57) Friesen CA, Kearns GL, Andre L, et al. Clinical efficacy and pharmacokinetics of montelukast in dyspeptic children with duodenal eosinophilia. J Pediatr Gastroenterol Nutr. 2004 ; 38 : 343-51.
58) Shaheen NJ, Mukkada Vet, Eichinger CS, et al. Natural history of eosinophilic esophagitis : a systematic review of epidemiology and disease course. Dis Esophagus. 2018 ; 31 : doy015.
59) Pineton de Chambrun G, Gonzalez F, Canva JY, et al. Natural history of eosinophilic gastroenteritis. Clin Gastroenterol Hepatol. 2011 ; 9 : 950-6.e1.
60) Ludvigsson JF, Leffler DA, Bai JC, et al. The Oslo definitions for coeliac disease and related terms. Gut. 2013 ; 62 : 43-52.
61) Kang JY, Kang AH, Green A, et al. Systematic review : worldwide variation in the frequency of coeliac disease and changes over time. Aliment Pharmacol Ther. 2013 ; 38 : 226-45.
62) Makharia GK, Mulder CJ, Goh KL, et al. Issues associated with the emergence of coeliac disease in the Asia-Pacific region : a working party report of the World Gastroenterology Organization and the Asian Pacific Association of Gastroenterology. J Gastroenterol Hepatol. 2014 ; 29 : 666-77.

63) Fukunaga M, Ishimura N, Abe T. Serological screening for celiac disease in adults in Japan：Shimane CoHRE study. JGH Open. 2020；4：558-60.
64) Watanabe C, Komoto S, Hokari R, et al. Prevalence of serum celiac antibody in patients with IBD in Japan. J Gastroenterol. 2014；49：825-34.
65) Mearin ML. Celiac disease among children and adolescents. Curr Probl Pediatr Adolesc Health Care. 2007；37：86-105.
66) Marsh MN. Grains of truth：evolutionary changes in small intestinal mucosa in response to environmental antigen challenge. Gut. 1990；31：111-4.
67) Collin P, Reunala T, Pukkala E, et al. Coeliac disease--associated disorders and survival. Gut. 1994；35：1215-8.
68) Smedby KE, Akerman M, Hildebrand H, et al. Malignant lymphomas in coeliac disease：evidence of increased risks for lymphoma types other than enteropathy-type T cell lymphoma. Gut. 2005；54：54-9.

第16章 消化管アレルギーとその関連疾患

第17章 アレルギー表示

[要旨]

1. 食物アレルギーの診療にあたる医師は、アレルギー表示に関する制度を理解し、患者や家族に対して指導支援する。
2. アレルゲンを含む食品の表示は、消費者庁管轄のもとで、食品表示法により規定されている。
3. 発症数や重篤度から特に表示の必要性が高い食品として、特定原材料7品目〔えび、かに、小麦、そば、卵、乳、落花生（ピーナッツ）〕に表示が義務付けられている。また、特定原材料に準ずるものとして、21品目に表示の推奨がなされている。
4. 表示規制の対象は容器包装された加工食品などであり、外食や中食は規制対象外であるため、喫食の際には注意を要する。

1. アレルギー表示

食物アレルギー患者が加工食品を安全に摂取し、誤食による事故を防ぐために、アレルギー表示の理解を深め、適切に食品を選択することの重要性について、医師は積極的に指導し、適切な情報提供をすべきである。

1）食品表示法

食物アレルギーを有する者が安全に食品を摂取し、加工食品に含まれるアレルゲンの誤食による症状誘発を回避し、自主的・合理的に選択できるよう、国は「食品表示法」の規定に基づき、容器包装された加工食品に対してアレルギー表示を義務付けている。具体的には、表示する必要性の高い食品を特定原材料として「食品表示基準」において表示を義務付け、特定原材料に準ずる品目では「食品表示基準について」において表示を推奨している。これにより、原材料中の個々の特定原材料および特定原材料に準ずるもの（以下、特定原材料等）の総タンパク含量が一定（数μg/g、数μg/mL）以上の加工食品については、当該原材料を含む旨を記載しなければならない。また、アレルギー表示は消費者に直接販売されない食品の原材料も含め、食品流通のすべての段階において義務付けられる。

2）食物アレルギーに関連する食品表示の経緯

平成11年3月に厚生労働省食品衛生調査会表示特別部会において「食品の表示のあり方に関する検討報告書」が取りまとめられ、平成13年4月には厚生労働省令として、特定原材料

第17章 アレルギー表示

5品目（小麦、そば、卵、乳、落花生）、ならびに特定原材料に準ずるものとして19品目におけるアレルギー表示が、食品衛生法により義務付けられた。その後、食物アレルギー患者の発生状況、症状が重篤であるかなどの実態を把握し、必要に応じた制度改正が行われ、平成20年6月には「えび」、「かに」に表示義務を課し、平成25年9月には「ごま」、「カシューナッツ」を、令和元年9月には「アーモンド」が推奨表示として加わり、また特定原材料としての「落花生」の表記を「落花生（ピーナッツ）」と表記するように変更された。

なお、平成25年にアレルギー表示を管轄する制度は食品衛生法から、JAS法および健康増進法における食品表示規定を統合した「食品表示法」として設立され、食品表示は消費者庁が所管する包括的・一元的な制度となった。

3）表示対象（表17-1）

(1) 特定原材料

食物アレルギー症状を引き起こすことが明らかになった食品のうち、特に発症数、重篤度から勘案して表示する必要性の高いものを食品表示基準において特定原材料として定め、7品目の表示を義務付けている。

(2) 特定原材料に準ずるもの

食物アレルギー症状を引き起こすことが明らかになった食品のうち、症例数や重篤な症状を呈する者の数が継続して相当数認められるが、特定原材料に比べると少ない21品目を特定原材料に準ずるものとした。これらを含む加工食品については、当該食品を原材料として含む旨を可能な限り表示するよう努めることとしている。

4）表示対象外

特定原材料等の範囲は、原則として日本標準商品分類で指定されている範囲のものである。また、特定原材料等の28品目以外は法律の対象外であるため、28品目以外を原因アレルゲンとする食物アレルギーを有する者は加工食品を購入・摂取する際に注意が必要である。

■ 表17-1　表示の対象

根拠規定	特定原材料等の名称	理由	表示の義務
食品表示基準（特定原材料）	えび、かに、小麦、そば、卵、乳、落花生（ピーナッツ）	特に発症数、重篤度から勘案して表示する必要性の高いもの。	表示義務
消費者庁次長通知（特定原材料に準ずるもの）	アーモンド、あわび、いか、いくら、オレンジ、カシューナッツ、キウイフルーツ、牛肉、くるみ、ごま、さけ、さば、大豆、鶏肉、バナナ、豚肉、まつたけ、もも、やまいも、りんご、ゼラチン	症例数や重篤な症状を呈する者の数が継続して相当数認められるが、特定原材料に比べると少ないもの。	表示を推奨（任意表示）

※食品中に原材料のアレルゲンが総タンパク量として数μg/g含有または数μg/mL濃度レベルのものが表示の対象となる。

5）外食などにおけるアレルゲン情報提供について

　外食や中食のアレルギー表示は、食品表示法の関連法制の範囲外であり、容器包装に入れずに販売する場合や外食産業にはアレルゲンの表示義務はない。店舗内で製造・販売されている惣菜やパン、レストランなどの飲食店での食事の際には、アレルギー表示がないからといって特定原材料等が含まれていないとは限らないことに注意を要する（第18章参照）。

2. 表示方法

1）表示の実際

（1）個別表示の原則（表17-2）

　特定原材料等を原材料として含む加工食品では、原則、「（○○を含む）」のように原材料名の直後に括弧を付けて特定原材料等を含む旨を個別表示する。また、特定原材料等に由来する添加物を含む食品の場合は、原則、「（○○由来）」のように、添加物名と、その直後にかっこを付けて特定原材料等に由来する旨を表示する。

（2）一括表示

　個別表示が難しい場合やなじまない場合などは、一括表示も可能である。一括表示をする場合は、特定原材料等の名前が直接、または代替表記などで書かれているものも含め、当該食品に含まれるすべての特定原材料等について、原材料欄の最後に「（一部に○○・○○・…を含む）」と表示する。一括表示には一覧性という利点はあるものの、どの原材料にアレルゲンが含まれるのかがわかりにくくなるなどの欠点が挙げられる。なお、個別表示と一括表示を組み合わせて使用することはできない。

（3）代替表記と拡大表記（表17-3）

　特定原材料等と具体的な表記方法が異なるが、特定原材料等の表示と同一のものであると認められるものとして、当該表示をもって特定原材料等の表示に代えることができる。例えば、表17-3のように「玉子」や「たまご」の表示をもって、「卵を含む」の表示を省略することができる。また、原材料名または添加物名に特定原材料等または代替表記を含む場合は、特定原材料等を使った食品であることが理解できるものとして、当該表示をもって特定原材料等の表示に代えることができ、これを「拡大表記」という。

（4）特定原材料等の省略

　特定原材料等に由来する添加物については、表示可能面積の制約や、表示量が多いことによりかえってわかりにくい場合もあることから、原材料名でアレルゲンを表示すれば、添加物であらためて表示する必要はない。また、原材料または添加物に同一の特定原材料等が含まれている場合は、いずれかに特定原材料等を含む旨または由来する旨を表示すれば、それ以外については省略することができる。

（5）注意喚起表示

　特定原材料等を使用しない場合であっても、製造工程上の問題により混入（コンタミネー

■ 表17-2 アレルギー表示の実際（個別表示と一括表示の例）
（アレルギー表示は原則、個別表示であるが、例外として一括表示も可とする）

個別表示する場合	一括表示する場合
原材料名：じゃがいも、にんじん、ハム（卵・豚肉を含む）、マヨネーズ（卵・大豆を含む）、たんぱく加水分解物（牛肉・さけ・さば・ゼラチンを含む）／調味料（アミノ酸等）	原材料名：じゃがいも、にんじん、ハム、マヨネーズ、たんぱく加水分解物／調味料（アミノ酸等）、（一部に卵・豚肉・大豆・牛肉・さけ・さば・ゼラチンを含む）

■ 表17-3 代替表記と拡大表記

特定原材料	代替表記 表記方法や言葉が違うが、特定原材料と同一であるということが理解できる表記	拡大表記の例 特定原材料名または代替表記を含んでいるため、これらを用いた食品であると理解できる表記例
えび	海老、エビ	えび天ぷら、サクラエビ
かに	蟹、カニ	上海がに、マツバガニ、カニシューマイ
小麦	こむぎ、コムギ	小麦粉、こむぎ胚芽
そば	ソバ	そばがき、そば粉
卵	玉子、たまご、タマゴ、エッグ、鶏卵、あひる卵、うずら卵	厚焼玉子、ハムエッグ
乳	ミルク、バター、バターオイル、チーズ、アイスクリーム	アイスミルク、ガーリックバター、プロセスチーズ、牛乳、生乳、濃縮乳、乳糖、加糖れん乳、乳たんぱく、調製粉乳
落花生	ピーナッツ	ピーナッツバター、ピーナッツクリーム

ション）が発生し得ることは否定できない。製造ライン上で混入しないよう十分に洗浄するなどの対策を徹底することが原則だが、対策の徹底を図ってもなおその可能性が排除できない場合においては、「本品製造工場では○○（特定原材料等の名称）を含む製品を生産しています」などの注意喚起表示が推奨されている。

　一方、「入っているかもしれない」といった可能性表示は認められていない。これは、実際には含まれないものに対し含まれているかどうか不明という表記を許可すれば、食物アレルギー患者における不必要な製品回避につながり、摂取できる食品をいたずらに狭めることとなるからである。

(6) 表示の免除

　特定原材料由来の食品添加物であっても、「食品添加物の指定及び使用基準改正に関する指針」で定められた抗原性試験などにより抗原性（アレルギー誘発性）が認められないと判断できる場合には、例外的に表示義務が免除される（焼成卵殻カルシウムや大豆由来のトコフェロールなど）。また、特定原材料に由来する香料やアルコール類についても、その反応が抗原性によるものかの知見に乏しく、現時点では特定原材料を含む旨の表示を義務付けてはいない。

(7) 表示違反や問い合わせ

　特定原材料に関する適正表示の検証は保健所などの監視下に実施され、書類審査や試験検査により確認される。保健所などが表示違反を発見した場合は、販売停止などの指導や、必要に

応じて営業許可の取り消しや営業停止（食品衛生法第60条に基づく措置）ができる。また、食品表示の違反が疑われたら、最寄りの保健所もしくは消費者庁の食品表示対策室に連絡する。食品表示に関する詳細は消費者庁Webサイト（https://www.caa.go.jp/foods/）を参照されたい。

2）表示があっても摂取可能な食品

　特定原材料等に関連するアレルゲンを含む食品であっても、科学的に抗原性（アレルギー誘発性）が低いことが報告され、一般的に摂取可能とされる食品がある（**表10-2**参照）。

　卵殻カルシウムは菓子類に使用されることが多いが、ほとんど卵タンパク質を含まないため焼成、未焼成ともに摂取可能である[1]。乳糖は二糖類でタンパク質を含まないが、製造過程において乳清タンパクの混入の可能性がある。しかし、過去に乳糖による誘発症状が確認された一部の重症患者を除いて、食品はもちろん内服薬の賦形剤として用いられる乳糖も摂取可能である[2]。一方、注射薬の安定剤に含まれているものは、経静脈的に体内に投与されるため慎重な判断が必要となる[3]。なお、乳糖は乳の代替表記の拡大表記のため「乳成分を含む」表記を省略することができる。醤油の原材料には大豆とともに小麦が多く使用されている。しかし、醸造の過程でアレルゲン性が消失しているため、重症の小麦アレルギー患者でも調味料として醤油は使用可能なことがほとんどである[4]。また、大豆アレルギーの患者でも大豆油や醤油、味噌は使用可能なことが多い。

3）諸外国における食品表示規制の状況

　現在、アレルゲンを含む食品の表示を義務付ける法律は多くの国に導入されている。そのアレルゲンリストは各国により異なるが、平成11年6月FAO/WHO合同食品規格委員会（Food and Agriculture Organization of the United Nations/World Health Organization：CODEX委員会）総会において、アレルゲンとして知られる8種の原材料を含む食品に関する表示が合意され、加盟各国の制度に適した表示方法が定められている。①グルテンを含む穀類およびその製品、②甲殻類およびその製品、③卵および卵製品、④魚および魚製品、⑤ピーナッツ、大豆およびその製品、⑥乳・乳製品（乳糖を含むもの）、⑦木の実およびその製品、⑧亜硫酸塩を10 mg/kg以上含む食品。このように海外のアレルギー表示においてはアレルゲンの対象原材料の分類が大きく、広い範囲に適用される場合がある一方、わが国では表示が推奨されても海外では表示されないアレルゲンが存在することから、海外旅行の際などに注意が必要である（第18章参照）。

　また、アメリカやEUなどに共通する「グルテンフリー」表示にはグルテン濃度を20 ppm（μg/g）以下とする基準があり、わが国の「アレルギー表示」とは基準が異なることに注意が必要である。例えば、海外からの輸入食品において「グルテンフリー」と表示されていても、

第17章 アレルギー表示

数 ppm 以上の小麦総タンパク含量のことがあり、その場合は容器包装に小麦のアレルギー表示をしなければならない。なお、わが国にグルテンフリーの基準はないが、それより厳しい 1 ppm 以下となるよう製造工程管理を規定した「ノングルテン」認証制度が平成 30 年 6 月に日本米粉協会より開始され、令和 2 年 10 月、「ノングルテン米粉の製造工程管理」として日本農林規格（JAS）が制定された。

わが国では、国内の食習慣や地理的状況を反映した独自のアレルゲンが選択されている一方で、食物アレルギーにおける原因食物の有病率は動的であるという認識のもと、数年ごとに全国調査がなされていることは世界的にも高い評価を受けている。さらに、特定原材料等に関する検知方法を確立し、管理を科学的に検証可能としており、タンパク含量に厳密な基準（数 μg/g、数 μg/mL）を設けることで、食品製造時の混入により含有する可能性のあるアレルゲンに対して「入っているかもしれない」可能性表示（precautionary allergen labelling, PAL）を法律で規制することを可能としている数少ない国の 1 つである。これは世界的にも珍しく、大変誇るべき点といえるだろう。

参考資料
1. 食品表示法（平成二十五年法律第七十号）
2. 消費者庁ホームページ．食品表示法等（法令及び一元化情報）．
   https://www.caa.go.jp/policies/policy/food_labeling/food_labeling_act/
3. 消費者庁ホームページ．アレルギー表示に関する情報
   https://www.caa.go.jp/policies/policy/food_labeling/food_sanitation/allergy/
4. 消費者庁．加工食品製造・販売業のみなさまへ　アレルギー物質を含む加工食品の表示ハンドブック（平成 26 年 3 月改訂）．
5. Codex Alimentarius Commission（コーデックス委員会）ホームページ．
   http://www.fao.org/fao-who-codexalimentarius/en/

参考文献
1) 海老澤元宏，田知本寛，池松かおり，他．卵殻未焼成カルシウムのアレルゲン性について．アレルギー．2005；54：471-7.
2) 竹井真理，柳田紀之，浅海智之，他．牛乳アレルギー児に対する食品用乳糖の食物経口負荷試験の検討．日小ア誌．2015；29：649-54.
3) Eda A, Sugai K, Shioya H, et al. Acute allergic reaction due to milk proteins contaminating lactose added to corticosteroid for injection. Allergol Int. 2009；58：137-9.
4) 古林万木夫，田辺創一，谷内昇一郎．醤油醸造における小麦アレルゲンの分解機構．日小ア誌．2007；21：96-101.

第18章　患者の社会生活支援

[要旨]

1. アレルギー疾患対策基本法が平成27年12月25日に施行され、アレルギー疾患への対策は法律により定められるところとなった。

2. 学校・幼稚園、保育所などにおけるアレルギー疾患への対応の原則は「学校のアレルギー疾患に対する取り組みガイドライン」、「保育所におけるアレルギー対応ガイドライン」に示されている。

3. アレルギー疾患を有する児が学校・幼稚園、保育所などにおいて何らかの配慮を希望する場合は、「生活管理指導表」を提出する。医師はガイドラインに習熟し、児の生活に関する取り組みや状況について、共有すべき必要な情報を記載する。

4. 給食における対応は安全性の確保を最優先とする。このため給食提供は、家庭で行う必要最小限の除去とは異なり、完全除去か解除かの二者択一による対応を基本とする。

5. 医師は、学校・幼稚園、保育所などにおけるアレルギー対応委員会などやアドレナリン自己注射薬を含めた緊急時対応に対して、積極的かつ適切な助言・指導を行うことが期待されている。

6. 宿泊や外食を伴う学校行事・海外旅行などにあたっては、現地の食物アレルギーに対する社会事情や救急医療体制、予定される食事内容などについて十分な情報収集などの事前準備を行う。

1. 基本となる社会制度

1）アレルギー疾患対策基本法

　アレルギー疾患対策基本法（以下、対策基本法）は平成26年6月20日に成立し、平成27年12月25日に施行された、第一〜四章、第一〜二十二条で構成される法律である。その目的は、「アレルギー疾患を有する者が多く、急激な症状悪化を繰り返すことや生活の質が著しく損なわれるなど、アレルギー疾患が国民生活に大きな影響を及ぼしている現状や、生活環境の多様化や複雑な要因により発症あるいは重症化していることを考慮し、対策の充実をさらに図るべくその基本理念を定め、国や地方公共団体、医療保険者、国民、医療関係者、学校等注)の設置者や管理者の責務を明らかにし、あわせて対策を推進するための指針策定や、基本事項を定めることで、アレルギー疾患対策を総合的に推進すること」（第一条より、一部略）とあ

注）「学校等」：学校、児童福祉施設、老人福祉施設、障害者支援施設その他自ら十分に療養に関し必要な行為を行うことができない児童、高齢者又は障害者が居住し又は滞在する施設をいう（アレルギー疾患対策基本法第九条）。

る。
　第四~九条では、関係者それぞれの責務を明らかにしており、「学校等は、アレルギー疾患における重症化予防や症状軽減に関する啓発・知識の普及の施策に協力するよう努め、児童等に対し適切な医療的、福祉的又は教育的配慮をするよう努めなければならない」と定められている。このように対策基本法は、患者を取り巻くさまざまな社会生活の場面において、食物アレルギーを含めたアレルギー疾患に対する対策の必要性を法律としてサポートする役割を果たしている。

2) アレルギー疾患対策の推進に関する基本的な指針

　アレルギー疾患対策の推進に関する基本的な指針（以下、基本指針）は、対策基本法の第十一条に定められる指針であり、対策基本法が求める施策を具体的に示した、いわば国のガイドラインとして平成29年3月21日に策定された（表18-1）。その第五（1）には、「国は学校や保育所等の職員等に対して、アレルギー疾患の正しい知識の習得や実践的な研修の機会の確保等について地方公共団体と協力して取り組むことや、アナフィラキシーショックを引き起こした際に適切な医療が受けられるよう、教育委員会等に対して生活管理指導表等の情報について医療機関や消防機関等と平時から共有するよう促す」とされている。また、「医療従事者は患者や家族および関係者に、アドレナリン自己注射薬の保有の必要性や注射のタイミング等の使用方法について啓発するよう促す」とも記載されている。

3) 保育所保育指針、学校安全推進計画

　保育所保育指針は、保育の基本となる考え方やそのねらいと内容など、保育の実施と運営に関する事項について定めたものである。平成30年4月に「新保育所保育指針」の運用が始まり、この改訂によりアレルギー関連の記述は大幅に増加し、その対応推進がうたわれている。第三章に、食物アレルギーをはじめとするアレルギー疾患への対応や事故防止などに関して、体制構築や環境面の配慮、関係機関との連携など、科学的知見などに基づき必要な対策を行い危険の回避に努めなければならない、などと定められている。

　「第2次学校安全の推進に関する計画」は、学校保健安全法に基づき学校安全の推進に関して方向性や具体的方策を示すもので、平成29年3月に閣議決定されたものである。児童など

■ 表18-1 「アレルギー疾患対策の推進に関する基本的な指針」の概要

第一	アレルギー疾患対策の推進に関する基本的な事項
第二	アレルギー疾患に関する啓発及び知識の普及並びにアレルギー疾患の予防のための施策に関する事項
第三	アレルギー疾患医療を提供する体制の確保に関する事項
第四	アレルギー疾患に関する調査及び研究に関する事項
第五	その他アレルギー疾患対策の推進に関する重要事項

の安全を確保する観点から、すべての学校において学校安全計画および危機管理マニュアルの策定・改善を行うことや、管理職のリーダーシップの下、学校安全の中核となる教職員を中心とした組織的な学校安全体制を構築することなどを求め、「アレルギー等の健康課題への対応も含めた事故等への対応に係る研修・訓練を実施すること」などと規定している。

4) 放課後児童クラブ運営指針

　放課後児童クラブ運営指針は、放課後児童クラブ（学童保育）の運営の多様性を踏まえつつ、集団の中で子どもに保障すべき生活環境や運営内容の水準を明確化し、事業の安定性および継続性を確保していくことの必要性を鑑み、平成27年に「放課後児童健全育成事業の設備及び運営に関する基準」（平成26年厚生労働省令）に基づき策定された。

　子どもにとって放課後児童クラブが安心して過ごせる生活の場となるよう、その育成支援に求められる内容として、「食物アレルギーのある子どもについては、配慮すべきことや緊急時の対応等について事前に保護者と丁寧に連絡を取り合い、安全に配慮して提供する」、「おやつの提供に際しては、食物アレルギー事故、窒息事故等を防止するため、放課後児童支援員等は応急対応について学んでおく」と明記されている。現状では、放課後児童クラブにおける食物アレルギー対応策は十分には整備されておらず[1]、管理者や指導員・職員の食物アレルギーの知識習得の推進や、小学校との情報の共有と連携体制を確立することが急務である。

5) 幼保連携型認定こども園教育・保育要領

　「就学前の子どもに関する教育、保育等の総合的な提供の推進に関する法律」（平成18年法律第七十七号）第十条第一項の規定に基づき、幼保連携型認定こども園の教育課程その他の教育および保育の内容に関する事項を定めたもので、平成30年4月より施行されている。その中で、「食物アレルギーなどの体調不良にある場合については、学校医やかかりつけ医などの指示や協力の下に適切に対応し、栄養教諭や栄養士などが配置されている場合は専門性を生かした対応を図ること」と策定されている。

6) 学校のアレルギー疾患に対する取り組みガイドライン

　平成20年に公益財団法人日本学校保健会から、文部科学省スポーツ・青少年局学校健康教育課（当時）の監修のもと「学校のアレルギー疾患に対する取り組みガイドライン」が作成された。食物アレルギー、アナフィラキシー、喘息、アトピー性皮膚炎、アレルギー性鼻炎、アレルギー性結膜炎などのアレルギー疾患を持つ児童生徒のうち、学校生活で特別な管理や配慮を必要とする児童生徒に対して、学校が適切な管理や配慮を実施するために、主治医は「学校生活管理指導表（アレルギー疾患用）」を記載することを推奨し、これにより、アレルギー疾患のある児童生徒の学校生活を安心・安全なものにすることが期待された。しかしながら、平成24年12月に食物アレルギーに起因する児童死亡事故が発生し、誤食防止やアナフィラキシー

第18章 患者の社会生活支援

時のアドレナリン自己注射薬使用を含めた緊急時対応の重要性が再認識された。平成27年に文部科学省は「学校給食における食物アレルギー対応指針」を発刊し、すべての児童に給食を提供することを目指すとともに、生活管理指導表の提出を「必須」とする適切な運用、緊急時のアドレナリン自己注射薬所持・使用など、より的確な管理・指導の認識が強化された。

平成26年に対策基本法が成立し、平成29年には基本指針によって「学校のアレルギー疾患に対する取り組みガイドライン」および「学校給食における食物アレルギー対応指針」を周知し、実践を促すとともに、学校職員などに対するアレルギー疾患の正しい知識の習得や実践的な研修の機会の確保などについて、教育委員会などに対して必要に応じて適切な助言および指導を行うことに努めることなどが策定された。このような背景から、作成から10年を経過した令和2年3月に「学校のアレルギー疾患に対する取り組みガイドライン《令和元年度改訂》」が発行された。なお、本取り組みガイドラインで記載される学校とは、幼稚園、幼保連携型認定こども園、小中学校、義務教育学校、中等教育学校、高等学校、特別支援学校、大学などを指している。

7）保育所におけるアレルギー対応ガイドライン

乳幼児期の特性を踏まえ、保育所におけるアレルギー疾患を有する子どもへの対応の基本を示すものとして、平成23年3月に策定され、「保育所におけるアレルギー疾患生活管理指導表」の様式が公表された。その後保育所保育指針の改定や、対策基本法・基本指針などの関係法令の制定などを踏まえ、平成31年4月に改訂がなされている。その考え方は、「保育所はアレルギー疾患を有する子どもに対して、その子どもの最善の利益を考慮し、教育的及び福祉的な配慮を十分に行うよう努める責務がある」とされ、その実践にあたっては医師の診断および指示に基づくとしている。具体的な改訂内容としては、「生活管理指導表」の提出を「必須」とする位置付けの明確化など、保育所におけるアレルギー対応の基本原則を明示した上で、保育所の各職員や医療関係者それぞれの役割について記載を具体化し、保育所と医療機関、行政機関との連携の重要性に鑑み、新たに「関係機関との連携」に係る項目を設けた。また、「食物アレルギー・アナフィラキシー」について記載内容の改善や充実を図るなど、最新の知見を取り込み現場で活用しやすいよう実用性に留意し作成されている。

2. 生活管理指導表

生活管理指導表は、アレルギー疾患を有する子どもへの対応に関して、子どもを中心に据えた医師と保護者、学校・幼稚園、保育所などにおける重要なコミュニケーションツールと位置付けられ、それらの生活においてアレルギー疾患に対する配慮や管理を必要とする場合に提出が必須となる。アレルギー疾患を有する子どもへの対応は、かかりつけ医などが記載した生活管理指導表に基づき、学校・幼稚園、保育所などと保護者などの間で医師の診断や指示に関する情報を共有し、適切に実施することが求められる。そのため記載する医師は、学校・保育所

のアレルギー対応ガイドラインの内容を深く理解した上で生活管理指導表を記載することが求められる。

1）学校生活管理指導表（アレルギー疾患用）の記載

学校における食物アレルギーに対する取り組みの目標は、学校内でのアレルギー症状の発生を防ぎ、食物アレルギーを有する児童生徒にも給食を提供し、すべての児童生徒が給食を含めた学校生活を安全に、かつ楽しく過ごせるようにすることである。医師はその実現のために正しい診断に基づく情報提供を行う必要があり、学校生活管理指導表（アレルギー疾患用）の提出が必須とされている。

(1) 活用の流れ（図 18-1）

学校生活管理指導表の活用の流れのモデルを図 18-1 に示す。アレルギー疾患の多くは乳幼児期に発症し、小学校入学時には診断がついていることが一般的であり、就学時の健康診断や入学説明会、あるいは転校による転入時などに初回提出となる。保護者から「食物アレルギーのために、配慮を希望する」などと申し出があった場合に提出が必須となり、その後も毎年提出することが原則である。

(2) 学校生活管理指導表（図 18-2）の記載のポイント

十分な問診やアレルギー検査、食物経口負荷試験を行うなどして現在の状態を評価する。アレルギー対応の必要性の有無を記載する書類であり、医師が具体的なアレルギー対応を指示したり、指定したりするものではない。正しい診断に基づく記載が困難な場合は、児や保護者の生活の質の向上、および学校などでの適正な対応のためにも、専門医などに紹介することが望

■ 図 18-1　学校・幼稚園、保育所などにおける生活管理指導表の活用の流れ

ましい。以下にそれぞれの記載項目について概説する。

①病型・治療

A. 食物アレルギー病型

病型として、即時型反応、口腔アレルギー症候群、食物依存性運動誘発アナフィラキシーの3疾患が挙げられている。

B. アナフィラキシー病型

過去にアナフィラキシーを経験しており、現在も学校生活の中でアナフィラキシーを起こす可能性が高いと診断した場合に記載する。食物が原因である場合に限らず、運動誘発アナフィラキシー、昆虫、医薬品、その他の原因によるアナフィラキシーも病型として挙げられている。

C. 原因食物・除去根拠

対応が必要な食物ごとに除去の根拠を①②③④の選択肢で記載する。食品分類に書かれている6～10については、具体的な食品名を記載する。除去根拠（診断根拠）として最も高い位置付けとなるのは②食物経口負荷試験である。特に特異的IgE抗体陽性（感作）のみを診断の根拠として多品目の食品を除去している場合には専門医などに診断を依頼する。誤解や混乱を防ぐためにも検査結果の添付は適切でない。なお、就学前までにクルミやカシューナッツなどの木の実類を摂取していない児童がいることなどを考慮し、令和元年度改訂より「④未摂取」が加わった。

D. 緊急時に備えた処方薬

アレルギー症状出現時の対応のために学校に持参する内服薬やアドレナリン自己注射薬があれば記載する。

②学校生活上の留意点

給食や学校生活について「1. 管理不要」、「2. 管理必要」のどちらかを記入する。2の場合、学校は保護者の面談などにより、医師の診断に基づき食物アレルギー対応委員会を開催して具体的な対応方針を決定する（図18-1）。

「A. 給食」欄は大部分が管理必要であるが、ソバやピーナッツなど給食に使われないことが明確に決まっている場合は「管理不要」となる場合がある。調理実習や牛乳パック洗浄などに配慮が必要な場合は、「B. 食物・食材を扱う授業・活動」の欄に記載する。「C. 運動」欄では、食物依存性運動誘発アナフィラキシーにおいて原因食物が特定できていない場合などに記入する。修学旅行や林間学校などでは普段と異なる環境で症状を発現しやすいこともあり、より配慮が必要である。「E. 原因食物を除去する場合により厳しい除去が必要なもの」欄では、一般的に除去が不要な食品が示されている（表10-2）。これら調味料などの除去の管理は大量調理の給食では困難であり、これらの除去が必要な場合は給食を提供しないことを積極的に検討するとの方針が、2015年の「学校給食における食物アレルギー対応指針」でリスクマネジメントの一環として示された。このため記入する医師は、本欄に丸印をつけることで、給食提供が困難となる可能性があることを認識する必要がある。

表 学校生活管理指導表（アレルギー疾患用）

名前＿＿＿＿＿＿＿＿（男・女）＿＿＿年＿＿月＿＿日生　＿＿年＿＿組　　提出日＿＿＿年＿＿月＿＿日

※この生活管理指導表は、学校の生活において特別な配慮や管理が必要となった場合に医師が作成するものです。

	病型・治療	学校生活上の留意点	【緊急時連絡先】
アナフィラキシー（あり・なし）／食物アレルギー（あり・なし）	**A 食物アレルギー病型（食物アレルギーありの場合のみ記載）** 1．即時型 2．口腔アレルギー症候群 3．食物依存性運動誘発アナフィラキシー **B アナフィラキシー病型（アナフィラキシーの既往ありの場合のみ記載）** 1．食物（原因　） 2．食物依存性運動誘発アナフィラキシー 3．運動誘発アナフィラキシー 4．昆虫（　） 5．医薬品（　） 6．その他（　） **C 原因食物・除去根拠**　該当する食品の番号に○をし、かつ《　》内に除去根拠を記載 1．鶏卵《　》 2．牛乳・乳製品《　》 3．小麦《　》 4．ソバ《　》 5．ピーナッツ《　》 6．甲殻類《　》（すべて・エビ・カニ　） 7．木の実類《　》（すべて・クルミ・カシュー・アーモンド　） 8．果物類《　》（　） 9．魚類《　》（　） 10．肉類《　》（　） 11．その他1《　》（　） 12．その他2《　》（　） ［除去根拠］該当するもの全てを《　》内に記載 ①明らかな症状の既往　②食物経口負荷試験陽性 ③IgE抗体等検査結果陽性　④未摂取 （　）に具体的な食品名を記載 **D 緊急時に備えた処方薬** 1．内服薬（抗ヒスタミン薬、ステロイド薬） 2．アドレナリン自己注射薬（「エピペン®」） 3．その他（　）	**A 給食** 1．管理不要　2．管理必要 **B 食物・食材を扱う授業・活動** 1．管理不要　2．管理必要 **C 運動（体育・部活動等）** 1．管理不要　2．管理必要 **D 宿泊を伴う校外活動** 1．管理不要　2．管理必要 **E 原因食物を除去する場合により厳しい除去が必要なもの** ※本欄に○がついた場合、該当する食品を使用した料理については、給食対応が困難となる場合があります。 鶏卵：卵殻カルシウム 牛乳：乳糖・乳清焼成カルシウム 小麦：醤油・酢・味噌 大豆：大豆油・醤油・味噌 ゴマ：ゴマ油 魚類：かつおだし・いりこだし・魚醤 肉類：エキス **F その他の配慮・管理事項（自由記述）**	★保護者 電話： ★連絡医療機関 医療機関名： 電話： 記載日　年　月　日 医師名　㊞ 医療機関名
気管支ぜん息（あり・なし）	**A 症状のコントロール状態** 1．良好　2．比較的良好　3．不良 **B-1 長期管理薬（吸入）**　薬剤名　投与量／日 1．ステロイド吸入薬（　）（　） 2．ステロイド吸入薬／長時間作用性吸入ベータ刺激薬配合剤（　）（　） 3．その他（　）（　） **B-2 長期管理薬（内服）**　薬剤名 1．ロイコトリエン受容体拮抗薬（　） 2．その他（　） **B-3 長期管理薬（注射）**　薬剤名 1．生物学的製剤（　） **C 発作時の対応**　薬剤名　投与量／日 1．ベータ刺激薬吸入（　）（　） 2．ベータ刺激薬内服（　）（　）	**A 運動（体育・部活動等）** 1．管理不要　2．管理必要 **B 動物との接触やホコリ等の舞う環境での活動** 1．管理不要　2．管理必要 **C 宿泊を伴う校外活動** 1．管理不要　2．管理必要 **D その他の配慮・管理事項（自由記述）**	★保護者 電話： ★連絡医療機関 医療機関名： 電話： 記載日　年　月　日 医師名　㊞ 医療機関名

（公財）日本学校保健会 作成

（公益財団法人日本学校保健会．学校のアレルギー疾患に対する取り組みガイドライン《令和元年度改訂》より転載）

■ 図 18-2　学校生活管理指導表（アレルギー疾患用）［表面］[9]

平成20年（2008年）に運用が開始された。医師の正しい診断の下、根拠を持ったアレルギー対応を進めることが目的の一つである。平成27年より学校でアレルギーの対応を求める保護者が提出することが必須とされた。

第18章 患者の社会生活支援

③緊急時連絡先

　アナフィラキシーが発生した場合などの緊急時連絡先として、医療機関をあらかじめ保護者と相談しておく必要がある。特にアナフィラキシーの既往がある場合やアドレナリン自己注射薬を所持している場合は必須である。なお、通院中の医療機関が遠方の場合や重症時に対応が困難な場合には学校近くの救急医療機関などを紹介し、あらかじめ受診して緊急対応を依頼しておくことが望ましい。

④記載内容についての情報共有について

　生活管理指導表には健康に関わる個人情報が記載されているが、情報提供の目的は児童生徒への日常の取り組みおよび緊急時の対応に活用するものであり、全職員および関係機関で共有する必要があるため、その同意につき保護者が署名し提出するよう指導する。

2) 保育所におけるアレルギー疾患生活管理指導表の記載

(1) 学校生活管理指導表との差異

　保育所における食物アレルギー対応にあたっては、給食提供を前提とした上で、学校と同様、生活管理指導表（図18-3）の提出を「必須」とし、組織的に対応することが求められる。記入方法や項目は学校とほぼ同じであるが、異なる点のみを解説する。保育所では昼食だけでなく間食、延食、夕食なども提供されるため、それらに対しても配慮が必要となる。

　乳幼児期は食物アレルギーの自然耐性を獲得しやすい時期であると同時に、新たな食物アレルギーも発症しやすい。学校と同様に毎年提出するのはもちろん、大きな変化があった場合にはその都度情報を更新して再提出する。栄養面での配慮が特に必要な時期でもあり、定期的な受診を促し、常に再評価することが大切である。一方、食物除去が不要になり解除する場合には保護者からの書面申請でよいとされている。

(2) 保育所におけるアレルギー疾患生活管理指導表の記載のポイント

　乳児期には未摂取の食品があり、「除去根拠」として④未摂取が選択される場合も多い。初めて摂取する食品は家庭で安全に摂取できることを確認してから保育所で摂取開始することを原則とする。「B. アレルギー用調製粉乳」欄では、牛乳アレルギーの乳児において調製粉乳を牛乳アレルゲン除去調製粉乳で代替する必要がある場合、現在使用中の製品を選択する。「C. 除去食品においてより厳しい除去が必要なもの」では、学校と同様に「※本欄に○がついた場合、該当する食品を使用した料理については、給食対応が困難となる場合があります」と記されている。不必要な除去を減らすため、特に除去が必要な場合に限ってチェックする。

3) 緊急時の対応

　アレルギー症状の発生を予測することは難しく、緊急時に適切に対応できるよう事前の準備や日頃からの訓練が重要であることを指導する。東京都の「食物アレルギー緊急時対応マニュアル」（巻末資料7-2参照）や「学校のアレルギー疾患に対する取り組みガイドライン」要約

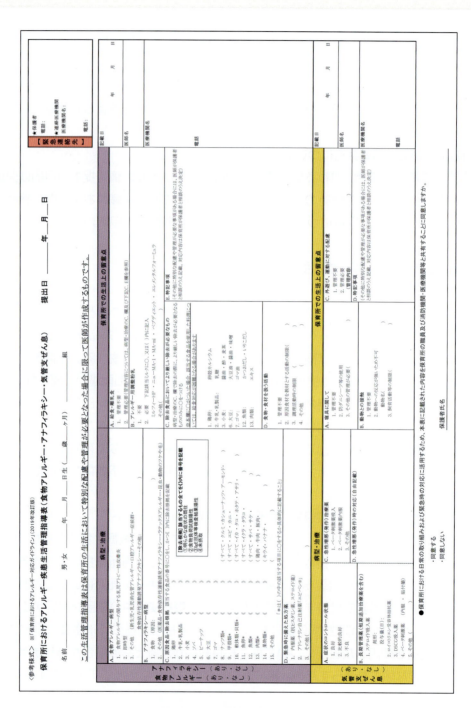

■ 図 18-3 保育所におけるアレルギー疾患生活管理指導表［表面］[11]

平成23年（2011年）に運用が開始された。学校生活管理指導表と多くの共通点をもつが、いくつか相違点もあり、例えば原因食物は診断根拠でなく、除去根拠としている。これは未摂取で除去扱いの乳児が少なくないからである。また、アレルギー用調製粉乳についても記入するなど乳児に対する栄養面の配慮もされている。

版(学校保健ポータルサイト内)、「保育所におけるアレルギー対応ガイドライン」の「緊急個別対応票」などを参考とし、処方薬とともに携帯したり教室や保育室などに掲示するなどしてすぐに参照できるようにする。なお、医療機関外における緊急時対応やアクションプランの詳細については、第7章を参照されたい。

4) 職員に向けた研修活動

主治医、園医・学校医などが、校内および園内全体で定期的な研修と訓練の研修をする場合、園・学校の全教職員に対してアレルギー疾患やアナフィラキシーの正しい知識を理解してもらうために、下記の資料などが役に立つ。

- アレルギー疾患対策(文部科学省)
  (https://www.mext.go.jp/a_menu/kenko/hoken/1353630.htm)
- アレルギー疾患対応資料(DVD)映像資料及び研修資料(文部科学省)
  (https://www.mext.go.jp/a_menu/kenko/hoken/1355828.htm)
- アナフィラキシー緊急対応の模擬訓練用アクションカード(公益財団法人日本学校保健会「学校保健ポータルサイト」)
  (https://www.gakkohoken.jp/themes/archives/101)
- 小児ぜん息等アレルギー疾患eラーニング学習支援ツール(環境再生保全機構)
  (https://www.erca.go.jp/yobou/zensoku/local_government/e-lerning.html)
- アレルギーポータル 食物アレルギーによって起こる症状と治療について
  (https://allergyportal.jp/documents/202103_food_allergy_slide.pptx)

3. 給食提供の実際

食物アレルギーを診療する医師は、その地域の学校・幼稚園、保育所において、どのような給食対応を行っているかをよく認識して、個々の患者にアドバイスできることが望ましい。

学校や保育所では、すべての食物アレルギー児に給食を提供することが基本とされている。給食は家庭で個別に行う「正しい診断に基づいた必要最小限の除去」と異なり、安全性の確保を最優先とするため、「完全除去か解除の二者択一」の対応を原則とする。

学校給食の対応レベルは以下のように分類される。一人の子どもに対しても、献立により異なる対応レベルが適用される場合がある。

レベル1. 詳細な献立表対応

すべての対応のベースとして必ず行うことであり、給食の原材料におけるアレルゲン含有情報を詳細に記した献立表をもとに保護者と教職員が、除去すべき献立(料理)を確認することを指す。その上で、その献立について除去食、代替食または弁当持参といった対応を決めることになる。

レベル 2．弁当対応
　除去食や代替食対応ができず、食べられない献立（料理）がある場合に、部分的もしくはすべてを弁当で持参することを指す。
レベル 3．除去食対応
　調理過程で特定の原材料を含まない給食を提供することを意味する（例：かき玉汁に卵を入れないなど）。
レベル 4．代替食対応
　除去した食物に対して何らかの食材を代替して提供することを指す。本来は除去した食材の栄養量を考慮し、それを代替し1食分の完全な給食を提供することである。

4. 外食・宿泊
　食物アレルギー患者やその家族にとって、外食をすることは憧れ・夢であるとともに、子どもが外食や宿泊の経験を積むことは、社会への自立に向け大切なことである。また、宿泊を伴う学校行事において、宿泊施設がアレルギー対応を行っていない場合には参加が困難となるなど、教育面での支障を生じる可能性がある。
　しかし外食などでは、営業形態が対面販売であり、盛りつけなどにより同一メニューでも原材料や内容量などにばらつきが生じることや、商品の種類が多く原材料が頻繁に変わるなどの特徴がある。さらには注文に応じてさまざまなメニューを手早く調理することが求められ、調理器具などからのアレルゲンの意図せぬ混入防止対策を十分に取ることが難しいという特有の課題もある。
　平成26年4月、消費者庁において「外食等におけるアレルゲン情報の提供の在り方検討会」が設置された。その中で、さまざまな規模の事業者が混在する業態特性を踏まえ、すべての事業者が対応可能かつ正確な表示が担保されることは現実的に困難であり、表示の義務化はかえって不正確な表示などにより消費者のデメリットが大きくなることが考えられることから、アレルギー表示の義務化に対して慎重に考えざるを得ないとの認識に至っている。
　このような現状において、外食あるいは宿泊を伴う学校行事に参加する食物アレルギー患者への指導にあたっては、外食産業に食品表示の義務はないことを理解した上で、患者本人の自己管理を含む事前の準備が重要である。例えば修学旅行の場合、患者・保護者が生活管理指導表をもとに学校と丁寧に話し合い、救急搬送先やそこまでの所要時間、原材料を含めた食事内容などを、宿泊施設や外食を予定している店と詳細に確認する。患者の重症度によっては、取り箸やトングなどの共有によるアレルゲン混入の危険なども考慮する必要性を指導する。
　情報提供のレベルアップのためには、外食事業者の規模・業態などの事情を踏まえ、関係省庁が関与した手引書などの作成や、平成26年の検討から一定の期間が経過したことを踏まえ、外食などにおけるアレルギー表示に関する再検討が待たれるところである。

第18章 患者の社会生活支援

■ 表18-2　海外旅行時に必要となる準備のポイント

事前の準備と情報収集
- 学校・生徒および保護者・旅行会社の三者による打合せ
- 現地の食物アレルギーに対する社会事情、緊急医療体制、予定される食事内容と原材料の確認
- 航空会社へアレルギー対応食やエピペン®携帯に関する確認
- 併存する喘息・アトピー性皮膚炎の十分な管理

持ち物の準備
- エピペン®などの症状誘発時の薬剤および常用薬一式
- 英文診断書兼処方箋（巻末資料18-1参照）
  （日本語の薬剤名を記入したものも別途準備）
- 英文で記載されたアレルゲン確認カード、救急依頼カード[*1]
- 代替食品（原因アレルゲンを含まないレトルト食品など）[*2]
- 携帯電話

[*1]：NPOが作成するサポートブックなどが利用可能（巻末資料18-2参照）
[*2]：食品の持ち込みは国により規制が異なるため事前確認が必要

5. 海外旅行（表18-2）

　近年のグローバル化に伴い、食物アレルギーを有する者が海外へ渡航する場合も多く、修学旅行なども含め医師に診断書の作成を求められる場面もある。

　海外旅行では、国内以上に事前準備が多い。渡航先によっては事前に必要な情報を十分に得られず、現地到着後に宿泊先や救急体制の状況を確認することが必要な場合もある。海外における食品のアレルゲン表示については、CODEX委員会（FAO/WHO合同食品規格委員会）で策定した「包装食品の表示に関するCODEX一般規格」（第17章参照）が国際規格として認知されており、各国それぞれに食品表示に関するルールが定められている。しかし、わが国ほど厳密な基準や運用ではなく、食品表示がなされていない場合や言葉の壁によって確認できない場合なども想定される。

　患者に指導すべき対応のポイントを表18-2に示す。現地の食物アレルギーに関する社会情勢や緊急医療体制、宿泊先の食事予定が決まっている場合にはアレルギー対応の可否やメニューの原材料などを確認する。修学旅行の場合は、重症度に合わせた最大限の配慮を依頼・調整してもらうことを、学校側と旅行会社および患者家族の三者で打ち合わせることが望ましい。

　航空会社へは、アレルギー対応の機内食の有無や原材料の確認、アドレナリン自己注射薬などの機内持ち込み可否を確認する。保安検査の際に、処方内容を記載した医師の英文診断書があると確実である（巻末資料18-1）。持ち込み可能であれば、アドレナリン自己注射薬などは手荷物として機内に持ち込み、座席上部の収納棚に置かず、手元に持っておくのがよい。

　アレルギーに関する知識や対応は、旅行会社によって違いがある。観光庁は、旅行会社が学校関係者に情報提供するための「海外修学旅行マニュアル」を発行しているものの、食物アレルギーに関する記述はなく、今後の改訂が望まれる。

　また食物アレルギーの重篤な症状を誘発するリスクである喘息やアトピー性皮膚炎が併存する場合は、十分な管理を行うことも重要である。万が一、アナフィラキシーを起こした場合な

どに備えて、英語と現地語で記載された救急依頼カードや、アレルゲン確認カードを作成しておくとよい。これらの一部はNPOなどによりサポートブックとして用意されているものもあり、活用が可能である（https://www.facafe.org/supbook）。

6. 食物アレルギー児の心理社会的問題

　海外の報告では、食物アレルギーを持つ小児の31.5％が食物アレルギーに関連するいじめを経験しており[2]、いじめの原因は78.8％が食物アレルギーのみによると感じ[3]、その内容はからかい（64.7％）、アレルギーの原因食物を目の前に置かれる（43.5％）などの行為が多いと記している。一方で、食物アレルギーをいじめのリスクと認識する教職員は50％程度に留まり[4]、縦断的調査でそのいじめは継続的な問題であることが示され[5]、学校内における心理社会的な問題は十分に評価されていない実態が報告されている。また、食物アレルギーを有する児童は学校におけるQOLが低く[6]、不登校の原因の1つとしても知られる[7]。

　このような状況を背景に、学校における食物アレルギーを有する児童の心理社会的な側面に配慮し、看護師やカウンセラーなど専門家のサポートや、保護者や学校内の教職員からの定期的な報告によるいじめの予防など、メンタルヘルスの問題に取り組むことを推奨している国もある[8]。また国内でも「人権教育リーフレット　食物アレルギーのある子どもへの配慮」などの研修資材を活用し、「みんなと同じ様にはできないつらさを理解するとともに、その思いに共感できる感性を養う」、「他の人の心の痛みを自分のことに引き寄せて考えることができる想像力を育む」などの取り組みを進めている自治体もある（https://www.osaka-c.ed.jp/blog/edu/center/2015/07/22-070108.html）。

参考資料
1) アレルギー疾患対策基本法（平成二十六年法律第九十八号）
　https://www.mhlw.go.jp/file/05-Shingikai-10905100-Kenkoukyoku-Ganshippeitaisakuka/0000111494.pdf
2) アレルギー疾患対策の推進に関する基本的な指針（厚生労働省告示第七十六号）
　https://www.mhlw.go.jp/file/05-Shingikai-10905100-Kenkoukyoku-Ganshippeitaisakuka/0000191879.pdf
3) 厚生労働省　保育所保育指針（厚生労働省告示第百十七号）
　https://www.mhlw.go.jp/file/06-Seisakujouhou-11900000-Koyoukintoujidoukateikyoku/0000160000.pdf
4) 厚生労働省　保育所保育指針解説（平成30年2月）
　https://www.mhlw.go.jp/file/06-Seisakujouhou-11900000-Koyoukintoujidoukateikyoku/0000202211.pdf
5) 文部科学省　学校安全の推進に関する計画（平成24年4月27日）
　https://www.mext.go.jp/a_menu/kenko/anzen/__icsFiles/afieldfile/2012/05/01/1320286_2.pdf
6) 文部科学省　第2次学校安全の推進に関する計画（平成29年3月24日）
　https://www.mext.go.jp/a_menu/kenko/anzen/__icsFiles/afieldfile/2017/06/13/1383652_03.pdf
7) 厚生労働省　放課後児童クラブ運営指針
　https://www.mhlw.go.jp/file/04-Houdouhappyou-11906000-Koyoukintoujidoukateikyoku-Ikuseikankyouka/0000080763.pdf
8) 幼保連携型こども園　教育・保育要領（内閣府／文部科学省／厚生労働省／告示第一号）
　https://www8.cao.go.jp/shoushi/shinseido/law/kodomo3houan/pdf/seisyourei/h260430/c1-2-honbun.pdf

9) 公益財団法人日本学校保健会　学校のアレルギー疾患に対する取り組みガイドライン《令和元年度改訂》
https://www.gakkohoken.jp/books/archives/226
10) 文部科学省　学校給食における食物アレルギー対応指針（平成 27 年 3 月）
https://www.mext.go.jp/component/a_menu/education/detail/__icsFiles/afieldfile/2015/03/26/1355518_1.pdf
11) 厚生労働省　保育所におけるアレルギー対応ガイドライン（2019 年改訂版）
https://www.mhlw.go.jp/content/000511242.pdf
12) 文部科学省ホームページ　アレルギー疾患対策
https://www.mext.go.jp/a_menu/kenko/hoken/1353630.htm
13) 文部科学省ホームページ　アレルギー疾患対応資料（DVD）映像資料及び研修資料
14) https://www.mext.go.jp/a_menu/kenko/hoken/1355828.htm
15) 公益財団日本学校保健会　学校保健ポータルサイト
https://www.gakkohoken.jp/themes/archives/101
16) 独立行政法人環境再生保全機構　小児ぜん息等アレルギー疾患　e ラーニング学習支援ツール
https://el-hoken.erca.go.jp
17) 東京都福祉保健局　食物アレルギー緊急時対応マニュアル（2018 年 3 月版）
https://www.fukushihoken.metro.tokyo.lg.jp/allergy/pdf/pri06.pdf
18) 消費者庁ホームページ　外食等におけるアレルゲン情報の提供の在り方検討会情報
https://www.caa.go.jp/policies/policy/food_labeling/other/review_meeting_004/
19) Codex Alimentarius Commission（コーデックス委員会）ホームページ
http://www.fao.org/fao-who-codexalimentarius/en/
20) 一般社団法人日本小児アレルギー学会ホームページ　英文診断書・紹介状
https://www.jspaci.jp/downloads/certificate/
21) 特定非営利活動法人ピアサポート　F.A.cafe　食物アレルギーサポートブック
https://www.facafe.org/supbook
22) 国土交通省観光庁　海外修学旅行マニュアル
https://www.mlit.go.jp/common/000059154.pdf

参考文献

1) 山田裕美，吉原重美．学童保育における食物アレルギー児の実態と対応の課題．日小誌．2020；124：864-69．
2) Shemesh E, Annunziato RA, Ambrose MA, et al. Child and parental reports of bullying in a consecutive sample of children with food allergy. Pediatrics. 2013；131.e10-7.
3) Lieberman JA, Weiss C, Furlong TJ, et al. Bullying among pediatric patients with food allergy. Ann Allergy Asthma Immunol. 2010；105：282-6.
4) Polloni L, Lazzarotto F, Toniolo A, et al. What do school personnel know, think and feel about food allergies? Clin Transl Allergy. 2013；3：39.
5) Annunziato RA, Rubes M, Ambrose MA, et al. Longitudinal evaluation of food allergy-related bullying. J Allergy Clin Immunol Pract. 2014；2：639-41.
6) King RM, Knibb RC, Hourihane JO. Impact of peanut allergy on quality of life, stress and anxiety in the family. Allergy. 2009；64：461-8.
7) Bollinger ME, Dahlquist LM, Mudd K, et al. The impact of food allergy on the daily activities of children and their families. Ann Allergy Asthma Immunol. 2006；96：415-21.
8) Voluntary Guidelines for Managing Food Allergies In Schools and Early Care and Education Programs. Center for Disease Control and Prevention (CDC). https://www.cdc.gov/healthyschools/foodallergies/index.htm

第19章 災害への備え

[要旨]

1. 日常診療において、患者が安易な除去をせず、食べられる範囲を明確にしておくことが、大規模災害時に役立つ。
2. 家庭でのアレルギー対応食品の備蓄は最低でも3日分、できれば1週間分程度が望ましい。
3. 患者家族が地域や身近な人々とつながりを持ち、日頃から互いに助け合う関係を持つことが災害時の助けになる。
4. 医師は、災害時に支援を必要とする患者家族からの要請を拾い上げ、自治体や支援活動を行う団体に情報提供を行うことが望ましい。
5. 医師は、災害時に有益な資料の内容と入手方法について、患者家族に伝えておくことが望ましい。

1. 災害への備え

　ライフラインの停止を伴うような大規模災害では、食物アレルギー患者は表19-1に示すような困難な状況に直面する可能性がある[1]。災害への対応は自助（家庭の備え）、共助（周囲と共同した備え）、公助（公的な備え）に分類され、発災直後には自助・共助・公助の比率が7：2：1になるといわれている[2]。医師は、患者家族が日頃からアレルギー対応食品を備蓄すること、また災害時に必要なサポートを受けられるように指導することが望まれる。

1）日常診療での患者のための備え

　保護者の心配などにより未診断のまま除去をしている食品が多く残っていると、非常時に安心して摂取できる食品が制限される。医師は、日常の診療でそうした食品を見つけ出し、食物経口負荷試験などで食物アレルギーの正しい診断や食事指導に努めることが望まれる。また、第10章で述べられたとおり、アレルゲン食品であっても「食べられる範囲」を明確にしておくと、避難所などで配給される食料に対応できることがある。

■表19-1　災害時に食物アレルギー患者に起こり得る問題点[1]
- アレルギー対応食品の不足
- 炊き出し時におけるアレルゲンの誤食
- アナフィラキシー時の対応の遅れ
- 食物アレルギーに対する偏見

■ 表19-2　災害時の必要物のリスト[5]
□防災マップ、防災手帳（かかりつけ医療機関名、重要な所とその連絡先と簡単な地図）
□お薬手帳のコピー
□病歴などを簡単にまとめたメモ
□清潔な水、マスク、タオル、ティッシュ、ウエットティッシュ（刺激の少ないもの）
□災害時のこどものアレルギー疾患対応パンフレット（日本小児アレルギー学会版）
□誤食時の緊急薬（抗ヒスタミン薬、経口ステロイド薬、エピペン®など）
□アレルギー対応食品の備蓄（アレルギー用ミルクなど）
□アレルギー対応食品が備蓄されている場所の地図と連絡先
□食物アレルギーサインプレートなど除去すべき食品が明確に書かれたもの

2) 自助（家庭の備え）

患者家族は、被災した直後から安全に食べられる食品を確保することが緊急の課題となる。東日本大震災後の食物アレルギー患者に対するアンケート調査では、「アレルギー食品・アレルギー用ミルクの入手が困難であった」との意見が最も多く述べられた[3]。大規模災害の発生時には物流の停止や食料品の品薄状態が生じる可能性があり、日頃から最低でも3日分、できれば1週間分程度の家庭での食料品の備蓄が望まれている[4]。アレルギー用ミルク、加熱しなくても食べられるアレルギー対応アルファ化米（特定原材料不使用のもの）、アレルギー対応レトルト食品など保存可能で患者が摂取可能なものを準備し、平時にときどき食べてみることを指導する。また、非常時のバッグやリュックの中に備えておくとよいものの例を表19-2に示す[5]。

3) 共助（周囲と共同した備え）

災害に備え、地域や身近にいる人々と患者、家族がつながりをもつことが災害時の助けとなる。例として、地域の防災訓練などに参加し近隣と助け合う関係を築いておくことや、患者家族の間でアレルギー情報や備蓄についての情報を共有することが挙げられる。また、NPOや患者会の活動が助けとなることもある。

日本小児アレルギー学会では緊急時の小児アレルギー患者の医療相談窓口（sup_jasp@jspaci.jp）を開設している。

4) 公助（公的な備え）

自治体の防災対策は、アレルギー疾患の特殊性を認識して対策を講じておくことが求められている。内閣府の「避難所における良好な生活環境の確保に向けた取組指針」[6]ではアレルギー患者は「要配慮者」とされ、アレルギー対応の食料、ミルクの備蓄や、避難所での食事に関する配慮について記されている。また、日本小児アレルギー学会の「大規模災害対策におけるアレルギー用食品の備蓄に関する提案」[7]や、内閣府の「避難所における食物アレルギー対応に関する事例報告」[8]などは、自治体と協議する際の参考となる。アレルギー診療に関わる医療従事

者は、災害時に支援を必要とする患者からの要請を拾い上げ、自治体や支援活動を行う団体に情報提供を行うことが望ましい。

5）災害時に有益な資料

日本小児アレルギー学会では、災害に対する日常的な備えと緊急時の対応にあたっている。以下の資料をホームページ（https://www.jspaci.jp）上で公開しており、参考にするとよい。

- 災害時のこどものアレルギー疾患対応パンフレット
- 災害時のこどものアレルギー疾患対応ポスター（**資料 19-1**）
- 災害派遣医療スタッフ向けのアレルギー児対応マニュアル

また、日本小児臨床アレルギー学会、農林水産省よりそれぞれ災害対応のパンフレット、食物アレルギー患者のための食品ストックガイドが公開されている。

- アレルギー疾患のこどものための「災害の備え」パンフレット
  （http://jspca.kenkyuukai.jp/special/?id=28829）
- 要配慮者のための災害時に備えた食品ストックガイド
  （https://www.maff.go.jp/j/zyukyu/foodstock/guidebook.html#02）

これらの資料は日本アレルギー学会と厚生労働省で作成された「アレルギーポータル」（https://allergyportal.jp）の災害時の対応の項目にも整理されて公開されている。

参考文献

1) 近藤直実，寺本貴英，松井永子，他．【東日本大震災】医療支援の在り方　アレルギー患者への対応．日本小児科医会会報．2012；43：57-62．
2) 内閣府．平成 30 年版　防災白書．
   http://www.bousai.go.jp/kaigirep/hakusho/h30/honbun/1b_1s_01_01.html
3) 山岡明子，阿部　弘，渡邊庸平，他．東日本大震災におけるアレルギー児の保護者へのアンケート調査．日小ア誌．2011；25：801-9．
4) 農林水産省．緊急時に備えた家庭用食料品備蓄ガイド．
   https://www.maff.go.jp/j/press/kanbo/anpo/pdf/140205-02.pdf
5) 三浦克志．震災時を振り返ったアレルギー児への支援活動（医療者の立場から）．日本小児難治喘息・アレルギー疾患学会誌．2016；14：290-3．
6) 内閣府．避難所における良好な生活環境の確保に向けた取組指針．（平成 25 年 8 月）
   http://www.bousai.go.jp/taisaku/hinanjo/h25/pdf/kankyoukakuho-honbun.pdf
7) 日本小児アレルギー学会災害対応委員会．大規模災害対策におけるアレルギー用食品の備蓄に関する提案．日本小児アレルギー学会．2018 年 12 月．
   https://www.jspaci.jp/assets/documents/bichiku201812.pdf
8) 内閣府．平成 28 年度避難所における被災者支援に関する事例等報告書．平成 29 年 4 月．51-4．
   http://210.149.141.46/taisaku/hinanjo/pdf/houkokusyo.pdf

巻末資料7-1 アナフィラキシースコアリングあいち

グレード/スコア		0点	①5点	②10点	②'20点	③40点	④60点
呼吸器	(主観的症状)	なし	鼻のむずむず感	喉頭の違和感	つまった感じ、息苦しさ	発声しにくい、呼吸困難感	声が出ない、息ができない
	(客観的症状)	なし	くしゃみ	軽度で一過性の咳、鼻水	継続する咳、ごく軽度の喘鳴	時に咳込み、明らかな喘鳴、嗄声	絶え間ない咳込み、著明な喘鳴、努力呼吸、吸気時喘鳴、陥没呼吸	呼吸音減弱、陥没呼吸著明、チアノーゼ
酸素飽和度の目安				SpO_2 98%以上	SpO_2 97%～95%	SpO_2 94%～91%	SpO_2 90%以下
皮膚粘膜	(主観的症状)	なし	口周囲の痒み、軽い違和感、ほてり	局所の軽度の痒み	全身の痒み	掻きむしらずにいられない	
(客観的症状)	面積	なし	眼球結膜の浮腫・充血 ＜局所的＞	＜複数範囲に及ぶ＞	＜急速に拡大、または全身に及ぶ＞		
	所見		膨疹、紅斑、腫脹、水疱	膨疹、紅斑、腫脹、血管性浮腫	膨疹、紅斑、腫脹、血管性浮腫		
消化器	(主観的症状)	なし	軽度の嘔気、腹痛 (FS1)	嘔気、腹痛 (FS2)	強い腹痛 (FS3)	耐えられない腹痛 (FS4)	
	(客観的症状)	なし	腸蠕動亢進	下痢、嘔吐	繰り返す嘔吐	嘔吐の反復による脱水傾向	
神経		なし	摂食拒否、活気の低下、不機嫌、苛立ち	眠気、すぐ横になりたがる、軽度の興奮	明らかに異常な睡眠、興奮・泣きわめく	傾眠、不穏で手がつけられない	意識障害
循環器		なし				顔面蒼白、頻脈、四肢冷感、異常な発汗、軽度血圧低下	徐脈、中等度以上血圧低下
血圧の目安						1歳未満：<70 mmHg 1～10歳：<70+(2×年齢) mmHg 11～17歳：<90 mmHg	1歳未満：<50 mmHg 1～10歳：<60 mmHg 10歳以上：<70 mmHg

呼吸器・皮膚粘膜・消化器・神経・循環器の経過中最高スコアを合計して、総合スコアとする。最高240点

(日野明日香、ほか．アレルギー．2013；62：968-79．より改変)

■ 巻末資料 7-2　食物アレルギー緊急時対応マニュアル（東京都）

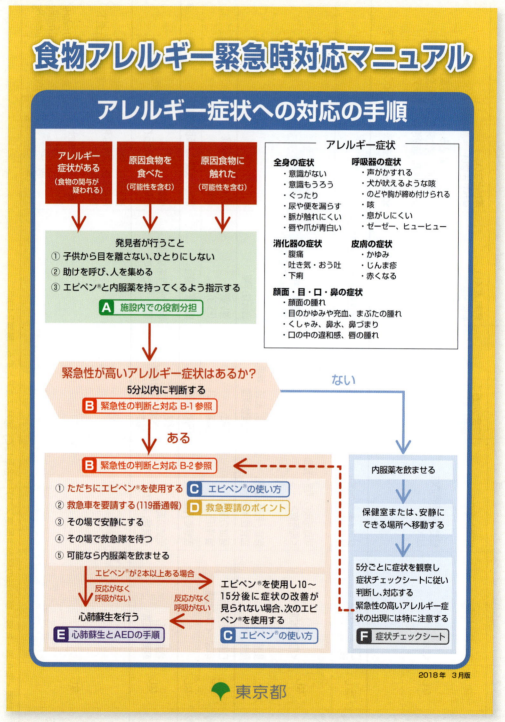

（平成30年3月改定版発行, https://www.fukushihoken.metro.tokyo.lg.jp/allergy/pdf/pri06.pdf）
監修：東京都アレルギー疾患対策検討委員会／編集・協力：東京都立小児総合医療センター　アレルギー科、東京消防庁・東京都教育委員会／発行：東京都健康安全研究センター　企画調整部健康危機管理情報課
東京都の許諾を得て掲載

巻末資料

A　施設内での役割分担

◆各々の役割分担を確認し事前にシミュレーションを行う

管理・監督者（園長・校長など）
- ☐ 現場に到着次第、リーダーとなる
- ☐ それぞれの役割の確認および指示
- ☐ エピペン®の使用または介助
- ☐ 心肺蘇生やAEDの使用

発見者　「観察」
- ☐ 子供から離れず観察
- ☐ 助けを呼び、人を集める（大声または、他の子供に呼びに行かせる）
- ☐ 教員・職員A、Bに「準備」「連絡」を依頼
- ☐ 管理者が到着するまでリーダー代行となる
- ☐ エピペン®の使用または介助
- ☐ 薬の内服介助
- ☐ 心肺蘇生やAEDの使用

教員・職員A　「準備」
- ☐ 「食物アレルギー緊急時対応マニュアル」を持ってくる
- ☐ エピペン®の準備
- ☐ AEDの準備
- ☐ 内服薬の準備
- ☐ エピペン®の使用または介助
- ☐ 心肺蘇生やAEDの使用

教員・職員B　「連絡」
- ☐ 救急車を要請する（119番通報）
- ☐ 管理者を呼ぶ
- ☐ 保護者への連絡
- ☐ さらに人を集める（校内放送）

教員・職員C　「記録」
- ☐ 観察を開始した時刻を記録
- ☐ エピペン®を使用した時刻を記録
- ☐ 内服薬を飲んだ時刻を記録
- ☐ 5分ごとに症状を記録

教員・職員D〜F　「その他」
- ☐ 他の子供への対応
- ☐ 救急車の誘導
- ☐ エピペン®の使用または介助
- ☐ 心肺蘇生やAEDの使用

(平成30年3月改定版発行, https://www.fukushihoken.metro.tokyo.lg.jp/allergy/pdf/pri06.pdf)
監修：東京都アレルギー疾患対策検討委員会／編集・協力：東京都立小児総合医療センター　アレルギー科、東京消防庁・東京都教育委員会／発行：東京都健康安全研究センター　企画調整部健康危機管理情報課
東京都の許諾を得て掲載

Japanese Guidelines for Food Allergy 2021

B 緊急性の判断と対応

◆アレルギー症状があったら5分以内に判断する！
◆迷ったらエピペン®を打つ！ただちに119番通報をする！

B-1 緊急性が高いアレルギー症状

【全身の症状】
- ☐ ぐったり
- ☐ 意識もうろう
- ☐ 尿や便を漏らす
- ☐ 脈が触れにくいまたは不規則
- ☐ 唇や爪が青白い

【呼吸器の症状】
- ☐ のどや胸が締め付けられる
- ☐ 声がかすれる
- ☐ 犬が吠えるような咳
- ☐ 息がしにくい
- ☐ 持続する強い咳き込み
- ☐ ゼーゼーする呼吸
  （ぜん息発作と区別できない場合を含む）

【消化器の症状】
- ☐ 持続する強い（がまんできない）お腹の痛み
- ☐ 繰り返し吐き続ける

1つでもあてはまる場合 → B-2へ
ない場合 →
- 内服薬を飲ませる
- 保健室または、安静にできる場所へ移動する
- 5分ごとに症状を観察し症状チェックシートに従い判断し、対応する 緊急性の高いアレルギー症状の出現には特に注意する
- **F** 症状チェックシート

B-2 緊急性が高いアレルギー症状への対応

① ただちにエピペン®を使用する！ → **C** エピペン®の使い方
② 救急車を要請する（119番通報） → **D** 救急要請のポイント
③ その場で安静にする（下記の体位を参照）
　立たせたり、歩かせたりしない！
④ その場で救急隊を待つ
⑤ 可能なら内服薬を飲ませる

◆ エピペン®を使用し10～15分後に症状の改善が見られない場合は、次のエピペン®を使用する（2本以上ある場合）
◆ 反応がなく、呼吸がなければ心肺蘇生を行う → **E** 心肺蘇生とAEDの手順

安静を保つ体位

ぐったり、意識もうろうの場合

血圧が低下している可能性があるため仰向けで足を15～30cm高くする

吐き気、おう吐がある場合

おう吐物による窒息を防ぐため、体と顔を横に向ける

呼吸が苦しく仰向けになれない場合

呼吸を楽にするため、上半身を起こし後ろに寄りかからせる

(平成30年3月改定版発行, https://www.fukushihoken.metro.tokyo.lg.jp/allergy/pdf/pri06.pdf)
監修：東京都アレルギー疾患対策検討委員会/編集・協力：東京都立小児総合医療センター　アレルギー科、東京消防庁・東京都教育委員会/発行：東京都健康安全研究センター　企画調整部健康危機管理情報課
東京都の許諾を得て掲載

巻末資料

C エピペン®の使い方

◆ それぞれの動作を声に出し、確認しながら行う

① ケースから取り出す

ケースのカバーキャップを開けエピペン®を取り出す

② しっかり握る

オレンジ色のニードルカバーを下に向け、利き手で持つ
"グー"で握る！

③ 安全キャップを外す

青い安全キャップを外す

④ 太ももに注射する

太ももの外側に、エピペン®の先端（オレンジ色の部分）を軽くあて、"カチッ"と音がするまで強く押しあてそのまま5つ数える
注射した後すぐに抜かない！
押しつけたまま5つ数える！

⑤ 確認する

使用前 使用後
エピペン®を太ももから離しオレンジ色のニードルカバーが伸びているか確認する
伸びていない場合は「④に戻る」

⑥ マッサージする

打った部位を10秒間、マッサージする

介助者がいる場合

介助者は、子供の太ももの付け根と膝をしっかり抑え、動かないように固定する

注射する部位
- 衣類の上から、打つことができる
- 太ももの付け根と膝の中央部で、かつ真ん中（Ⓐ）よりやや外側に注射する

仰向けの場合

座位の場合

(平成30年3月改定版発行, https://www.fukushihoken.metro.tokyo.lg.jp/allergy/pdf/pri06.pdf)
監修：東京都アレルギー疾患対策検討委員会／編集・協力：東京都立小児総合医療センター　アレルギー科、東京消防庁・東京都教育委員会／発行：東京都健康安全研究センター　企画調整部健康危機管理情報課
東京都の許諾を得て掲載

Japanese Guidelines for Food Allergy 2021

D 救急要請（119番通報）のポイント

◆あわてず、ゆっくり、正確に情報を伝える

① 救急であることを伝える

② 救急車に来てほしい住所を伝える

住所、施設名をあらかじめ記載しておく

③「いつ、だれが、どうして、現在どのような状態なのか」をわかる範囲で伝える

エピペン®の処方やエピペン®の使用の有無を伝える

④ 通報している人の氏名と連絡先を伝える

119番通報後も連絡可能な電話番号を伝える

※向かっている救急隊から、その後の状態確認等のため電話がかかってくることがある
・通報時に伝えた連絡先の電話は、常につながるようにしておく
・その際、救急隊が到着するまでの応急手当の方法などを必要に応じて聞く

(平成30年3月改定版発行, https://www.fukushihoken.metro.tokyo.lg.jp/allergy/pdf/pri06.pdf)
監修：東京都アレルギー疾患対策検討委員会／編集・協力：東京都立小児総合医療センター　アレルギー科、東京消防庁・東京都教育委員会／発行：東京都健康安全研究センター　企画調整部健康危機管理情報課
東京都の許諾を得て掲載

巻末資料

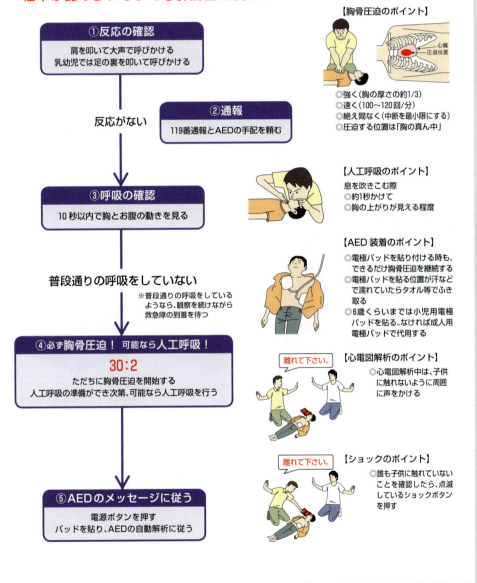

(平成30年3月改定版発行, https://www.fukushihoken.metro.tokyo.lg.jp/allergy/pdf/pri06.pdf)
監修:東京都アレルギー疾患対策検討委員会/編集・協力:東京都立小児総合医療センター　アレルギー科、東京消防庁・東京都教育委員会/発行:東京都健康安全研究センター　企画調整部健康危機管理情報課
東京都の許諾を得て掲載

Japanese Guidelines for Food Allergy 2021

F 症状チェックシート

◆ 症状は急激に変化することがあるため、5分ごとに、注意深く症状を観察する
◆ 　　の症状が1つでもあてはまる場合、エピペン®を使用する
（内服薬を飲んだ後にエピペン®を使用しても問題ない）

観察を開始した時刻（　時　分）　内服した時刻（　時　分）　エピペン®を使用した時刻（　時　分）

全身の症状	□ ぐったり □ 意識もうろう □ 尿や便を漏らす □ 脈が触れにくいまたは不規則 □ 唇や爪が青白い		
呼吸器の症状	□ のどや胸が締め付けられる □ 声がかすれる □ 犬が吠えるような咳 □ 息がしにくい □ 持続する強い咳き込み □ ゼーゼーする呼吸	□ 数回の軽い咳	
消化器の症状	□ 持続する強い(がまんできない)お腹の痛み □ 繰り返し吐き続ける	□ 中等度のお腹の痛み □ 1〜2回のおう吐 □ 1〜2回の下痢	□ 軽いお腹の痛み (がまんできる) □ 吐き気
目・口・鼻・顔面の症状	上記の症状が1つでもあてはまる場合	□ 顔全体の腫れ □ まぶたの腫れ	□ 目のかゆみ、充血 □ 口の中の違和感、唇の腫れ □ くしゃみ、鼻水、鼻づまり
皮膚の症状		□ 強いかゆみ □ 全身に広がるじんま疹 □ 全身が真っ赤	□ 軽度のかゆみ □ 数個のじんま疹 □ 部分的な赤み

1つでもあてはまる場合　　　　　　　**1つでもあてはまる場合**

①ただちにエピペン®を使用する ②救急車を要請する(119番通報) ③その場で安静を保つ 　（立たせたり、歩かせたりしない） ④その場で救急隊を待つ ⑤可能なら内服薬を飲ませる **B** 緊急性の判断と対応 B-2参照	①内服薬を飲ませ、エピペン®を準備する ②速やかに医療機関を受診する 　(救急車の要請も考慮) ③医療機関に到着するまで、5分ごとに症状の変化を観察し、　　の症状が1つでもあてはまる場合、エピペン®を使用する	①内服薬を飲ませる ②少なくとも1時間は5分ごとに症状の変化を観察し、症状の改善がみられない場合は医療機関を受診する
ただちに救急車で医療機関へ搬送	**速やかに医療機関を受診**	**安静にし、注意深く経過観察**

（平成30年3月改定版発行, https://www.fukushihoken.metro.tokyo.lg.jp/allergy/pdf/pri06.pdf）
監修：東京都アレルギー疾患対策検討委員会／編集・協力：東京都立小児総合医療センター　アレルギー科、東京消防庁・東京都教育委員会／発行：東京都健康安全研究センター　企画調整部健康危機管理情報課
東京都の許諾を得て掲載

巻末資料

緊急時に備えるために

本マニュアルの利用にあたっては、下記の点にご留意ください。

☆ 保育所・幼稚園・学校では、食物アレルギー対応委員会を設置してください。
☆ 教員・職員の研修計画を策定してください。東京都等が実施する研修を受講し、各種ガイドライン※を参考として校内・施設内での研修を実施してください。
☆ 緊急対応が必要になる可能性がある人を把握し、生活管理指導表や取組方針を確認するとともに、保護者や主治医からの情報等を職員全員で共有してください。
☆ 緊急時に適切に対応できるように、本マニュアルを活用して教員・職員の役割分担や運用方法を決めておいてください。
☆ 緊急時にエピペン®、内服薬が確実に使用できるように、管理方法を決めてください。
☆ 「症状チェックシート」は複数枚用意して、症状を観察する時の記録用紙として使用してください。
☆ エピペン®や内服薬を処方されていない(持参していない)人への対応が必要な場合も、基本的には「アレルギー症状への対応の手順」に従って判断してください。その場合、「エピペン®使用」や「内服薬を飲ませる」の項は飛ばして、次の項に進んで判断してください。

※ 各種ガイドライン
・「子供を預かる施設における食物アレルギー日常生活・緊急時対応ガイドブック」(平成30年 東京都福祉保健局発行)
・「保育所におけるアレルギー対応ガイドライン」(平成23年 厚生労働省発行)
・「学校のアレルギー疾患に対する取り組みガイドライン」(平成20年 財団法人日本学校保健会発行)

この食物アレルギー緊急時対応マニュアルは、東京アレルギー情報navi.
(http://www.fukushihoken.metro.tokyo.jp/allergy/publications/print_allergy.html)よりダウンロードできます。

平成25年7月初版　　　登録番号(29) 38
平成30年3月改定版
【監　　修】東京都アレルギー疾患対策検討委員会
【編集・協力】東京都立小児総合医療センター アレルギー科
　　　　　　東京消防庁・東京都教育委員会
【発　　行】東京都健康安全研究センター 企画調整部健康危機管理情報課
　　　　　　電話 03(3363)3487

(平成30年3月改定版発行, https://www.fukushihoken.metro.tokyo.lg.jp/allergy/pdf/pri06.pdf)
監修:東京都アレルギー疾患対策検討委員会/編集・協力:東京都立小児総合医療センター　アレルギー科、東京消防庁・東京都教育委員会/発行:東京都健康安全研究センター　企画調整部健康危機管理情報課
東京都の許諾を得て掲載

Japanese Guidelines for Food Allergy 2021

■ 巻末資料 18-1　英文による医療情報提供書の例

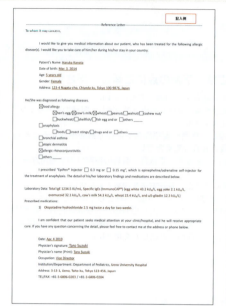

https://www.gakkohoken.jp/books/archives/226　公益財団法人日本学校保健会ホームページよりダウンロード可

（A）アレルギー疾患について必要な医療情報提供書、および（B）エピペン®携帯に関する医療情報提供書。日本小児アレルギー学会広報委員会作成。

■ 巻末資料 18-2　海外旅行時に活用できるサポートブックの例

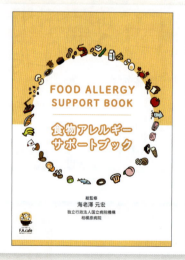

日本語と英語を併記した食物アレルギー表現集。
NPO法人ピアサポートF.A.cafe作成、海老澤元宏監修（https://www.facafe.org/supbook）

※食物アレルギーサポートブックマークの著作権は、NPO法人ピアサポートF.A.cafeに帰属し、営利/非営利を問わず一部または全部の無断転載や複製を禁じます。転載や複製を希望される方はNPO法人ピアサポートF.A.cafeまでご連絡ください。
ただし、医療機関が患者さんやその家族に配布する場合、患者さんやその家族が自身の海外経験を他人に伝える場合、学校・家庭またはこれらに準ずる所で学習する場合はこの限りではありません。

利用の際は必ず下記サイトをご確認下さい。
www.bunka.go.jp/jiyuriyo

巻末資料

■ 巻末資料 19-1　災害時のこどものアレルギー疾患対応ポスター

> **災害時アレルギー対応**
> # アレルギーのこどものために

　食物アレルギー、ぜんそく、アトピー性皮ふ炎などのこどもたちは、避難所などの食事や環境によって病気が急に悪化することがあります。

◇ **食物アレルギーのこどもがいたら行政担当者に知らせ、アレルギー対応食の支援を受けてください。**

必要な除去食の内容（例：卵と小麦はダメ）やアドレナリン自己注射薬（エピペン®）を携帯していることなどの情報を行政担当者に伝えてください。

◇ **アレルギーの原因となる食物、ほこり、ペットを避けましょう。**

・支援食配給時、食物アレルギーのこどもに配慮をお願いします。
・炊き出しなどで調理に使っている食材を詳しく伝えましょう。
・マスクなどでほこり、煙、粉塵を避けて、ペットは室外で避難させましょう。

◇ **治療に必要な電源や水、スペースを優先して使用させてください。**

・ぜんそく患者は電動の吸入器を毎日使用することがあります。
・毎日の清拭（ぬれタオルでやさしくぬぐうこと）やシャワーは、アトピー性皮ふ炎の治療に必要です。

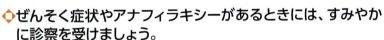

◇ **ぜんそく症状やアナフィラキシーがあるときには、すみやかに診察を受けましょう。**

・ぜんそく：強い咳き込みやゼーゼーする呼吸がある場合。
・アナフィラキシー：食後に、急に咳き込み始めたり、強い腹痛や繰り返す嘔吐がみられた場合。エピペン®はなるべくその場で使用しましょう。

災害時のこどものアレルギーに関する相談窓口（無料）
▶ メール相談：sup_jasp@jspaci.jp

日本小児アレルギー学会
ホームページ URL：http://www.jspaci.jp/

索　引

和文索引

あ

アセチルコリン　23
アトピーパッチテスト　96
アドレナリン自己注射　83, 200, 207, 251
アナフィラキシー　14, 19, 22, 74, 110, 112, 194, 225, 255
アナフィラキシーショック　18, 22, 76, 251
アナフィラキシースコアリングあいち　76
アニサキス　20, 182, 184, 224
アネルギー（免疫不応答性）　40
亜硫酸塩　248
α-Gal　19, 213, 217
α遮断薬　80, 84
α-ラクトアルブミン　153
アレルギー疾患対策基本法　105, 250, 262
アレルギー性接触皮膚炎　20
アレルギーマーチ　50, 68
アレルゲンコンポーネント　26, 95, 146, 153
アレルゲン特異的リンパ球刺激試験（allergen-specific lymphocyte stimulation test, ALST）　232
アレルゲン免疫療法（allergen immunotherapy, AIT）　44, 207
アロマオイル　16

い

意識障害　22, 76, 219
意識消失　22, 76, 219
遺伝的素因　239
陰性コントロール　96, 207
陰性的中率（negative predictive value, NPV）　94
陰性例の判断　114
インフルエンザワクチン　130

う

ウイルス性腸炎　24
運動負荷　194

え

栄養食事指導　91, 120
液性免疫応答　138
エコチル調査　48
エピトープ　26
エリスリトール　37, 222

お

オープン法（open food challenge, OFC）　108
オボアルブミン　146
オボムコイド　28, 145

か

海外旅行　248, 261
外食　124, 246, 260
拡大表記　246
獲得免疫　17
加水分解小麦　20, 160, 197, 200
加水分解乳　65, 155, 233
カゼイン　34, 37, 129, 153
家族歴　59
学校安全推進計画　251
学校生活管理指導表　254
学校のアレルギー疾患に対する取り組みガイドライン　84, 252
カットオフ値　94, 104, 145, 170
可能性表示（precautionary allergen labelling, PAL）　249
花粉-食物アレルギー症候群（pollen-food allergy syndrome, PFAS）　20, 33, 88, 190, 204
感染症　3, 24, 232
完全除去　11, 12, 13, 14, 66, 102, 109, 114, 120, 136, 200, 259
感度　93
感冒　19, 149

き

気管支攣縮　22, 76
寄生虫成分　17
気道過敏性　54
キモトリプシン　27
給食　106, 115, 127, 253
急性膵炎　113
牛乳アレルゲン除去調製粉乳　155, 257
夾雑タンパク質　38, 223
きょうだい　59, 84, 122
金属　17

く

クーピン　31
クラゲ刺傷　219
グリアジン　95, 104, 110, 159, 195, 197
グルテニン　159, 197
グルテン　28, 159, 162, 197, 238, 248

け

経気道感作　38, 42, 212

経口ダニアナフィラキシー（oral mite anaphylaxis） 20, 225
経口免疫寛容 42, 59
経口免疫療法（oral immunotherapy, OIT） 11, 134
経消化管感作 42
経皮感作 42, 52, 63, 68
経表皮水分蒸散量（transepidermal water loss, TEWL） 62
化粧品 16, 38, 123, 129, 220, 223
血圧低下 13, 14, 22, 76
血管性浮腫 20
血漿ヒスタミン 199
血清アルブミン 146, 153, 212
ケミカルメディエーター 42, 80

こ

好塩基球活性化試験（basophil activation test, BAT） 98
口腔アレルギー症候群（oral allergy syndrome, OAS） 19, 204
抗原決定基 26
交差抗原性（cross antigencity） 26, 146, 153, 160, 170, 182, 185, 186, 188, 190, 204
好酸球性胃炎（eosinophilic gastritis, EG） 230, 233
好酸球性胃腸炎（eosinophilic gastroenteritis, EGE） 233, 238
好酸球性消化管疾患（eosinophilic gastrointestinal disorders, EGIDs） 19, 229, 233, 238
好酸球性食道炎（eosinophilic esophagitis, EoE） 233, 238
好酸球性大腸炎（eosinophilic colitis, EC） 230, 233
高親和性 IgE 受容体 41
抗精神病薬 80
構造的エピトープ（conformational epitope） 26, 33, 36
抗ヒスタミン薬 12, 83, 265
呼吸困難 13, 21, 75
誤食 50, 83, 103, 121, 135, 244, 252
コチニール色素 20, 37, 223
小麦依存性運動誘発アナフィラキシー（wheat-dependent exercise-induced anaphylaxis, WDEIA） 24, 196
コラーゲン 185

さ

サーフィン 220

災害時のこどものアレルギー疾患対応パンフレット 266
細菌性腸炎 24
在宅自己注射指導管理料 84
細胞性反応（cell mediated reaction） 17
サリチル酸 23

し

脂質輸送タンパク質（lipid transfer protein, LTP） 30, 166, 192
自然耐性 43, 95, 98, 161, 257
自然歴 145, 151, 159, 165, 174, 176, 178, 180, 184, 188, 190
持続的無反応（sustained unresponsiveness, SU） 11, 12, 44, 135
悉皆調査 48
失禁 22, 76
死の恐怖感（impending doom） 22
授乳・離乳の支援ガイド（2019年改訂版） 66
消化管アレルギー（gastrointestinal allergies） 19, 228
症状誘発閾値 89, 109, 114, 125, 134, 140
除去解除 115, 127
除去解除の判断 115
除去食 106, 124, 257, 260
食事指導 120, 125, 147, 155, 161, 167, 171, 174, 177, 179, 182, 186, 189, 193, 225
食品添加物 23, 37, 124, 223, 247
食品表示法 244
食物アレルギー緊急時対応マニュアル 84, 257, 263
食物アレルギー研究会 116
食物依存性運動誘発アナフィラキシー 19, 23, 88, 158, 180, 194, 255
食物経口負荷試験（oral food challenge, OFC） 13, 14, 76, 89, 100, 134, 198
食物除去 58, 65, 89, 98, 101, 121, 123, 232, 257
食物不耐症（food intolerance） 17, 23
徐脈 22, 76
新生児・乳児消化管アレルギー 2, 21, 44, 91, 98, 229
シンバイオティクス 67
新保育所保育指針 251
心理社会的問題 262

す

ステロイド 81, 88, 100, 238
ステロイド外用療法 89, 100

せ

生活管理指導表　251
制御性T細胞（regulatory T cell, Treg）　40, 43, 138
成人食物アレルギー　7, 49
生物学的製剤　107, 238
生理活性物質　23
舌下免疫療法（sublingual immunotherapy, SLIT）　208
石鹸　16, 42, 129, 156, 160, 197, 200
摂取可能量　11, 12, 101, 115, 126
摂取間隔　111
接触皮膚炎　16, 20, 44
セリアック病　98, 229
セロトニン　23, 42

そ

総負荷量　94, 101, 107, 109, 112, 114, 127
即時型反応（immediate reactions）　17, 91, 101, 194

た

タートラジン　23
代償性ショック　22, 76
耐性獲得　43, 95, 101, 115, 120, 125, 134, 136, 233
代替食　124, 259
代替食品　124
代替表記　246
胎内感作　41
脱感作　11, 44, 134, 140, 207
ダニ　16, 17, 36, 41, 91, 182, 213, 217, 225
食べられる範囲　115, 162, 264
タンニン酸アルブミン　129
タンパク質スーパーファミリー　28, 31, 34, 153
単盲検法　108

ち

遅発型IgE依存性食物アレルギー　18
遅発型アナフィラキシー　173, 217
遅延型食物アレルギー　98
遅発型反応（late reactions）　17, 98
貯蔵タンパク質　30, 37, 42, 166, 169, 173, 176

て

低アレルゲン化　28, 33, 65, 102, 108, 147, 155, 162, 174, 185

と

東京都3歳児調査　48
糖鎖抗原（cross-reactive carbohydrate determinant, CCD）　37
特異的IgE抗体検査　89, 92, 98, 104, 147, 154, 161, 166, 170, 176, 178, 182, 186, 192, 210, 213
特異的IgG抗体　99
特異的IgG$_4$抗体　11, 43, 44, 146
特異度　93, 154, 161, 166, 170, 176, 182, 186, 192, 210
特定原材料　167, 171, 177, 179, 244, 265
トリプシン　27, 31, 146
トロポミオシン　34, 180

な

ナイーブT細胞　40
納豆アレルギー　19, 219

に

二相性反応（biphasic reactions）　17, 82, 113
日光照射　64
日本学校保健会　48, 84, 252
乳酸菌製剤　129
乳清タンパク質　153
乳糖　24, 104, 129, 155, 248
二重盲検プラセボ対照食物負荷試験（double-blind placebo-controlled food challenge, DBPCFC）　49, 108, 152

は

バイ・クーピン　31
ハチ刺傷　23
ハプテン　37
パルブアルブミン　34, 36, 185
汎アレルゲン　33, 36, 182
パンケーキ症候群（pancake syndrome）　225
パン職人喘息（baker's asthma）　16, 31
判定保留の判断　114

ひ

非IgE依存性反応（non-IgE mediated reaction）　17, 22
皮下免疫療法（subcutaneous immunotherapy, SCIT）　207
ヒスタミン　23, 42, 44, 78, 83, 96, 138, 186, 199
ヒスタミンH$_1$受容体拮抗薬　79, 81, 96, 107, 200, 207

ヒスタミン食中毒（scombroid fish poisoning） 23
非ステロイド性抗炎症薬（NSAIDs） 195, 201
非即時型反応（non-immediate reactions） 17, 19, 96, 113
ビタミン D 58, 64, 68, 123, 125, 186
皮膚バリア機能 52, 58, 60, 68
皮膚プリックテスト（skin prick test, SPT） 11, 96
病因関連タンパク質（pathogenesis-related protein） 33, 191
病診連携 116

ふ

フィラグリン遺伝子 23, 52, 60, 146
不穏 22, 75
負荷食品 13, 14, 102, 108, 147, 154
副腎皮質ステロイド 81
普通ミルク 65
ブラインド法（blind food challenge, BFC） 107, 108, 118
プリック針 96, 207
プレバイオティクス 67
フローチャート 90, 91, 126, 199
プロスタグランジン 42, 195, 200
プロテアーゼ 27, 34, 37
プロテアーゼインヒビター 37
プロトンポンプ阻害薬（proton-pump inhibitor, PPI） 234
プロバイオティクス 67
プロバビリティカーブ 93, 147, 154, 161
プロフィリン 20, 28, 33, 192, 204
プロラミン 28, 30, 32
分泌型 IgA 抗体 44

へ

β刺激薬 22, 82, 107, 130
β-ラクトグロブリン 37, 132, 153, 154
ペプシン 27
ペプチドミルク 109, 155
ヘベイン（Hev b 6.02） 34, 209
便粘液好酸球 232

ほ

保育所におけるアレルギー疾患生活管理指導表 253, 257
放課後児童クラブ運営指針 252, 262
膨疹径 11, 97, 104, 138, 145, 152, 159, 166, 178, 207
保湿剤塗布 67
母乳栄養 65, 89, 146

ポリガンマグルタミン酸（poly γ-glutamic acid, PGA） 20, 174, 219

ま

マダニ 16, 213, 217
マダニ咬傷 16, 213, 217
マトリックス効果 28, 102, 147

め

メイラード反応 28
免疫寛容 40, 59
免疫不応答性（アネルギー） 40

も

モノアミン類 23

ゆ

有害事象 11, 12, 13, 14, 24, 66, 137
誘発閾値 89, 109, 114, 125, 134, 137, 139, 140, 152, 155, 194

よ

陽性コントロール 96, 207
陽性的中率（positive predictive value, PPV） 94, 166
陽性の判断 114
幼保連携型認定こども園教育・保育要領 252
抑制性サイトカイン 43, 44
抑制性樹状細胞 43
予防接種 130

ら

ラテックスアレルギー 209
ラテックス-フルーツ症候群（latex-fruit syndrome, LFS） 20, 190, 209
卵殻カルシウム 121, 149, 247, 248

り

リゾチーム塩酸塩 149
リポカリン 37, 153
臨床的交差反応性 28, 33

れ

レシチン 131
連続性エピトープ（linear epitope） 26

欧文索引

A

allergen immunotherapy（AIT, アレルゲン免疫療法） 44, 207
allergen-specific lymphocyte stimulation test（ALST, アレルゲン特異的リンパ球刺激試験） 232
atopy patch test（APT, アトピーパッチテスト） 96

B

basophil activation test（BAT, 好塩基球活性化試験） 98
Bet v 1 ホモログ 28, 33, 170, 204, 205
biphasic reactions（二相性反応） 17, 82, 113
bird-egg 症候群 146, 214
blind food challenge（BFC, ブラインド法） 108
Bruce 法 198

C

cell mediated reactions（細胞性反応） 17
chemiluminescence-enzyme immunoassay（CLEIA） 92
conformational epitope（構造的エピトープ） 26, 33, 36
cross antigencity（交差抗原性） 26, 146, 153, 160, 170, 182, 185, 186, 188, 190, 204
cross-reactive carbohydrate determinant（CCD, 糖鎖抗原） 37

D

double-blind placebo-controlled food challenge（DBPCFC, 二重盲検プラセボ対照食物負荷試験） 49, 108, 152
dual-allergen-exposure hypothesis 59

E

eosinophil-derived neurotoxin（EDN） 232
eosinophilic colitis（EC, 好酸球性大腸炎） 230, 233
eosinophilic esophagitis（EoE, 好酸球性食道炎） 233, 238
eosinophilic gastritis（EG, 好酸球性胃炎） 230, 233
eosinophilic gastroenteritis（EGE, 好酸球性胃腸炎） 233, 238
eosinophilic gastrointestinal disorders（EGIDs, 好酸球性消化管疾患） 19, 229, 233, 238
epitope 26

F

food intolerance（食物不耐症） 17, 23
food-dependent exercise-induced anaphylaxis（FDEIA, 食物依存性運動誘発アナフィラキシー） 19, 88, 194, 201, 202
food-protein induced allergic proctocolitis（FPIAP） 21, 228
food-protein induced enterocolitis syndrome（FPIES） 21, 228
food-protein induced enteropathy（FPE） 21, 228

G

gastroallergic anisakiasis 224
gastrointestinal allergies（消化管アレルギー） 19, 228
gibberellin-regulated protein（GRP） 34, 192, 197, 205

H

Hev b 6.02（ヘベイン） 34, 209

I

IgE mediated reactions（IgE 依存性反応） 17
immediate reactions（即時型反応） 17
impending doom（死の恐怖感） 22
International Union of Immunological Societies（IUIS） 26, 181

L

late reactions（遅発型反応） 17
latex-fruit syndrome（LFS, ラテックス-フルーツ症候群） 20, 190, 209
LEAP スタディ 66, 68
linear epitope（連続性エピトープ） 26
lipid transfer protein（LTP, 脂質輸送タンパク質） 30, 166, 192

N

negative predictive value（NPV, 陰性的中率） 94
non-celiac gluten sensitivity 239
non-IgE mediated reactions（非 IgE 依存性反応） 17, 22
non-IgE-mediated gastrointestinal food allergy 230

O

open food challenge（OFC, オープン法） 108
oral allergy syndrome（OAS, 口腔アレルギー症候群） 19, 204
oral food challenge（OFC, 食物経口負荷試験） 13, 14, 76, 89, 100, 134, 198
oral immunotherapy（OIT, 経口免疫療法） 134
oral mite anaphylaxis（経口ダニアナフィラキシー） 20, 225

P

pancake syndrome（パンケーキ症候群） 225
pathogenesis-related protein（病因関連タンパク質） 33, 191
peripherally derived Treg（pTreg, Foxp3$^+$制御性T細胞） 40
pollen-food allergy syndrome（PFAS, 花粉-食物アレルギー症候群） 20, 33, 88, 190, 204
poly-γ-glutamic acid（PGA, ポリガンマグルタミン酸） 20, 174, 219
pork-cat 症候群 20, 212
positive predictive value（PPV, 陽性的中率） 94, 166
PR-10 20, 33, 173, 192, 204
precautionary allergen labelling（PAL, 可能性表示） 249
prick-to-prick test 96, 192, 206, 220, 225

Q

QOL 11, 13, 14, 121, 262

R

regulatory T cell（Treg, 制御性T細胞） 40, 43

S

skin prick test（SPT, 皮膚プリックテスト） 11, 96
subcutaneous immunotherapy（SCIT, 皮下免疫療法） 207
sublingual immunotherapy（SLIT, 舌下免疫療法） 208
sustained unresponsiveness（SU, 持続的無反応） 11, 12, 44, 135

T

Th2 サイトカイン 42, 138
thymic stromal lymphopoietin（TSLP） 235
transforming growth factor-β（TGF-β, 形質転換増殖因子） 40

W

wheat-dependent exercise-induced anaphylaxis（WDEIA, 小麦依存性運動誘発アナフィラキシー） 24, 196

本書の電子書籍は、以下のスクラッチを削って、URL にアクセスしてご覧ください。
※本 URL を本書の所有者以外へ提供・開示することを固く禁じます。

食物アレルギー診療ガイドライン 2021

2021 年 11 月 13 日	第 1 版第 1 刷発行
2022 年 9 月 13 日	第 2 刷発行
2023 年 1 月 26 日	第 3 刷発行

- ■監修　　　　　　海老澤元宏/伊藤浩明/藤澤隆夫
- ■作成　　　　　　一般社団法人日本小児アレルギー学会
- ■編集・制作・発売　株式会社協和企画
　　　　　　　　　〒170-8630　東京都豊島区東池袋3-1-3
　　　　　　　　　https://www.kk-kyowa.co.jp/
　　　　　　　　　お問い合わせ：上記ホームページの〈お問い合わせフォーム〉よりお寄せください。
- ■印刷　　　　　　株式会社アイワード

ISBN978-4-87794-208-3　C3047　￥5400E
定価：5,940 円（本体 5,400 円＋税 10％）